LA SALUD POR LA NUTRICION

NATURAMA
enciclopedia científica
de medicina natural

RECETARIO
Realizado por la Redacción
de Safeliz con la colaboración
de expertos en arte culinario

LA SALUD
POR
LA NUTRICION

2.ª EDICION

EDITORIAL SAFELIZ
ARAVACA, 8 - MADRID

1.ª edición, junio de 1986: 10.000 ejemplares
2.ª edición, junio de 1987: 10.000 ejemplares

REDACCION:	Andrés Tejel
	Francesc X. Gelabert
	M.ª Angels Carbonell
	Celedonio García-Pozuelo
	Fernando Gómez
ASESORES MEDICOS:	Dr. Jorge D. Pamplona-Roger
	Dr. Ramón Gelabert
DIAGRAMACION:	Josefina Subirada de Tejel

COMPOSICION:	Fotocomposición RB/Valderribas, 7/28007 Madrid
FOTOMECANICA COLOR:	LA UNION, S.A./Esperanza Sánchez Carrascosa, 24 - 28039 Madrid
	CASTELL-CROMO/Alberche, 11/28045 Madrid
IMPRESION:	Gráficas MAR-CAR, S.A./Ulises, 95/28043 Madrid
ENCUADERNACION:	BALBOA, Sdad. Coop. Ltda./Ortiz Campos, 8/28026 Madrid

IMPRESO EN ESPAÑA/*PRINTED IN SPAIN*

Copyright by EDITORIAL SAFELIZ, S.L./Aravaca, 8/28040 Madrid

Depósito legal: M-16.949-1987
I.S.B.N.: 84-7208-065-X (obra completa)
          84-7208-064-1 (tomo 4)

INDICE
DEL RECETARIO

Queridos lectores: Creemos que hay tres indicaciones muy importantes que les ayudarán a sacar el máximo provecho de este RECETARIO.

- En primer lugar, todas las fotografías que lo ilustran se han realizado en exclusiva y expresamente para él. Quiere esto decir que, tanto los ingredientes como su disposición, son los de la receta indicada en cada caso. Las poquísimas excepciones a esta norma, que el lector pueda hallar, no necesitan mayor aclaración, ya que nunca se prestan a confusiones. Lógicamente así, algunos ingredientes que pudieran resultar desconocidos, se identifican fácil y exactamente. Las fotografías son, normalmente, de los platos terminados. En algunos pocos casos, que el lector constatará a primera vista, se han fotografiado los ingredientes o una fase de la «Preparación» del plato.

- En segundo lugar queremos poner de manifiesto que el cálculo del «Valor nutritivo», que figura al final de cada receta, ha sido realizado también expresamente para este RECETARIO.

- Antes de empezar a usar el RECETARIO conviene que lean atentamente la «Introducción», que encontrarán cinco páginas más adelante, y que en caso de duda consulten el «Apéndice al Glosario» (pág. 1771).

⋆　⋆　⋆

- EDITORIAL SAFELIZ agradece a todas las personas que, bajo la coordinación de Maria Angels CARBONELL, han colaborado en la realización, redacción, revisión, corrección y cálculo de «Ingredientes» y «Valor nutritivo» de este RECETARIO, así como en la preparación de los platos para ser fotografiados o para comprobar la exactitud de las medidas. Hacer las lista de todas no es posible, pero es necesario que destaquemos aquellas que han aportado un esfuerzo y una dedicación especiales:

ANGOY, Conchita
ARTAL, María del Pilar
BAÑOS, Angelines
BERLINCHES, Amparito
ESTEBANELL, María
GARCÍA-POZUELO, Celedonio

GÓMEZ, Eva
HERNÁNDEZ, Aurora
HERNÁNDEZ, Conchita
RIBERA, Juanita
SUBIRADA, Josefina
TEJEL, Jonatán

CUARTA PARTE

COCINA SANA Y AGRADABLE

Una de las mayores satisfacciones del ama de casa es ofrecer a su familia platos nutritivos y apetitosos. Pero no es necesario esperar hasta que haya invitados para añadir el complemento que hace de la hora de comer la más grata del día: la preparación de la mesa. También nuestra familia merece sentarse a una mesa que, aunque sencilla, esté preparada con prolijidad y buen gusto. Lógicamente, las ocasiones especiales ¡por algo son especiales!

Como usted sabe, con los ojos también se come. No es lo mismo tomar un jugo de frutas en un vaso brillante que en un cacharro abollado; un apetitoso plato de comida en una mesa bien puesta que en una donde todo parece haber sido «tirado» al azar. Indudablemente, los ojos ayudan al paladar ¡y también a la digestión!

ESTHER I. DE FAYARD

RECETARIO

Error grave es comer tan sólo para agradar al paladar; pero la calidad de los comestibles o el modo de prepararlos no es indiferente. Si el alimento no se come con gusto, no nutrirá tan bien al organismo. La comida debe escogerse cuidadosamente y prepararse con inteligencia y habilidad.

ELENA G. WHITE

Saber cocinar no es sólo saber preparar la comida de una forma apetitosa y que haga fácil la digestión, es también saber tratar los alimentos de modo que se respete al máximo su contenido vitamínico y su valor nutritivo.

Dr. FRANCISCO GRANDE COVIAN

INTRODUCCION

El RECETARIO que ofrecemos en la presente obra, surgió casi como una necesidad. Es el complemento lógico y adecuado, en nuestro medio cultural y social, a la extensa exposición que el doctor Schneider hace sobre los alimentos, sus propiedades, aplicaciones y valor nutritivo y dietoterápico.

Cuando alguien lee u oye gran cantidad de consejos sobre alimentos que le conviene ingerir y los que le conviene evitar, a menudo le surge la duda de cómo llevar al «puchero» todo eso que ha aprendido. Este RE-CETARIO pretende ser una ayuda para esas personas. Sus 500 recetas, cuidadosamente seleccionadas, darán al ama de casa una gran variedad de combinaciones de menús sanos y apropiados a distintas ocasiones. Dentro de este recetario encontrará platos más sencillos que otros, más suaves o más

fuertes; en todo caso son recetas saludables pensadas para una alimentación normal, es decir, de personas sanas. No se descarta, por supuesto, que bastantes de estas recetas se adapten perfectamente a un régimen determinado (obesidad, diabetes, circulación, etc.), pero no es ése su objetivo. Aquellas personas que requieran un régimen especial, podrán encontrar en el tercer tomo de esta misma obra, los consejos y dietas adecuadas a su caso particular.

Para la recopilación y selección de estas recetas hemos contado con la valiosa e inestimable ayuda de un buen número de experimentados cocineras y cocineros, quienes desinteresadamente nos cedieron sus recetas, sus consejos y hasta sus secretos. A todos ellos nuestro reconocimiento y gratitud más sinceros.

La gran mayoría de las recetas son españolas, y casi todos sus ingredientes son fáciles de encontrar en los mercados y tiendas de los diferentes lugares por donde circulará nuestra obra. Hemos incluido, sin embargo, algunas recetas con frutos y hortalizas tropicales, muy corrientes en diversos países latinoamericanos, por los que también se difundirá esta obra, pero creemos que igualmente podrán ser útiles al ama de casa española, pues cada vez con mayor variedad y abundancia se van viendo este tipo de productos en nuestros mercados.

Las 500 recetas están numeradas y distribuidas por orden alfabético de títulos, de tal forma que sabiendo el título, o el número de la receta, se podrá encontrar sin mayor dificultad. Al final de las recetas (pág. 1729) se incluye el «Indice de recetas por tipos de platos», para facilitar la búsqueda de cualquiera de ellas. Por ejemplo, si le interesa encontrar una sopa, tendrá que buscarla en el apartado de «Sopas», si es una ensalada, en el de «Ensaladas», o unas croquetas en el apartado de «Albóndigas y croquetas», etc., etc.

Al ama de casa corresponde el inmenso privilegio, a la vez que responsabilidad, de ofrecer a los suyos los alimentos que mejor se adapten a sus necesidades y también a sus gustos. La cocina sana, en contra de lo que algunos puedan pensar, no está reñida en absoluto con las recetas de sabor exquisito y aspecto agradable. Es más, se da el caso, muchas veces, de que un alimento sencillo, debidamente preparado y presentado, puede darle más éxitos al ama de casa que algunas tediosas y complicadas elaboraciones, que finalmente pocos aprecian.

Parece un contrasentido, de todas formas, que en nuestra apresurada época, en la que muchas amas de cada tienen además otras ocupaciones fuera de su hogar, se sigan publicando, y con gran éxito, diversos libros y enciclopedias de cocina, cuando la tendencia cada vez más acusada es la de comer de forma rápida algunos platos que se compran total o parcialmente cocinados. La explicación habría que buscarla quizá en el hecho de que este tipo de comida no siempre satisface el gusto ni, lo que es más importante, las necesidades nutritivas de los miembros de la familia. Tampoco es extraño encontrar hombres y mujeres a los que les encanta la cocina y buscan, aunque sólo sea como «hobby» el llevar a la práctica su afición en el arte culinario. Para estas personas, la cocina no es un enemigo invencible, ni mucho menos, y tampoco debería serlo para cualquier otro tipo de personas, pues aunque se tengan muchas ocupaciones, el dedicar un tiempo a la preparación y elaboración de un menú adecuado a nuestras necesidades, resulta muchas veces gratificante, además de rentable.

Cuando el ama de casa planifica su tiempo y escoge de forma adecuada el menú, procurando buscar un equilibrio nutritivo, así como un equilibrio de dificultad y tiempo de preparación en los diferentes platos, encontrará que no es tan difícil como en un principio imaginaba, y sentirá la satisfacción de tener a los suyos más felices y mejor alimentados.

Si se dedica algo de tiempo, aunque sólo sean unos quince o veinte minutos a la semana, en hacer una lista de menús y de compra, se ahorra mucho tiempo, porque se sabe en cada momento aquello que se necesita y se tendrá a mano. El ama de casa podrá igualmente planificar su esfuerzo evitando duplicar preparaciones. Cuando, por ejemplo, observa que va a necesitar salsa de tomate el lunes para unos macarrones, el martes para acompañar unas croquetas, y el miércoles para añadir a una sopa, puede preparar de una sola vez toda la cantidad que vaya a usar, emplear la que desee en el día, y guardar el resto, en botes herméticos y en el frigorífico, para posteriores ocasiones.

Todas nuestras recetas llevan además unas indicaciones que darán una idea del tiempo y la dificultad que conllevan. Los tiempos vienen representados por relojes sombreados, y la dificultad por el número de cocineros, según se puede ver a continuación.

RECETAS
INDICACIONES PRACTICAS

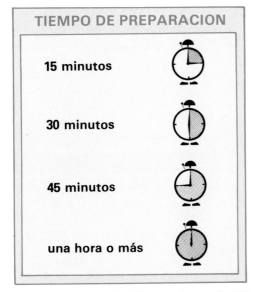

TIEMPO DE PREPARACION

15 minutos

30 minutos

45 minutos

una hora o más

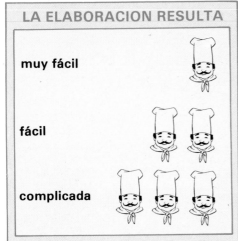

LA ELABORACION RESULTA

muy fácil

fácil

complicada

Aunque con sus lógicas limitaciones, puesto que no todas las amas de casa poseen la misma habilidad, ni el mismo tipo de horno, fuego y cazuelas, pensamos que estas indicaciones podrán ayudar mucho a la hora de planificar los menús.

Los tiempos indicados con el símbolo del reloj corresponden siempre a los que la persona encargada de cocinar dedica a la preparación de las recetas. Los tiempos de cocción, que no requieren vigilancia o intervención directa del cocinero, no están computados. Es decir, si, por ejemplo, después de preparar una bandeja para el horno, en lo cual hemos empleado media hora de tiempo, el alimento debe estar cocinándose en el horno durante una hora, el tiempo indicado será de treinta minutos (medio reloj sombreado), pues durante la hora de cocción en el horno el cocinero queda libre para poder hacer otras cosas.

Otra información que ofrecemos, y que estamos seguros sabrán apreciar aquellas personas que buscan alimentarse de forma equilibrada, es el valor nutritivo de cada una de las recetas. Dichos cálculos han sido efectuados de forma rigurosa con la ayuda de personas experimentadas, las cuales no han escatimado tiempo y esfuerzo para conseguir exactitud en los datos. Se han pesado y medido minuciosamente los ingredientes empleados, teniendo en cuenta el desperdicio real de cada uno de ellos, así como el aceite absorbido en los fritos, zumo obtenido de algunas frutas, elementos que sólo sirven de adorno, etc., etc.

Debemos ser conscientes, no obstante, de que puede haber diferencias en el valor nutritivo de un mismo plato, debido a ciertas variables que escapan a nuestro control. Efectivamente, existen diferencias apreciables entre distintas variedades del mismo producto, así como diferencias debidas al grado de sazón o zona de cultivo. También se dan diferencias por los métodos de análisis, y aún en el mismo análisis se dan distintos valores entre diferentes muestras del mismo producto. Es por esa razón que las tablas de los laboratorios suelen dar siempre los valores medios de cada producto.

Las recetas están calculadas para cuatro personas, y el valor nutritivo se da casi siempre por ración. Hay, sin embargo, algunas que, por sus características, se les ha calcula-

LA RUEDA DE LOS ALIMENTOS: Sobre fondo rojo, los alimentos que fundamentalmente nos proporcionan proteínas; sobre fondo verde, los que nos suministran vitaminas y minerales; sobre fondo amarillo, los energéticos: glúcidos (hidratos de carbono) y lípidos (grasas). Para nutrirse equilibradamente hay que tomar cada día una ración de cada uno de los seis grupos de alimentos de la rueda.

do el valor nutritivo por 100 gramos, al considerar que posiblemente no se consuma toda la receta de una vez, sino en pequeñas cantidades, como puede ser el caso de las galletas, caramelos, gluten, etc. En cualquier caso, siempre se hace la indicación pertinente para que el ama de casa pueda hacer sus cálculos si lo desea.

Otro detalle a tener en cuenta, es que el valor nutritivo se ha calculado considerando exactamente los alimentos y cantidades que figuran en el apartado «Ingredientes». Quiere eso decir que cualquier otra sugerencia que aparezca en la receta no estará contemplada en el «Valor nutritivo» de la misma. De igual modo, si el ama de casa desea hacer alguna modificación en la receta, añadiendo o eliminando algún ingrediente, ló-

TABLA DE EQUIVALENCIAS

En todas nuestras recetas hemos procurado concretar las cantidades de los ingredientes en gramos (los sólidos), y en decilitros (los líquidos). No obstante, en algunos casos en los que las cantidades son pequeñas, o en los que consideramos que era mejor dar las cantidades en volúmenes, algunos ingredientes vienen dados por tazas o cucharadas.

Por esta razón ofrecemos a continuación una relación de algunos alimentos y sus correspondientes equivalencias en cucharadas o en tazas. Para ello hemos considerado siempre una taza grande al ras, es decir un volumen de un cuarto de litro (2,5 dl = 250 cc). La cucharada —de cuchara grande o sopera— equivale en volumen a 15 ml (15 cc). Una cucharadita es lo que recoge una cucharilla de las llamadas «de café», es decir 5 ml (5 cc).

EQUIVALENCIAS EN VOLUMEN

una	equivale a:

 = 250 cc = 250 ml = 1/4 de l = 2,5 dl = 16

= 15 cc = 15 ml = 0,15 dl

= 5 cc = 5 ml = 0,05 dl

cc = centímetros cúbicos, ml = mililitros, l = litros, dl = decilitros, g = gramos

EQUIVALENCIAS EN PESO

ALIMENTOS	una taza	una cucharada	ALIMENTOS	una taza	una cucharada
Agua / Caldo / Leche / Nata líquida	250 g	15 g	Lentejas	180 g	
			Piñones enteros	150 g	9,5 g
Aceite	220 g	14 g	Almendras enteras / Avellanas enteras / Cacahuetes enteros	140 g	
Arroz blanco	220 g				
Arroz integral	200 g		Nueces enteras	100 g	
Harina de trigo	140 g	9 g	Almendras trituradas / Avellanas trituradas / Cacahuetes triturados / Nueces trituradas	70 g	4,5 g
Pan rallado	160 g	10 g			
Pan triturado	40 g	2,5 g	Azúcar blanco	200 g	12,5 g
Garbanzos / Judías blancas (o pintas) / Soja	200 g		Azúcar moreno (integral)	160 g	10 g
			Miel	360 g	22 g

gicamente deberá añadir o restar los valores correspondientes.

Sobre este particular, conviene aclarar que no todas las sustituciones o modificaciones tienen la misma repercusión en el valor nutritivo, puesto que si se trata de sustituir o añadir una verdura, por ejemplo, el valor final prácticamente no sufrirá variación apreciable. Muy diferente será el caso de añadir o eliminar productos tales como aceite, frutos secos, salsas, cremas, etc., pues su valor energético es bastante elevado y alterará de forma notable el valor nutritivo indicado en un principio (véase la «Tabla analítica de los alimentos más comunes», que figura al final del 2º tomo).

Para ver un ejemplo práctico de lo dicho, veamos que sucedería con la receta nº 116, «Coliflor gratinada», si queremos modificarla. El número de calorías por ración de dicha receta es de 506. Si decidimos añadir unos 250 gramos más de coliflor, dicho valor se verá incrementado únicamente en 18 calorías por ración. Si, en cambio, decidimos añadir tan sólo dos cucharadas más de aceite, el incremento será de 70 calorías por ración, y otro tanto sucederá si aumentamos la cantidad de nueces o de queso. Así pues, es conveniente respetar los ingredientes y cantidades que se indican, especialmente cuando se quiere hacer uso de la tabla de valor nutritivo que acompaña a cada receta.

Hay unas pocas palabras o expresiones en este RECETARIO que quizá no sean usuales en alguno de los dominios de la lengua castellana. Para facilitar su comprensión las hemos relacionado en un «Apéndice al Glosario» (pág. 1771). Si algún producto no es conocido por el lector o lectora con el nombre que figura en la receta, búsquelo en el «Indice alfabético general» (pág. 1737) y en la página indicada hallará la «sinonimia castellana», tanto de España como de Latinoamérica, y la sinonimia de las demás lenguas españolas.

Sólo nos resta desear a nuestros lectores que este RECETARIO les resulte útil para incrementar su variedad y posibilidades en la preparación de menús sanos, y que al mismo tiempo disfruten en la elaboración y degustación de las «500 Recetas».

RECUERDE: SALVO EN CASOS PARTICULARES, LOS «INGREDIENTES» DE TODAS LAS RECETAS ESTAN CALCULADOS PARA **4** RACIONES

500 RECETAS

1. AGUACATES CON HUEVOS

Ingredientes

• *2 aguacates grandes* • *4 huevos* • *4 cucharadas de aceite de oliva* • *1 limón* • *1 cebollino* • *sal marina*

Preparación

1.º Cocer los huevos durante cinco minutos. Enfriar y pelar.
2.º Cortar los aguacates por la mitad y quitarles el hueso con mucho cuidado. Rociar la pulpa con el zumo de medio limón para que no se ennegrezca.
3.º Colocar en cada hueco dejado por el hueso del aguacate un huevo y cortar en la parte superior un disco de la clara para que se vea la yema.
4.º En una salsera mezclar el aceite, el cebollino picado, un poco de sal y el zumo de medio limón.
5.º Servir los aguacates y la salsa bien fríos y por separado.

Valor nutritivo (por ración)	
Glúcidos	9 g
Lípidos	36 g
Prótidos	10 g
Calorías	401
Julios	1.676

2. AGUA DE MAIZ

Ingredientes

• *100 g de maíz tierno-desgranado* • *2 limones* • *3 cucharaditas de miel* • *1 litro de agua*

Preparación

1.º Lavar los limones y el maíz. Cortar unos trozos de corteza de los limones.

2.º Cocer el maíz junto con las cortezas y el agua que se indica durante unos quince minutos. Colar el caldo y reservar el maíz para otra receta.

3.º Endulzar el caldo con la miel. Si se va a tomar caliente se le añade el zumo de los dos limones y se sirve. Si se va a usar como bebida fría, dejar enfriar sin añadir el zumo de limón, que se exprimirá y agregará inmediatamente antes de tomarlo.

Valor nutritivo	
(por 100 g, poco menos de medio vaso)	
Glúcidos	6 g
Lípidos	—
Prótidos	—
Calorías	25
Julios	105

2.º Mezclar bien, en un recipiente hondo, la carne vegetal, el pan triturado, los frutos secos triturados, los huevos batidos, los ajos machacados, la cebolla rallada, el perejil muy menudito y la sal.

3.º De la pasta obtenida ir cogiendo porciones con una cuchara, formar las albóndigas y pasarlas por harina.

4.º Freír las albóndigas en una sartén con aceite de oliva a fuego medio hasta que estén doradas.

5.º Poner todas las albóndigas en una cazuela con la salsa de tomate a fuego lento durante unos diez minutos.

Valor nutritivo (por ración)	
Glúcidos	38 g
Lípidos	50 g
Prótidos	21 g
Calorías	687
Julios	2.872

3. ALBONDIGAS CON TOMATE

4. ALBONDIGAS DE ACELGAS AL LIMON

Ingredientes

• 1 bote de carne vegetal picada • 1 taza de pan triturado • 75 g de almendras y avellanas trituradas • 2 huevos • 2 dientes de ajo • 1 cebolla pequeña • harina • aceite de oliva • perejil • sal marina • «Salsa de tomate I» (ver receta n.º 407)

Ingredientes

• 1 kg de acelgas • 100 g de avellanas trituradas • 50 g pan triturado • 1 huevo • 2 dientes de ajo • la ralladura de la cáscara de medio limón • perejil • pimentón • sal marina • harina • aceite de oliva • 1 taza de «Salsa clara» (ver receta n.º 403)

Preparación

1.º Preparar la salsa de tomate siguiendo la receta que se cita.

Preparación

1.º Preparar la «Salsa clara» siguiendo la receta que se indica.

2.º Emplear solamente la parte verde de las acelgas. Las pencas se reservan para otra receta.

3.º Lavar bien y cortar las acelgas en trozos pequeños. Cocerlas con poca agua y sal hasta que estén tiernas. Escurrirlas bien apretándolas para que suelten toda el agua.

4.º En un recipiente hondo mezclar bien las acelgas cocidas, las avellanas y el pan triturado, el huevo batido, los ajos y el perejil bien picados, el pimentón y la ralladura de limón. Dejar reposar unas dos horas.

5.º Formar las albóndigas cogiendo pequeñas porciones de la pasta con una cuchara y pasarlas por harina.

6.º Freír las albóndigas en una sartén con aceite de oliva a fuego medio hasta que estén doradas.

7.º Poner todas las albóndigas en una cazuela con la salsa blanca mencionada, a fuego lento, durante unos diez minutos.

Valor nutritivo (por ración)

Glúcidos	13 g
Lípidos	33 g
Prótidos	9 g
Calorías	365
Julios	1.526

melaza • *aceite de oliva* • *«Salsa de tomate I»* (ver receta n.º 407)

Preparación

1.º Preparar el arroz y la salsa de tomate siguiendo las recetas indicadas.

2.º Mezclar bien el arroz con el queso, un huevo batido, el ajo y el perejil bien picados y la sal.

3.º En otro recipiente batir bien un huevo con la leche.

4.º Formar las albóndigas, pasarlas por el huevo y la leche primero, y por la levadura de melaza después. Dejar secar unos minutos.

5.º Freír las albóndigas en una sartén o freidora, con aceite de oliva, a fuego medio hasta que estén doradas.

6.º Servir acompañadas con la salsa de tomate.

Valor nutritivo (por ración)

Glúcidos	31 g
Lípidos	41 g
Prótidos	18 g
Calorías	568
Julios	2.373

5. ALBONDIGAS DE ARROZ

6. ALBONDIGAS DE CALABACIN

Ingredientes

• *1 taza de arroz integral cocido* (ver receta n.º 30) • *100 g de queso rallado (1 taza)* • *2 huevos* • *2 cucharadas de leche* • *1 diente de ajo* • *perejil* • *sal marina* • *levadura de*

Ingredientes

• *1/2 kg de calabacines* • *2 huevos* • *100 g de pan integral duro* • *50 g de queso tierno rallado* • *sal marina* • *aceite de oliva*

RECETA nº 1

Preparación

1º Lavar bien los calabacines y cortarlos en rodajas sin pelar. Cocerlos, con poca agua y sal, durante unos quince minutos. Escurrir y colocar en un recipiente hondo.

2º Aplastar el calabacín con un tenedor, añadir los huevos, el queso, el pan duro desmenuzado y un poco de sal. Remover bien y dejar reposar cinco o diez minutos.

3º En una sartén con un poco de aceite, se van friendo porciones de la mezcla que se toman con una cuchara. Dorar bien por ambos lados y apartar sobre un plato o fuente con papel absorbente. Servir calientes.

Valor nutritivo (por ración)	
Glúcidos	20 g
Lípidos	17 g
Prótidos	14 g
Calorías	268
Julios	1.120

RECETA n.º 6

7. ALBONDIGAS DE COPOS DE CEREALES

Ingredientes

• 1 taza de copos de cinco cereales • 1 taza
de pan duro triturado • 2 huevos • 1 cebolla
rallada • 1 taza de leche caliente • 100 g de
queso tierno rallado • 2 dientes de ajo • perejil • una pizca de romero • una pizca de
tomillo • sal marina • aceite de oliva • «Salsa cremosa de almendras» (ver receta n.º 404)

Preparación

1.º En un recipiente hondo se remojan los
    copos en la leche caliente, dejando en
    reposo unos minutos.

2.º Añadir al recipiente donde están los co-
    pos: el pan triturado, los huevos bati-
    dos, la cebolla y el queso rallados, los
    ajos y el perejil bien picados, el tomillo,
    el romero y la sal. Mezclar bien.

3.º Formar las albóndigas y, sin necesidad
    de pasarlas por harina, freírlas en una
    sartén con aceite de oliva, a fuego me-
    dio, hasta que se doren.

4.º Poner en una cazuela las albóndigas con
    la salsa cremosa citada y dejar cocer a
    fuego muy suave durante unos diez mi-
    nutos.

Valor nutritivo (por ración)	
Glúcidos	43 g
Lípidos	36 g
Prótidos	21 g
Calorías	581
Julios	2.428

una espumadera y colocarlas sobre papel absorbente para que escurran el aceite.
5.º Servir calientes y acompañadas con la salsa de tomate.

Valor nutritivo (por ración)	
Glúcidos	42 g
Lípidos	38 g
Prótidos	10 g
Calorías	551
Julios	2.302

8. ALBONDIGAS DE PATATAS Y «FOIE-GRAS»

9. ALBONDIGAS DE PATATAS Y SETAS

Ingredientes

• *500 g de patatas* • *1 huevo* • *1 cebolla pequeña* • *50 g de «foie-gras» (paté vegetal o paté de champiñón)* • *15 g de mantequilla* • *«Salsa de tomate II» (ver receta n.º 408)* • *perejil* • *sal marina* • *aceite de oliva*

Preparación

1.º Preparar la salsa de tomate siguiendo la receta que se cita.
2.º Pelar la cebolla y cocerla en agua con un poco de sal. Lavar las patatas y cocerlas aparte sin pelar.
3.º Cuando estén cocidas, pelar y aplastar las patatas con un tenedor. La cebolla se escurre bien y se aplasta juntamente con las patatas. Añadir al puré, sin dejar de trabajarlo, el paté vegetal, la mantequilla, la nata líquida y los huevos batidos. Agregar un poquito de sal y el perejil picadito.
4.º Cuando esté la pasta bien mezclada, se van formando las albóndigas y se fríen en una sartén, procurando que queden uniformemente doradas. Sacarlas con

Ingredientes

• *1/2 kg de patatas* • *250 g de níscalos* • *2 huevos* • *2 dientes de ajo* • *perejil* • *3 cucharadas de pan rallado* • *1/2 cucharadita de pimentón* • *aceite de oliva*

Preparación

1.º Lavar bien las patatas y cocerlas, sin pelar, en agua con sal.
2.º Limpiar bien los níscalos en seco, tanto como se pueda, quitando toda la tierra y partes estropeadas con un cuchillito. Lavarlos después con agua, pero evitando los remojos. Picarlos muy finamente.
3.º Rehogar los níscalos en una sartén con tres cucharadas de aceite. Cuando se les esté agotando su jugo, añadir los ajos y el perejil, todo picado muy menudito.
4.º Cuando estén cocidas las patatas, pelarlas y aplastarlas con un tenedor, añadirles los níscalos rehogados, los huevos batidos, el pan rallado y el pimentón.

Amasarlo todo bien y formar las albóndigas no muy gordas.

5.º Freír las albóndigas en una sartén con el aceite, procurando que se doren uniformemente. Apartar de la sartén con una espumadera y colocarlas sobre papel absorbente para que escurran el aceite sobrante.

Valor nutritivo (por ración)	
Glúcidos	29 g
Lípidos	21 g
Prótidos	8 g
Calorías	336
Julios	1.405

10. ALBONDIGAS DE REQUESON

Ingredientes

• 250 g de requesón • 125 g de nueces trituradas (taza y media) • 2 huevos • 2 cucharadas de germen de trigo • 3 cucharadas de pan triturado • 50 g de soja deshidratada (carne vegetal) • 100 g de guisantes desgranados • 3 dientes de ajo • perejil • sal marina • «Salsa de tomate I» (ver receta n.º 407) • 1 vaso de agua • aceite de oliva

Preparación

1.º Poner en remojo la soja deshidratada con igual cantidad de agua (una taza de soja y una de agua). Dejar una media hora hasta que absorba el líquido.

2.º Preparar la salsa de tomate según la receta que se indica.

3.º Cocer los guisantes en agua con un poco

de sal (si los usa de bote no hay que cocerlos). Incorpórelos a la salsa de tomate junto con un vaso de agua o el caldo de los guisantes.

4.º Pele los ajos y píquelos junto con el perejil.

5.º En un recipiente mezcle bien el requesón, las nueces, los huevos, el germen de trigo y el pan, la carne vegetal ya remojada, el picadillo de ajo y perejil y sal a gusto. Formar unas bolas del tamaño aproximado de una nuez y freír sin necesidad de rebozar. Si tiene un congelador, le resultará mucho más fácil congelarlas y freírlas directamente sin descongelar previamente.

6.º En una cazuela de barro se colocan todas las albóndigas, se le añade la salsa de tomate con los guisantes y se deja cocer a fuego lento hasta que la salsa espese un poco. Servir caliente.

Valor nutritivo (por ración)	
Glúcidos	30 g
Lípidos	45 g
Prótidos	25 g
Calorías	618
Julios	2.583

11. ALBONDIGAS TARTARAS DE SOJA

Ingredientes

• 1/2 taza de preparado de soja deshidratada (carne vegetal) • 100 g de queso tierno rallado • 1/2 taza de avellanas tostadas y molidas • 1 cucharada de cebolla molida • 1 cucharadita de ajo molido • 1/2 cucharadita de comino • 1 huevo • 3 cucharadas

RECETA n.º 11

de harina • 1/2 taza de leche • 3 cucharadas de pan triturado • aceite de oliva • sal marina • «Salsa de tomate I» (ver receta n.º 407)

Preparación

1.º Remojar el preparado de soja en media taza de agua o caldo durante media hora.
2.º Preparar la salsa de tomate siguiendo la receta que se indica.
3.º Diluir la harina con la leche de forma que no queden grumos.
4.º En un recipiente hondo mezclar bien la soja remojada, el queso y las avellanas ralladas, la cebolla, el ajo, el comino, el huevo batido, la leche con la harina, el pan triturado y sal a gusto. Dejar reposar media hora.
5.º Formar las albóndigas y freír en una sartén con aceite de oliva.
6.º Colocar las albóndigas en una cazuela con la salsa de tomate y dejar cocer a fuego lento unos minutos.

Valor nutritivo (por ración)	
Glúcidos	30 g
Lípidos	49 g
Prótidos	19 g
Calorías	640
Julios	2.675

RECETA n.º 12

12. ALBONDIGAS VERDES

Ingredientes

- 1/2 kg de patatas • 1/2 kg de espinacas
- 1 huevo • 50 g de queso manchego tierno rallado • 2 cucharadas de nata líquida • «Salsa de tomate I» (ver receta n.º 407) • 1 ramita de perejil • una pizca de orégano y tomillo • aceite de oliva • sal marina

Preparación

1.º Lavar las patatas y cocerlas con la piel en agua con sal. Cuando estén blandas se les escurre el agua, se pelan y se hacen puré.

2.º Preparar la «Salsa de tomate I» siguiendo las instrucciones de la receta indicada. *

3.º Se limpian y lavan las espinacas. Se cuecen con muy poca agua y sal durante cinco minutos en una cazuela tapada.

4.º Aparte, en un recipiente hondo, se baten los huevos y se mezclan con el queso rallado, la nata líquida, el perejil picado muy fino y las especias.

5.º Después se añade a esta mezcla el puré de patata y las espinacas, que se habrán picado menudas. Remover para que se mezclen bien todos los ingredientes.

6.º En una sartén poner a calentar aceite. Formar con la pasta preparada pequeñas bolitas y freírlas. Se sirven con la salsa de tomate.

1377

Valor nutritivo (por ración)

Glúcidos	42 g
Lípidos	42 g
Prótidos	14 g
Calorías	598
Julios	2.499

13. ALCACHOFAS A LA CATALANA

Ingredientes

• *1 kg alcachofas pequeñas o medianas* • *1 kg de guisantes* • *1 cebolla grande* • *1 bote de carne vegetal (270 g)* • *2 tomates maduros* • *1 taza de caldo de verduras* • *1 decilitro de zumo de manzana* • *1 ramita de apio* • *1 hoja de laurel* • *orégano* • *una pizca de tomillo* • *perejil* • *zumo de un limón* • *2 dientes de ajo* • *3 cucharadas de aceite de oliva* • *sal marina*

Preparación

1.º Limpiar bien las verduras. Pelar las alcachofas, despojándolas de todas las hojas duras y cortándoles el tallo y las puntas. Partirlas después en cuatro trozos y rociarlas con un poco de limón. Desgranar los guisantes. Pelar la cebolla y rallarla. Partir los tomates por la mitad y rallarlos. Cortar la carne vegetal a cuadraditos. Los ajos y el perejil se machacan juntos en el mortero.

2.º En una cazuela se calienta el aceite y se rehoga la cebolla. A continuación se añade la carne vegetal troceada. Se sazona a gusto y se añaden las hierbas, el apio y el laurel. Se sigue rehogando durante dos minutos. Añadir entonces los

guisantes y las alcachofas, seguir rehogando otros dos minutos y añadir el tomate rallado.

3.º Cuando empiece a agotarse el jugo del tomate, se le añade el zumo de manzana y el caldo de verduras y se deja cocer cinco minutos.

4.º Rectificar de sal. Agregar el ajo y el perejil machacados y dejar cocer hasta que las verduras estén tiernas.

Valor nutritivo (por ración)

Glúcidos	71 g
Lípidos	20 g
Prótidos	24 g
Calorías	519
Julios	2.168

14. ALCACHOFAS ASADAS

Ingredientes

• *1,5 kg de alcachofas grandes* • *1 cabeza de ajos* • *perejil abundante* • *4 cucharadas de aceite* • *sal marina*

Preparación

1.º Encender el horno. Lavar las alcachofas, cortarles el tallo para que se puedan tener de pie, pero no hay que pelarlas.

2.º Pelar los ajos y picarlos muy menuditos. Picar también el perejil.

3.º Colocar las alcachofas en una fuente de horno. Abrirlas con cuidado por el centro y sazonarlas con la sal. Depositar en el interior de cada una un poco de ajo y perejil picados. Rociarlas con el aceite.

4.º Introducirlas en el horno bien caliente,

pero reducir después a una temperatura media. Asar durante una hora aproximadamente hasta que el centro quede tierno.

5.º Antes de servir se despojarán de las hojas exteriores que habrán quedado chamuscadas. Servir calientes.

Valor nutritivo (por ración)

Glúcidos	38 g
Lípidos	16 g
Prótidos	6 g
Calorías	274
Julios	1.147

15. ALCACHOFAS CON MAJADO

Ingredientes

• *8 alcachofas grandes (1 kilo y medio aproximadamente)* • *1 limón* • *3 dientes de ajo* • *perejil* • *3 cucharadas de pan rallado* • *3 cucharadas de aceite de oliva* • *1 decilitro de zumo de manzana* • *sal marina*

Preparación

1.º Limpiar bien las alcachofas, despojándolas de sus hojas más duras y cortándoles el tallo y las puntas. Frotarlas con limón a medida que se van pelando para que no se pongan negras. Cocerlas en agua con sal y un chorrito de limón. Cuando estén tiernas apartarlas y escurrirlas.

2.º Picar los ajos y el perejil muy menuditos y mezclarlos con el pan rallado. Encender el horno.

3.º Poner el zumo de manzana en una fuente para horno. Colocar las ocho al-

cachofas de pie, abriendo ligeramente las hojas por la parte superior. Depositar por encima la mezcla de pan, ajo y perejil y regar con el aceite.

4.º Introducir en el horno a fuego medio hasta que se doren ligeramente.

Valor nutritivo (por ración)

Glúcidos	45 g
Lípidos	13 g
Prótidos	7 g
Calorías	269
Julios	1.123

16. ALCACHOFAS CON SALSA

Ingredientes

• *1 kg de alcachofas* • *100 g de guisantes desgranados* • *50 g de almendra rallada* • *2 dientes de ajo* • *2 huevos* • *2 cucharadas de harina* • *perejil* • *4 cucharadas de aceite de oliva* • *sal marina* • *1 vaso de agua* • *zumo de un limón*

Preparación

1.º Limpiar bien las alcachofas. Pelarlas despojándolas de todas las hojas más duras, cortarles el tallo y las puntas. Cortarlas en cuatro o seis trozos y rociarlas con zumo de limón. Pelar los ajos y machacarlos con el perejil en un mortero.

2.º Cocer los huevos en agua ligeramente salada. Enfriarlos rápidamente después de cocidos y pelarlos.

3.º Calentar el aceite en una sartén. Rebozar las alcachofas con harina y freírlas en la sartén. Cuando estén doradas se apar-

RECETA n.º 16

tan y se colocan en una cazuela. Rehogar también los guisantes y verterlos en la misma cazuela.

4.º Añadir la almendra rallada al mortero y mezclarlo con los ajos y el perejil machacados. Añadir también el vaso de agua, mejor si está caliente, y un poco de sal. Remover y verter sobre las alcachofas que no deben quedar completamente cubiertas.

5.º Cocer a fuego medio hasta que las verduras estén tiernas. Rectificar de sal. Añadir los huevos cocidos y partidos por la mitad, dejar unos dos minutos más y apagar el fuego. Servir caliente.

Valor nutritivo (por ración)

Glúcidos	35 g
Lípidos	26 g
Prótidos	13 g
Calorías	344
Julios	1.438

17. ALCACHOFAS ESTOFADAS

Ingredientes

• *1,5 kg de alcachofas* • *1 cebolla* • *2 dientes de ajo* • *perejil* • *zumo de un limón* • *1 hoja de laurel* • *1 litro de agua* • *2 cucharadas de aceite de oliva* • *sal marina*

Preparación

1.º Pelar la cebolla, lavarla y picarla finamente. Pelar los ajos. Lavar el perejil y picarlo junto con los ajos.

2.º Calentar el aceite en una cazuela y rehogar ligeramente la cebolla, los ajos y el perejil con un poco de sal. Añadir el agua y la hoja de laurel. Aumentar el fuego hasta que comience a hervir.

3.º Mientras se rehoga la cebolla, se van limpiando las alcachofas. Se despojan de sus hojas más duras, se les corta el tallo y las puntas. Se lavan y se rocían con el zumo. Partirlas en cuatro o seis trozos cada una.

4.º Cuando empiece a hervir el caldo de la cazuela, se le añaden las alcachofas y cuando recobre de nuevo la ebullición se rectifica de sal y se reduce el fuego. Se deja cocer a fuego lento hasta que estén tiernas.

Valor nutritivo (por ración)

Glúcidos	40 g
Lípidos	9 g
Prótidos	6 g
Calorías	217
Julios	905

18. ALCACHOFAS MARAVILLA

Ingredientes

• *8 alcachofas pequeñas (1 kg aproximadamente)* • *5 huevos* • *8 aceitunas negras* • *perejil* • *zumo de un limón* • *sal marina* • *«Salsa mayonesa»* (ver receta n.º 411)

Preparación

1.º Quitar las hojas más duras de las alcachofas, cortarles el tallo y las puntas, lavarlas y rociarlas con el zumo de medio limón.

2.º Poner suficiente agua en una olla a fuego fuerte. Cuando comience a hervir verter las alcachofas, un poco de sal y el resto del zumo de limón. Cuando estén tiernas escurrirlas y dejarlas enfriar.

3.º En un cazo aparte cocer los huevos con agua y un poco de sal. Dejar cocer diez minutos y enfriar rápidamente para evitar el color azulado de la superficie de las yemas. Pelarlos y cortar cuatro de ellos en gajos finos.

4.º Preparar la salsa mayonesa según la receta que se indica.

5.º Ensanchar las hojas de cada alcachofa, con cuidado de que no se partan, para descubrir el centro. Si tienen pelusilla, quitarla con cuidado. Poner en el hueco de cada alcachofa una cucharada de mayonesa, cuatro gajos de huevo duro, un poco más de mayonesa y en el mismo centro una aceituna negra.

6.º Colocar las alcachofas así preparadas en una fuente y adornarla con el resto de huevo duro (picadito o rallado) y la mayonesa. Espolvorear con perejil picado.

Valor nutritivo (por ración)

Glúcidos	25 g
Lípidos	71 g
Prótidos	16 g
Calorías	789
Julios	3.296

19. ALCACHOFAS RELLENAS

Ingredientes

• *1,5 kg de alcachofas grandes* • *250 g de champiñones* • *4 dientes de ajo* • *2 huevos* • *50 g de piñones* • *1 cucharada de harina* • *perejil* • *zumo de limón* • *4 cucharadas de aceite de oliva* • *sal marina* • *2 vasos de agua*

Preparación

1.º Cocer los huevos en agua ligeramente salada. Enfriarlos bien y pelarlos.

2.º Lavar los champiñones, después de haberlos limpiado con un cuchillo quitando la parte terrosa y cualquier impureza. Cortarlos menuditos. Pelar los ajos, lavar el perejil y picarlo todo finamente. Picar igualmente los huevos cocidos.

3.º Calentar el aceite en una sartén y rehogar los champiñones con un poco de sal. Añadir la mitad de los ajos y del perejil, los piñones y los huevos picados. Remover un poco y apartar en un plato.

4.º Mientras se rehogan los champiñones se limpian las alcachofas. Se despojan de sus hojas más duras, se les corta el tallo para que se puedan mantener de pie y se les cortan también las puntas. Se lavan y se rocían con el zumo de limón.

5.º Se abre cada alcachofa con cuidado y se rellena con los champiñones y los huevos. Se colocan de pie dentro de una cazuela.

6.º Con el aceite que habrá sobrado de rehogar los champiñones, se rehoga la otra mitad del picadillo de ajo y perejil. Se añade la harina y se dora ligeramente. A continuación se agrega el agua y un poco de sal, y se remueve bien para evitar los grumos. Esta salsa, que quedará muy clara, se vierte sobre las alcachofas.

7.º Se tapa la cazuela con las alcachofas y la salsa y se pone a fuego suave para que se vayan cociendo lentamente hasta que estén tiernas.

8.º Apagar el fuego y dejar reposar un poco. Ha de servirse caliente.

9.º Para variar el sabor de la salsa, se le puede añadir un poco de queso rallado.

20. «ALIGOT»

Ingredientes

• 1 kg de patatas • 1/2 kg de queso fresco (tipo Burgos) • 2 decilitros de leche • 1 diente de ajo • 4 cucharadas de aceite de oliva • sal marina

Preparación

1.º Lavar bien las patatas y cocerlas con piel. Cuando estén tiernas retirarlas del fuego, pelarlas y aplastarlas con un tenedor o con un prensapatatas.

2.º Mientras se cuecen las patatas rallar el queso. Machacar el ajo con un poco de sal en el mortero y añadirle el aceite al tiempo que se va removiendo.

3.º Calentar la leche y añadirla a las patatas cuando ya estén aplastadas. Ponerlas a fuego suave, añadir el queso y el ajo con el aceite. Sazonar a gusto y remover enérgicamente con una espátula de madera hasta que el «Aligot» quede homogéneo y consistente.

4.º Apagar el fuego pero seguir removiendo un poco más. Servir caliente.

Valor nutritivo (por ración)	
Glúcidos	44 g
Lípidos	25 g
Prótidos	15 g
Calorías	400
Julios	1.670

Valor nutritivo (por ración)	
Glúcidos	52 g
Lípidos	36 g
Prótidos	22 g
Calorías	612
Julios	2.559

RECETA nº 21

21. AROS DE CEBOLLA A LA ROMANA

Ingredientes

• 2 cebollas • 4 cucharadas de harina • 3 cucharadas de leche • 1/2 cucharadita de levadura en polvo • 1 huevo • sal marina • aceite de oliva

Preparación

1.º Pelar y lavar las cebollas. Cortarlas en rodajas y separar los aros. Sazonar a gusto.

2.º Preparar una pasta con la harina, la levadura, la leche y un poco de sal. Batir el huevo y mezclar bien con la pasta anterior.

3.º Pasar los aros de cebolla por la pasta que tenemos preparada y freírlos en el aceite caliente. Procurar que los aros queden separados para que no se peguen.

Valor nutritivo (por ración)	
Glúcidos	17 g
Lípidos	31 g
Prótidos	5 g
Calorías	371
Julios	1.550

22. «ARROS AMB CEBA»
(Arroz con cebolla)

Ingredientes

• *400 g de arroz* • *1 pimiento rojo* • *100 g de calabaza* • *1 cebolla* • *1 tomate maduro y duro* • *1 ñora* • *4 dientes de ajo* • *1 decilitro de aceite de oliva* • *sal marina*

Preparación

Nota: Este arroz típico de algunos pueblos valencianos, se cocina en caldero de hierro o en olla de barro. La «ñora» que se usa, es un pimiento dulce, rojo, desecado y redondo.

1.º Poner el aceite en el caldero. Sofreír la ñora dándole vueltas sin parar con una cuchara de madera, para evitar que se queme. Apartar y reservar.

2.º Lavar los ajos y el tomate entero, sofreír y reservar también.

3.º Lavar la cebolla, el pimiento y la calabaza. El pimiento se corta a tiras y la cebolla y la calabaza se pican más menuditas.

4.º En el mismo aceite que tenemos en el caldero, se rehoga la cebolla y cuando empiece a dorarse se le añaden el pimiento y la calabaza, con sal a gusto.

5.º Mientras tanto, en un mortero se machacan la ñora, los ajos y el tomate, previamente pelado. Agregar este majado al caldero junto con un litro de agua.

6.º Cuando comience a hervir rectificar de

sal y añadir el arroz, que habremos escogido y limpiado de posibles piedrecitas, palitos u otras impurezas.

7.º Cocer a fuego medio, con la olla tapada, durante veinte minutos y servir en seguida. Este arroz queda un poco espeso, pero no seco.

Valor nutritivo (por ración)	
Glúcidos	91 g
Lípidos	24 g
Prótidos	11 g
Calorías	624
Julios	2.607

23. «ARROS AMB FESOLS I NAP»
(Arroz con judías y nabo)

Ingredientes

• *250 g de judías blancas* • *250 g de cardos (cardo amargo de alcachofa)* • *2 nabos pequeños* • *1 cebolla pequeña* • *100 g de arroz* • *1 cucharadita de pimentón* • *4 cucharadas de aceite de oliva* • *sal marina*

Preparación

1.º Poner las judías en remojo toda la noche.

2.º Cocer las judías en una olla con agua suficiente. El fuego debe ser fuerte al principio hasta que hierva bien, y luego muy suave para que se vayan cociendo lentamente.

3.º Mientras tanto lavar bien las hortalizas. Los cardos se pelan y se parten a trozos grandes de unos cinco centímetros. Los nabos se pelan y se parten en trozos irre-

gulares, más bien grandes. La cebolla se pela y se ralla.

4.º Los cardos se cuecen aparte con agua salada. Cuando empiezan a estar tiernos, pero un poco tiesos todavía, se tira el caldo que será muy amargo y se vierten sobre las judías que también estarán tiernas, casi cocidas. Añadir igualmente los trozos de nabo y sazonar a gusto.

5.º En una sartén pequeña, se calienta el aceite y se sofríe la cebolla rallada. Cuando esté dorada se añade la cucharadita de pimentón, se remueve un poco y antes de que se queme se vierte todo sobre las judías. Rectificar de sal, añadir el arroz y seguir cociendo durante veinte minutos. Servir inmediatamente para que el arroz no se pase.

Valor nutritivo (por ración)	
Glúcidos	65 g
Lípidos	16 g
Prótidos	17 g
Calorías	457
Julios	1.908

24. «ARROS AMB ROSSINYOLS»
(Arroz con setas)

Ingredientes

• *250 g de setas de San Juan o rebozuelos (Cantharellus cibarius, en catalán: rossinyol)* • *150 g de arroz* • *1 cebolla pequeña* • *1 tomate maduro grande* • *4 dientes de ajo* • *perejil* • *1,5 litros de caldo de verduras* • *3 cucharadas de aceite de oliva* • *sal marina*

Preparación

1.º Lavar bien, pelar y picar muy menudito y por separado la cebolla, los ajos y el tomate. Limpiar igualmente las setas y trocearlas.

2.º Poner una cazuela al fuego con el aceite. Rehogar en él la cebolla y los ajos con un poco de sal marina. Cuando esté blanda, antes de que empiece a dorar, se le añaden las setas y se sigue rehogando unos cinco minutos.

3.º Añadir entonces el perejil, remover un poco y agregar el tomate. Seguir rehogando y removiendo de vez en cuando hasta que se agote el caldo del tomate, entonces se añadirá un vaso del caldo preparado y se dejará cocer hasta que se consuma.

4.º Añadir entonces el resto del caldo y cuando renueve la ebullición rectificar de sal y agregar el arroz, previamente escogido y limpio.

5.º Cuando haya cocido unos veinte minutos estará listo para servir.

Valor nutritivo (por ración)	
Glúcidos	36 g
Lípidos	12 g
Prótidos	5 g
Calorías	271
Julios	1.132

25. ARROZ A LA CUBANA

Ingredientes

- 400 g de arroz • 1 litro de agua • 4 huevos
- 4 plátanos • aceite de oliva • sal marina
- «Salsa de tomate II» (ver receta n.º 408)

Preparación

1.º Escoger y limpiar bien el arroz. Ponerlo en una sartén grande o en una cazuela de paredes muy bajas. Añadir el litro de agua, una cucharada de aceite y sal a gusto. Cocer el arroz así dispuesto durante diez minutos a fuego vivo; bajar luego el fuego y seguir cociendo otros diez minutos más, cuidando que hierva por toda la superficie. El arroz debe quedar seco y suelto.

2.º Mientras se cuece el arroz preparar la salsa según la receta indicada.

3.º Cuando el arroz y la salsa estén listos, freír los cuatro huevos por separado y los cuatro plátanos partidos en dos mitades longitudinalmente.

4.º Cuando se vaya a servir, colocar, sobre un plato llano, una porción del arroz moldeado con una taza o con un molde individual. Alrededor del arroz, formando corona se pone la salsa de tomate en el cantidad deseada por cada comensal. A ambos lados del plato se colocarán dos mitades del plátano frito. Encima del arroz colocar el huevo frito. Servir todavía caliente.

Valor nutritivo (por ración)	
Glúcidos	99 g
Lípidos	27 g
Prótidos	18 g
Calorías	724
Julios	3.026

26. ARROZ A LA MILANESA

Ingredientes

- 400 g de arroz • 1 cebolla mediana • 1 tomate maduro • 4 cucharadas de aceite de

oliva • 25 g de queso manchego tierno rallado • 2 dientes de ajo • perejil • sal marina •
una pizca de tomillo molido • 1 litro de
agua

Preparación

1.º Pelar y limpiar bien la cebolla, los ajos y
el perejil. Rallar la cebolla o picarla muy
finamente. Machacar los ajos y el perejil
en un mortero y reservar. Lavar el tomate, partirlo por la mitad y rallarlo.

2.º En una sartén grande o cazuela de paredes muy bajas, freír la cebolla con las
cuatro cucharadas de aceite y cuando
empiece a dorarse añadir el tomate.

3.º Escoger y limpiar bien el arroz y añadirlo al sofrito de cebolla y tomate. Rehogar un poco más y añadir un litro de
agua hirviendo.

4.º Sazonar a gusto con la sal y una pizca de
tomillo. Dejar cocer unos diez minutos
a fuego vivo, añadir entonces los ajos y
el perejil machacados y el queso rallado,
remover un poco, bajar el fuego al mínimo, cuidando que hierva regularmente
por toda la superficie y seguir cociendo
otros diez minutos.

5.º Apagar el fuego y dejar reposar cinco
minutos más.

Valor nutritivo (por ración)	
Glúcidos	83 g
Lípidos	18 g
Prótidos	11 g
Calorías	546
Julios	2.282

27. ARROZ AL HORNO

Ingredientes

• *100 g de garbanzos* • *350 g de arroz (poco más de taza y media)* • *3 tomates grandes maduros* • *1 patata mediana* • *1 cabeza de ajos* • *1/2 pimiento rojo* • *2 nabos pequeños* • *1 decilitro de aceite de oliva* • *1 cucharadita de pimentón* • *un poco de azafrán* • *sal marina*

Preparación

1.º Poner los garbanzos a remojo, en agua salada, la noche anterior. Cocerlos por la mañana en abundante agua con sal hasta que estén tiernos. Escurrir y reservar tres tazas del caldo que haya sobrado. No es conveniente añadir agua fría durante la cocción, pues los garbanzos se endurecen.

2.º Lavar bien las hortalizas. Los nabos y las patatas se pelan y se trocean, los nabos en trozos irregulares, más bien grandes y las patatas en rodajas finas. El pimiento se corta en tiras y la cabeza de ajos se deja entera, quitando solamente las capas superfluas y practicando un corte lateral alrededor de la cabeza para que los ajos no estallen. Rallar uno de los tomates, el más grande; los otros dos partirlos por la mitad o en tres rodajas.

3.º En una sartén grande se calienta el aceite y se fríen las patatas con un poco de sal, se apartan en un plato y se reservan. En el mismo aceite rehogar ligeramente los dos tomates partidos por la mitad y apartar, al igual que las patatas.

4.º En la misma sartén y con el mismo acei-

1389

te, se rehogan ahora las tiras del pimiento rojo junto con la cabeza de ajos. Se añaden los nabos y cuando se hayan dorado un poco se agrega el tomate rallado. Sazonar y seguir rehogando unos cinco minutos. Añadir entonces el arroz, previamente escogido, dar unas cuantas vueltas y añadir el pimentón y unas hebras de azafrán. Verter todo el contenido de la sartén sobre una cazuela de barro o una fuente para horno. (Hay cazuelas de barro especiales para hacer arroz al horno que son de diámetro grande y paredes bajas.)

5.º Añadir a la misma cazuela los garbanzos escurridos y las tres tazas de caldo que hemos reservado y que deberá estar muy caliente. Remover con una cuchara para que el arroz y los garbanzos queden bien distribuidos. Poner entonces por encima las rodajas de patata y los tomates que teníamos apartados. Introducir en el horno caliente y dejar cocer hasta que el arroz esté en su punto, bien seco y suelto (aproximadamente media hora).

Valor nutritivo (por ración)

Glúcidos	103 g
Lípidos	25 g
Prótidos	17 g
Calorías	706
Julios	2.950

28. ARROZ AL QUESO

Ingredientes

• «*Arroz base*» (ver receta n.º 29) • *4 huevos* • *200 g de queso manchego tierno* • *100 g*

---

de aceitunas sin hueso • *1 cucharada de ajo en polvo* • *4 cucharadas de aceite de oliva* • *sal marina*

Preparación

1.º Preparar el arroz siguiendo la receta que se indica.

2.º Cocer los huevos en un cazo con agua salada durante diez minutos. Sumergirlos luego en agua fría para que se enfríen.

3.º Mientras tanto cortar el queso en taquitos, picar las aceitunas. Pelar los huevos, cuando estén bien fríos y picarlos.

4.º En una fuente de horno, poner el arroz ya cocido, aderezarlo con la sal, el ajo y el aceite. Añadirle las aceitunas, el queso y los huevos. Mezclarlo todo con cuidado.

5.º Introducir en el horno a fuego moderado durante unos veinte minutos. Servir caliente o frío.

Valor nutritivo (por ración)

Glúcidos	79 g
Lípidos	42 g
Prótidos	29 g
Calorías	814
Julios	3.403

29. ARROZ BASE

Ingredientes

• *400 g de arroz largo (poco menos de dos tazas)* • *8 decilitros de agua (poco más de tres tazas)*

Preparación

1.º Escoger y lavar bien el arroz hasta que el agua quede limpia. Escurrir.
2.º Poner el arroz lavado en una cazuela de diámetro grande, o en una sartén, junto con el agua, que deberá quedar un centímetro por encima del arroz (aproximadamente). Al principio cocer a fuego vivo y cuando hierva bien bajar el fuego al mínimo y seguir cociendo unos quince minutos. Este arroz, modalidad china, debe cocerse sin sal.

Valor nutritivo (por ración)

Glúcidos	77 g
Lípidos	1 g
Prótidos	8 g
Calorías	355
Julios	1.484

30. ARROZ BASE INTEGRAL

Ingredientes

• *300 g de arroz integral (una taza y media)* • *7,5 decilitros de agua (tres tazas)* • *1 cucharadita de aceite* • *sal marina*

Preparación

1.º Escoger el arroz y ponerlo en remojo en agua hirviendo durante una hora.
2.º Escurrir y poner el arroz en una cazuela con el agua, el aceite y la sal. Cocer a fuego vivo al principio hasta que hierva por toda la superficie. Dejar hervir así unos cinco minutos. Bajar el fuego al mínimo y seguir cociendo hasta que se consuma toda el agua (aproximadamente media hora).

Valor nutritivo (por ración)

Glúcidos	56 g
Lípidos	4 g
Prótidos	6 g
Calorías	283
Julios	1.184

31. ARROZ CALDOSO CON VERDURAS Y SETAS

Ingredientes

• *3 alcachofas pequeñas* • *1 pimiento rojo pequeño* • *150 g de champiñones* • *150 g de níscalos* • *150 g de judías verdes* • *100 g de garrofón (desgranado)* • *100 g de habas (desgranadas)* • *100 g de guisantes (desgranados)* • *1 tomate grande maduro* • *100 g de coliflor* • *100 g de arroz (media taza)* • *4 cucharadas de aceite de oliva* • *azafrán* • *2 dientes de ajo* • *perejil* • *sal marina* • *litro y medio de agua*

Preparación

1.º Lavar bien todas las verduras y hortalizas. Las alcachofas se despojan de las hojas más duras, se les corta el tallo y las puntas, se parten en cuatro trozos cada una y se rocían con limón para que no se pongan negras. El pimiento rojo se corta en tiras. Los champiñones y los níscalos se trocean en láminas, las judías verdes y la coliflor en trozos pequeños y el tomate se parte por la mitad y se ralla.

RECETA n.º 31

2.º En una cazuela se calienta el aceite y se rehogan las alcachofas con un poco de sal. Cuando estén doradas se apartan en un plato y se reservan.

3.º En el mismo aceite se van rehogando el resto de las verduras sazonando a gusto. Poniendo en primer lugar el pimiento, cuando esté un poco dorado se añaden los champiñones y los níscalos, y así sucesivamente hasta el tomate (no incluir la coliflor todavía).

4.º Cuando el tomate empiece a consumirse se añade el agua hirviendo. Se deja cocer unos diez minutos a fuego medio, se rectifica de sal si conviene y se añade el arroz, las alcachofas y la coliflor. Cuando recobre la ebullición se baja un poco el fuego y se sigue cociendo durante diez minutos.

5.º Mientras tanto pelar los ajos y lavar el perejil. Machacar ambos ingredientes en un mortero, mezclarlos con un poco del caldo que estará cociendo y verterlo todo en la cazuela. En este momento se pueden añadir unas hebritas de azafrán tostado y molido. Seguir cociendo hasta que el arroz esté cocido pero algo entero (aproximadamente cinco minutos).

6.º Apagar el fuego y dejar reposar otros cinco minutos. Servir a continuación antes de que se pase el arroz.

Valor nutritivo (por ración)	
Glúcidos	48 g
Lípidos	16 g
Prótidos	12 g
Calorías	368
Julios	1.538

32. ARROZ CON ALGAS

Ingredientes

• *1 cebolla pequeña* • *4 dientes de ajo* • *2 tiras de algas «kombu»* • *1 tomate grande maduro* • *150 g de arroz* • *1 litro de caldo de verduras* • *1/2 litro de agua* • *3 cucharadas de aceite de oliva* • *perejil* • *sal marina*

Preparación

1.º Cortar las algas a trocitos de un centímetro más o menos. Lavarlas y ponerlas a remojo con medio litro de agua durante media hora.

2.º Lavar bien las hortalizas. Pelar y picar la cebolla y los ajos muy menuditos. El tomate cortarlo por la mitad y rallarlo. Picar igualmente muy menudito el perejil.

3.º En una cazuela se calienta el aceite y se rehogan la cebolla y los ajos, a fuego suave, hasta que la cebolla esté blanda. Antes de que se empiece a dorar, se le añaden las algas escurridas. Seguir rehogando un poco más y añadir entonces el

1393

perejil y el tomate. Seguir rehogando y removiendo de vez en cuando hasta que el tomate empiece a agarrarse.

4.º Añadir entonces el litro de caldo de verduras y el medio litro del agua en que se han remojado las algas. Incluir ambos caldos muy calientes, hirviéndolos previamente. Dejar cocer unos minutos, rectificar de sal y poner el arroz, previamente escogido y limpio.

5.º Cuando recobre la ebullición, dejar cocer veinte minutos y estará listo para servir.

Valor nutritivo (por ración)	
Glúcidos	34 g
Lípidos	12 g
Prótidos	4 g
Calorías	262
Julios	1.097

33. ARROZ CON COLIFLOR

Ingredientes

• 350 g de arroz (un poco más de taza y media) • 250 g de coliflor • 1/2 pimiento rojo • 1 tomate maduro • 2 dientes de ajo • perejil • azafrán • 1 decilitro de aceite de oliva • sal marina • 8 decilitros de agua o caldo de verduras (poco más de tres tazas)

Preparación

1.º Lavar bien las hortalizas. La coliflor se corta en ramilletes pequeños, y el pimiento a tiras. El tomate se parte por la mitad y se ralla. Los dientes de ajo se pelan

y junto con el perejil se machacan en el mortero.

2.º En una sartén grande o paellera, se calienta el aceite y se rehoga el pimiento con un poco de sal. Cuando empiece a estar dorado, se le añade la coliflor. Se sigue rehogando un poco y se añade el tomate. Remover y seguir rehogando hasta que se apure el caldo del tomate.

3.º Escoger y limpiar el arroz y añadirlo a la sartén. Remover un poco y añadir el caldo, o el agua, que tendremos en fuego aparte hirviendo.

4.º Cocer a fuego vivo durante cinco minutos. Rectificar la sal y añadir el contenido del mortero (ajo y perejil). Bajar el fuego al mínimo y seguir cociendo hasta que el arroz esté bien seco y cocido en su punto (unos quince minutos).

5.º Apagar el fuego y dejar en reposo otros cinco minutos. Disponer el arroz en una fuente y servir caliente.

Valor nutritivo (por ración)	
Glúcidos	75 g
Lípidos	24 g
Prótidos	10 g
Calorías	554
Julios	2.314

34. ARROZ CON CHAMPIÑONES AL HORNO

Ingredientes

• 350 g de arroz (poco más de taza y media) • 500 g de champiñones • 2 dientes de ajo • perejil • sal marina • 8 decilitros de agua (algo más de tres tazas) • 1 decilitro de aceite de oliva

Preparación

1.º Limpiar bien los champiñones y cortarlos en trozos no demasiado pequeños. Pelar los ajos y picarlos muy menuditos, así como el perejil.

2.º En una sartén se rehogan los champiñones con el aceite y la sal. Se remueven un poco y se les añade el picadillo de ajo y perejil.

3.º Escoger y limpiar bien el arroz. Añadirlo a la sartén, remover mezclándolo con los champiñones y verterlo todo sobre una cazuela de barro (de paredes bajas, especial para arroz), o bien en una bandeja de horno. Incorporar igualmente el agua hirviendo y remover bien para que se distribuyan los ingredientes por igual en la cazuela.

4.º Introducir en el horno caliente y dejar cocer durante media hora aproximadamente, hasta que el arroz esté seco y suelto y la superficie empiece a dorarse. Servir caliente.

Valor nutritivo (por ración)

Glúcidos	71 g
Lípidos	23 g
Prótidos	11 g
Calorías	546
Julios	2.281

35. ARROZ CON ESPARRAGOS

Ingredientes

● 350 g de arroz (un poco más de taza y media) ● 250 g de champiñones ● 500 g de espárragos ● 1 tomate maduro ● 2 dientes de ajo ● perejil ● azafrán ● sal marina ● 1 decilitro de aceite de oliva ● 8 decilitros de agua (poco más de tres tazas)

Preparación

1.º Lavar bien las hortalizas. Los champiñones se cortan en laminitas. De los espárragos se aprovechan las puntas, que se parten en dos trozos. El tomate se parte en dos y se ralla. Los ajos se pelan y se machacan junto con el perejil en un mortero.

2.º En una sartén grande o paellera se calienta el aceite y se rehogan los champiñones. Cuando empiezan a perder su agua, se añaden los espárragos, se dan unas pocas vueltas y se incorpora el tomate sazonando a gusto.

3.º Cuando el tomate empieza a agarrarse se añade el arroz, previamente escogido y limpio. Se remueve un poco y se añade al agua hirviendo.

4.º Cocer a fuego vivo durante unos cinco minutos. Rectificar de sal y agregar el contenido del mortero. Añadir también unas hebritas de azafrán tostado y molido. Reducir el fuego al mínimo y seguir cociendo hasta que se haya agotado el caldo y el arroz esté en su punto. Si es necesario, se puede tapar en los últimos minutos de cocción.

5.º Apagar el fuego y dejar en reposo cinco minutos. Disponer el arroz en una fuente y servir caliente.

Valor nutritivo (por ración)

Glúcidos	73 g
Lípidos	23 g
Prótidos	11 g
Calorías	555
Julios	2.321

RECETA n.º 36

36. ARROZ CON GUISANTES A LA MILANESA

Ingredientes

- *300 g de arroz integral (1 taza y media)*
- *300 g de guisantes (desgranados)* • *1 cebolla grande* • *1 tomate mediano maduro*
- *25 g de queso rallado* • *4 cucharadas de* aceite de oliva • *2 dientes de ajo* • *perejil*
- *sal marina*

Preparación

1.º Escoger y lavar bien el arroz integral, y dejarlo en remojo durante toda la noche. También se puede poner en remojo el mismo día, pero con agua hirviendo y durante una hora.

2.º Lavar y pelar la cebolla, el tomate, los ajos y el perejil. Picar muy menudito y por separado, la cebolla, el tomate, los ajos y el perejil.

3.º En una sartén grande o paellera, se calienta el aceite y se rehoga la cebolla.

Cuando empiece a dorar, se le añade el tomate, los ajos y el perejil. Sazonar a gusto y añadir tres tazas de agua (medir con la misma taza que se ha medido el arroz).

4.º Cuando empiece a hervir, añadir el arroz (escurrido) y los guisantes. Cocer a fuego fuerte durante quince minutos, reducir el fuego al mínimo pero vigilando que siga cociendo por toda la superficie. Seguir cocinando hasta que el arroz quede suave.

5.º Un poco antes de que el arroz esté cocido, agregar el queso rallado, y cuando la cocción haya terminado, apagar el fuego y dejar en reposo unos cinco minutos.

En la segunda parte de la cocción del arroz, si el líquido se hubiera agotado muy rápidamente, conviene tapar la sartén.

Valor nutritivo (por ración)

Glúcidos	79 g
Lípidos	19 g
Prótidos	15 g
Calorías	536
Julios	2.242

37. ARROZ CON GUISANTES Y ESPARRAGOS

Valor nutritivo (por ración)

Glúcidos . . . .   79 g
Lípidos . . . .   23 g
Prótidos . . . .   13 g
Calorías   591
Julios 2.469

Ingredientes

• *350 g de arroz (poco más de taza y media)* • *200 g de guisantes (desgranados)* • *500 g de espárragos* • *1 tomate maduro* • *2 dientes de ajo* • *perejil* • *azafrán* • *sal marina* • *1 decilitro de aceite de oliva* • *8 decilitros de caldo de verduras (poco más de tres tazas)*

Preparación

1º Lavar bien las hortalizas. De los espárragos se aprovechan sólo las puntas, que se cortan en dos trozos, el resto se reserva para otras recetas. El tomate se parte en dos y se ralla. Los ajos se pelan y se machacan junto con el perejil en un mortero.

2º En una sartén grande o paellera se calienta el aceite, se rehogan ligeramente los guisantes y los espárragos, se les añade el tomate y un poco de sal.

3º Cuando el tomate empiece a agarrarse se le añade el arroz y el caldo hirviendo. Se remueve un poco para que se mezclen bien los ingredientes.

4º Cocer a fuego vivo durante cinco minutos. Rectificar de sal, añadir el contenido del mortero y el azafrán molido. Reducir el fuego al mínimo y seguir cociendo hasta que el arroz quede bien seco y en su punto (unos quince minutos).

5º Apagar el fuego y dejar en reposo cinco minutos. Disponer el arroz en una bandeja y servir caliente.

6º Este plato resulta muy agradable la vista si se sirve en recipientes de barro individuales.

38. ARROZ CON LECHE

Ingredientes

• *300 g de arroz* • *7 decilitros de leche de soja (tres vasos)* • *5 decilitros de agua (dos vasos)* • *100 g de azúcar* • *cáscara de limón* • *canela* • *sal marina*

Preparación

1º Escoger el arroz y limpiarlo de posibles piedrecitas o impurezas. Ponerlo a cocer con dos vasos de agua y un poquito de sal.

2º Aparte, calentar la leche con unos trocitos de cáscara de limón y algún trozo de canela en rama.

3º Cuando la leche comience a hervir verterla sobre el arroz. Cocer a fuego lento hasta que el arroz esté suave. Apagar el fuego y quitar las cáscaras de limón y los trocitos de canela. Añadir el azúcar, mezclar bien y repartir sobre cuatro tazones o moldes individuales. Espolvorear con un poco de canela en polvo. Cuando esté frío poner en el frigorífico y servir, al menos, dos horas más tarde.

Valor nutritivo (por ración)

Glúcidos .... 90 g
Lípidos .... 6 g
Prótidos .... 12 g
Calorías 465
Julios 1.942

de ajo. Bajar el fuego al mínimo y seguir cociendo hasta que se agote el caldo y el arroz esté cocido en su punto (unos quince minutos).

5.º Apagar el fuego y dejar reposar cinco minutos. Disponer el arroz en una fuente y servir caliente.

Valor nutritivo (por ración)

Glúcidos .... 75 g
Lípidos .... 23 g
Prótidos .... 9 g
Calorías 552
Julios 2.308

39. ARROZ CON PIMIENTO Y BERENJENA

40. ARROZ CON REPOLLO

Ingredientes

• *350 g de arroz (un poco más de taza y media)* • *1 berenjena (300 g)* • *1 pimiento rojo (300 g)* • *1 tomate mediano (200 g)* • *2 dientes de ajo* • *8 decilitros de caldo de verduras (poco más de tres tazas)* • *1 decilitro de aceite de oliva* • *sal marina*

Preparación

1.º Lavar bien las hortalizas. La berenjena se cortará en cuadritos, el pimiento a tiras, el tomate se parte por la mitad y se ralla y los ajos se pican menuditos.

2.º En una sartén grande, o cazuela de paredes bajas, se calienta el aceite y se rehogan el pimiento y la berenjena. Darles unas cuantas vueltas y añadir el tomate rallado. Sazonar a gusto y seguir rehogando hasta que se apure el caldo del tomate.

3.º Añadir entonces el caldo de verduras que se tendrá aparte cociendo. Escoger y limpiar bien el arroz, añadirlo junto con el caldo. Remover un poco.

4.º Cocer a fuego vivo durante cinco minutos. Rectificar de sal y añadir el picadillo

Ingredientes

• *350 g de arroz de grano largo (poco más de taza y media)* • *250 g de puerros* • *1 trocito de jengibre (o media cucharadita de jengibre en polvo)* • *250 g de repollo* • *2 dientes de ajo* • *1 decilitro de aceite de oliva* • *sal marina* • *8 decilitros de agua (algo más de tres tazas)*

Preparación

1.º Lavar bien las hortalizas. Los puerros se pelan y se cortan en anillos. El repollo se corta en tiras. Los dientes de ajo se pelan y se pican muy menuditos.

2.º En una sartén grande, se calienta el aceite y se rehogan los puerros junto con el jengibre y un poco de sal. Rehogar a fuego medio durante dos minutos.

3.º Escoger y limpiar el arroz. Agregar a la sartén y darle unas vueltas. Incorporar

RECETA n.º 41

entonces el agua hirviendo y a continuación el repollo.

4.º Cocer a fuego vivo durante cinco minutos. Rectificar de sal y añadir los ajos picaditos. Bajar el fuego al mínimo pero cuidando que el caldo hierva por toda la superficie, hasta que el arroz quede seco y en su punto (unos quince minutos).

5.º Apagar el fuego y dejar reposar unos cinco minutos. Servir caliente.

Valor nutritivo (por ración)	
Glúcidos	74 g
Lípidos	23 g
Prótidos	9 g
Calorías	553
Julios	2.310

41. ARROZ CON VERDURAS

Ingredientes

- *350 g de arroz (poco más de taza y media)*
- *2 cebollas* • *250 g de espinacas de tallo corto* • *1 zanahoria grande* • *1 rama de apio*
- *2 dientes de ajo* • *perejil* • *sal marina*
- *1 decilitro de aceite de oliva* • *8 decilitros de agua (algo más de tres tazas)*

Preparación

1º Lavar bien las verduras y hortalizas. Las cebollas se pelan y se pican. Las espinacas se escurren bien y se pican igualmente, si los tallos son largos y leñosos se desechan. Las zanahoria se pela y se parte en rodajas. El apio se parte en trocitos pequeños. Los ajos se pelan y se machacan junto con el perejil en un mortero.

2º En una sartén grande o paellera, se calienta el aceite y se dora la cebolla. A continuación se van añadiendo por orden las otras verduras: primero las zanahorias, después el apio, y por último las espinacas. Se rehoga todo durante dos minutos, sazonando a gusto.

3º Escoger y limpiar bien el arroz. Añadirlo

1401

a la sartén. Removerlo un poco para que se mezcle bien con todos los ingredientes. Agregar entonces el agua hirviendo y dejar cocer a fuego vivo durante cinco minutos.

4.º Rectificar de sal, añadir el contenido del mortero y reducir el fuego al mínimo vigilando que siga cociendo por toda la superficie. Cocer así hasta que el arroz quede seco y suelto (unos quince minutos).

Valor nutritivo (por ración)	
Glúcidos	82 g
Lípidos	23 g
Prótidos	10 g
Calorías	585
Julios	2.444

42. ARROZ CON ZANAHORIAS

Ingredientes

- 350 g de arroz (poco más de taza y media)
- 250 g de zanahorias • 1 cebolla mediana
- 2 dientes de ajo • perejil • sal marina
- 1 decilitro de aceite de oliva • 8 decilitros de caldo de verduras (algo más de tres tazas)

Preparación

1.º Lavar y pelar las zanahorias, la cebolla, los ajos y el perejil. Rallar la zanahoria y la cebolla por separado. Picar muy finamente los ajos y el perejil.

2.º En una sartén grande calentar el aceite y dorar la cebolla con un poco de sal. Añadir la zanahoria y seguir rehogando unos cinco minutos.

3.º Escoger y limpiar bien el arroz. Incorpo-

---

rarlo a la sartén y remover un poco para que se mezclen bien los ingredientes. Añadir el caldo que se tendrá aparte hirviendo. Cocer a fuego vivo durante cinco minutos.

4.º Rectificar la sal y reducir el fuego al mínimo, cuidando que el caldo siga hirviendo por toda la superficie. Cuando el caldo se esté agotando, añadir el picadillo de ajo y perejil removiendo con cuidado. Seguir cociendo a fuego muy suave hasta que el arroz quede seco y suelto.

5.º Apagar el fuego y dejar en reposo unos cinco minutos. Servir caliente.

Valor nutritivo (por ración)	
Glúcidos	77 g
Lípidos	23 g
Prótidos	9 g
Calorías	563
Julios	2.352

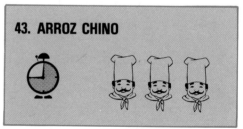

43. ARROZ CHINO

Ingredientes

- 300 g de arroz • 1 cebolla • 1 zanahoria
- 2 pimientos verdes pequeños • 1 pimiento rojo pequeño • 250 g de champiñones • 250 g de col china • 100 g de soja deshidratada (carne vegetal) • 2 huevos • 100 g de soja germinada • 2 cucharadas de salsa de soja • 1 cucharadita de curry en polvo • sal marina • 1 decilitro de aceite de oliva.

Preparación

1.º Cocer el arroz siguiendo la receta de «Arroz base» (ver receta n.º 29).

2.º Lavar bien todas las hortalizas. Cortar la cebolla en tiras muy finas. Rallar la zanahoria. Los pimientos y la col se cortan igualmente en tiritas finas de dos o tres milímetros de ancho. Los champiñones se cortan en láminas. Remojar la carne vegetal en agua durante veinte minutos.

3.º En una sartén grande se calienta un poco más de la mitad del aceite y se rehogan en él la cebolla, la zanahoria y los pimientos con un poco de sal. Remover un poco y añadir los champiñones y la col. Se rehoga a fuego medio o fuerte, pero no demasiado tiempo para que las hortalizas no queden muy blandas, sino más bien crujientes. Sazonar con el curry y la salsa de soja.

4.º En otra sartén más pequeña, calentar el resto del aceite y rehogar un poco la carne vegetal remojada. Añadir los dos huevos batidos y un poco de sal. Remover hasta que cuaje, a modo de huevos revueltos.

5.º En una fuente para horno, se mezclan el arroz cocido, las verduras rehogadas, los huevos revueltos y la soja germinada. Remover bien e introducir en el horno caliente durante unos diez minutos. Servir caliente.

Valor nutritivo (por ración)	
Glúcidos	80 g
Lípidos	27 g
Prótidos	29 g
Calorías	676
Julios	2.825

44. ARROZ EN PASTEL CON CARNE VEGETAL

Ingredientes

• *400 g de arroz* • *1 bote de carne vegetal picada (300 g)* • *1 cebolla* • *2 huevos* • *30 g de miga de pan remojada en leche* • *sal marina* • *50 g de queso rallado* • *2 cucharadas de aceite*

Preparación

1.º Cocer el arroz siguiendo la receta de «Arroz base» (ver receta n.º 29). Cuando ya esté cocido, se sazona a gusto y se le añaden dos cucharadas de aceite. Remover y reservar.

2.º Pelar, lavar y picar la cebolla. En un recipiente, se mezclan bien la carne vegetal picada, la cebolla, los huevos, la miga de pan remojada y desmenuzada y un poco de sal.

3.º Untar un molde con muy poco aceite y poner una capa de arroz, otra capa de la mezcla de picadillos, otra capa de arroz y otra de picadillo; y así sucesivamente hasta terminar con una capa de arroz.

4.º Espolvorear con el queso rallado e introducir en el horno caliente durante diez o quince minutos. Sacar del molde cuando esté frío.

5.º Se puede comer frío, pero si se desea caliente se introduce de nuevo en el horno en la misma fuente o bandeja donde se haya dispuesto para servir.

6.º Puede adornarse con unos manojitos de berros colocados de forma artística en los extremos de la fuente y un poco de zanahoria, rallada, con unos trocitos de pimiento rojo, cortados a tiritas.

Valor nutritivo (por ración)	
Glúcidos	94 g
Lípidos	23 g
Prótidos	25 g
Calorías	973
Julios	4.066

RECETA n.º 45

45. ARROZ INTEGRAL CON ALBONDIGAS

Ingredientes

Arroz: • *300 g de arroz integral (taza y media)* • *1 zanahoria mediana* • *1 cebolla mediana* • *3 dientes de ajo* • *1 ramita de apio* • *3 hojas de albahaca fresca* • *3 hojas de salvia* • *2 ramitas de romero* • *perejil* • *3 cucharadas de aceite de oliva* • *sal marina*
Albóndigas: • *1/2 bote de carne vegetal picada (150 g)* • *1 huevo* • *1/2 taza de pan triturado* • *2 cucharadas de harina* • *2 dientes de ajo* • *perejil* • *aceite de oliva* • *sal marina* • *«Salsa de tomate I»* (ver receta n.º 407).

Preparación

1.º Cocer el arroz siguiendo la receta n.º 30: «Arroz base integral».

2.º Mientras se cuece el arroz se prepara la salsa de tomate, según la receta indicada.

3.º Se van haciendo las albóndigas: mezclar bien todos los ingredientes, formar las albóndigas y freírlas en aceite de oliva. Se escurre bien el aceite, se incorporan a la salsa de tomate y se dejan cocer allí diez minutos.

4.º Lavar las hortalizas y las hierbas. Pelar y rallar la cebolla y la zanahoria. Pelar los ajos y picarlos. Picar igualmente la ramita de apio, el perejil y la albahaca.

5.º En una sartén grande calentar las tres cucharadas de aceite y rehogar la cebolla, la zanahoria, el apio, los ajos y el perejil con un poco de sal. Añadir después la albahaca, la salvia y el romero y rehogar un poco más.

1404

6.º Incorporar entonces el arroz integral que hemos preparado anteriormente. Mezclar bien y ponerlo en un molde engrasado, dejándolo reposar un poco en un lugar resguardado para que no se enfríe.

7.º Sacar del molde el arroz, adornar alrededor con las albóndigas y la salsa. Servir todavía caliente.

Valor nutritivo (por ración)	
Glúcidos	88 g
Lípidos	39 g
Prótidos	17 g
Calorías	918
Julios	3.836

46. ARROZ INTEGRAL CON ALCACHOFAS

Ingredientes

• *300 g de arroz integral (taza y media)* • *1/2 kg de alcachofas (3 o 4 piezas)* • *1 pimiento morrón pequeño* • *1 tomate maduro* • *2 ajos* • *perejil* • *sal marina* • *4 cucharadas de aceite de oliva* • *7,5 decilitros de caldo de verduras (tres tazas)*

Preparación

1.º Escoger y limpiar bien el arroz. Dejarlo en remojo la noche anterior, o una hora antes de cocinarlo en agua hirviendo.

2.º Lavar bien las verduras y hortalizas. Despojar a las alcachofas de sus hojas más duras, cortarles el tallo y las puntas, partirlas en gajos (seis o más de cada alcachofa) y rociarlas con limón para que no se ennegrezcan. El pimiento se corta en tiras. El tomate se parte en dos y se ralla. Los ajos se pelan y se pican muy menuditos así como el perejil.

3.º En una sartén grande o una cazuela de paredes bajas, se calienta el aceite y se doran en él las alcachofas con un poco de sal. Apartar después en un plato y reservar.

4.º En el mismo aceite se rehoga el pimiento y cuando empiece a dorarse se le añade el tomate. Seguir rehogando durante unos cinco minutos.

5.º Añadir entonces el caldo de verduras, que se tendrá hirviendo, y el arroz, después de escurrirlo. Cuando recobre la ebullición se rectifica de sal si conviene y se deja cocer a fuego vivo durante diez minutos.

6.º Agregar después las alcachofas y el picadillo de ajo y perejil, bajar el fuego al mínimo y seguir cociendo hasta que se absorba todo el caldo y el arroz esté en su punto. Si el caldo se agota muy rápidamente, se puede tapar la sartén para evitar la excesiva evaporación.

7.º Apagar el fuego. Dejar reposar diez minutos y servir caliente.

Valor nutritivo (por ración)	
Glúcidos	72 g
Lípidos	17 g
Prótidos	9 g
Calorías	458
Julios	1.915

47. ARROZ INTEGRAL CON ESPINACAS

Ingredientes

• *300 g de arroz integral (taza y media)* • *250 g de espinacas de tallo corto* • *4 dientes de ajo* • *1/2 cucharadita de pimentón* • *azafrán* • *sal marina* • *1 decilitro de aceite de oliva* • *7,5 decilitros de caldo de verduras (tres tazas)*

Preparación

1.º Escoger y limpiar el arroz. Ponerlo en remojo la noche anterior con agua tibia, o bien, una hora antes en agua hirviendo.

2.º Limpiar bien las espinacas. Si los tallos son gruesos y leñosos, desecharlos. Partirlas en trocitos. Los ajos se pelan y se pican menuditos.

3.º En una sartén grande o paellera, se calienta el aceite y se sofríen los ajos. Cuando empiecen a dorar se añaden las espinacas y se rehogan con un poco de sal durante unos minutos, hasta que pierdan volumen.

4.º Escurrir bien el arroz y añadirlo a la sartén. Remover mezclando bien con las espinacas y verter entonces el caldo que tendremos aparte hirviendo.

5.º Rectificar de sal, añadir el pimentón y el azafrán y dejar cocer a fuego vivo durante unos diez minutos. Reducir el fuego al mínimo y seguir cociendo hasta que el arroz esté tierno. Si el caldo se agota muy rápidamente, se puede tapar la sartén en los últimos minutos para que el arroz se acabe de cocer con el vapor.

6.º Cuando el arroz esté cocido, apagar el fuego y dejar reposar cinco minutos.

Valor nutritivo (por ración)

Glúcidos	58 g
Lípidos	24 g
Prótidos	8 g
Calorías	481
Julios	2.012

48. ARROZ INTEGRAL CON JUDIAS

Ingredientes

• *200 g de arroz integral* • *100 g de judías rojas* • *250 g de repollo* • *1 tomate grande maduro* • *4 cucharadas de aceite de oliva* • *una pizca de tomillo* • *sal marina* • *2 dientes de ajo* • *perejil*

Preparación

1º Dejar en remojo las judías durante toda la noche y cocer por la mañana con abundante agua hasta que estén tiernas (unas tres horas).

2º También la noche anterior, poner en remojo igualmente el arroz integral, pero por separado de las judías.

3º Lavar bien el repollo y cortarlo en tiras finas. Pelar los ajos y picarlos, picar también el perejil y reservar. Lavar el tomate y rallarlo.

4º En una sartén grande o en una cazuela de paredes bajas, calentar el aceite y rehogar el tomate. Añadir el repollo, sazonar a gusto y rehogar un poco.

5º Agregar dos tazas del caldo de las judías, y cuando recobre la ebullición incorporar el arroz y las judías previamente escurridos. Remover un poco, rectificar de sal y añadir una pizca de salvia.

6º Dejar cocer a fuego vivo durante unos cinco minutos, añadir entonces el ajo y el perejil, reducir el fuego y si se hubiese agotado mucho el líquido tapar. Seguir cociendo hasta que esté el arroz tierno (media hora aproximadamente).

7º Apagar el fuego y dejar reposar diez minutos. Servir caliente.

Valor nutritivo (por ración)

Glúcidos	60 g
Lípidos	16 g
Prótidos	11 g
Calorías	426
Julios	1.783

49. ARROZ INTEGRAL CON NISCALOS

Ingredientes

• *300 g de arroz integral (taza y media)* • *300 g de níscalos* (Lactarius deliciosus) • *1 trufa* • *1 tomate maduro* • *2 dientes de ajo* • *perejil* • *azafrán* • *sal marina* • *4 cucharadas de aceite de oliva* • *7,5 decilitros de caldo de verduras (tres tazas)*

Preparación

1º Lavar bien las setas, el tomate y el perejil. Filetear por separado los níscalos y la trufa, esta última muy finamente. El tomate partirlo en dos y rallarlo. Los ajos se pelan y se machacan en un mortero junto con el perejil.

2º Escoger y limpiar bien el arroz. Ponerlo a remojo en agua tibia durante toda la

RECETA n.º 49

noche o una hora antes de prepararlo en agua hirviendo.

3.º En una sartén grande rehogar los níscalos, con un poco de sal, durante cinco minutos. Añadir el tomate y seguir rehogando hasta que se consuma el jugo.

4.º Añadir entonces el arroz escurrido y las tres tazas de caldo. Cocer a fuego vivo durante cinco minutos. Rectificar de sal y añadir el contenido del mortero y la trufa. Remover un poco, reducir el fuego al mínimo y dejar cocer hasta que el arroz esté suave (aproximadamente media hora). Si el caldo se agota muy rápidamente y el arroz sigue duro, se puede tapar la sartén (o la paellera) para que se cueza al vapor.

5.º Apagar el fuego y dejar reposar otros diez minutos.

Valor nutritivo (por ración)	
Glúcidos	61 g
Lípidos	16 g
Prótidos	8 g
Calorías	422
Julios	1.761

50. ARROZ INTEGRAL CON NUECES Y PIÑONES

Ingredientes

- «*Arroz base integral*» (ver receta n.º 30)
- *1/2 taza de nueces picadas (50 g)* • *50 g de piñones* • *2 dientes de ajo* • *2 cucharadas de aceite* • *sal marina*

Preparación

1.º Cocer el arroz siguiendo la receta que se indica.
2.º Pelar los ajos y picarlos muy menuditos. Mezclarlos bien con las nueces, los piñones, el aceite y un poco de sal.
3.º En una fuente de horno se pone el arroz ya cocido. Se le añade la mezcla de nueces, piñones y ajos. Se remueve bien y se introduce al horno, a fuego medio, durante diez o quince minutos. Servir caliente.

Valor nutritivo (por ración)	
Glúcidos	62 g
Lípidos	23 g
Prótidos	12 g
Calorías	489
Julios	2.044

51. ARROZ INTEGRAL CON QUESO

Ingredientes

• *«Arroz base integral»* (ver receta n.º 30)
• *1 cebolla* • *perejil* • *sal marina* • *100 g de queso tierno rallado* • *3 cucharadas de aceite de oliva*

Preparación

1.º Cocer el arroz siguiendo la receta que se indica.
2.º En una sartén calentar el aceite y rehogar la cebolla, previamente picada, con un poco de sal.
3.º Incorporar al arroz el sofrito de cebolla, el perejil picadito y el queso rallado. Remover bien con una cuchara de madera y disponer sobre una fuente para servir.

Valor nutritivo (por ración)	
Glúcidos	61 g
Lípidos	22 g
Prótidos	13 g
Calorías	497
Julios	2.077

52. ARROZ INTEGRAL VERDE

Ingredientes

• *300 g de arroz integral (taza y media)*
• *1/2 kilo de alcachofas* • *100 g de habas (desgranadas)* • *100 g de guisantes (desgranados)* • *1 cebolla* • *2 dientes de ajo* • *perejil abundante* • *zumo de medio limón* • *7,5 decilitros de caldo de verduras (3 tazas)* • *1 decilitro de aceite de oliva* • *sal marina*

Preparación

1.º Escoger el arroz y ponerlo en remojo la noche anterior, o bien una hora antes de cocinarlo, en agua hirviendo.
2.º Lavar bien las hortalizas. Las alcachofas se despojan de sus hojas más duras, se les corta el tallo y las puntas, se parten en gajos (unos seis de cada alcachofa) y se rocían con limón para que no se ennegrezcan. La cebolla se pela y se pica muy finamente. Los ajos se pelan y se pican muy menuditos, así como el perejil.
3.º En una sartén grande o paellera, se calienta el aceite y se dora ligeramente la cebolla con un poco de sal. Se le añaden las alcachofas y se sigue rehogando, a continuación se agregan las habas y se sigue rehogando y removiendo. Por último se añaden los guisantes y un poco más de sal.
4.º Escurrir bien el arroz y verterlo sobre la sartén. Remover un poco y añadir el caldo, que se tendrá aparte hirviendo. Cocer a fuego vivo durante unos cinco minutos. Rectificar de sal, añadir el picadillo de ajo y perejil. Reducir el fuego al mínimo y seguir cociendo hasta que el caldo se haya agotado completamente y el arroz esté tierno.
5.º Apagar el fuego y dejar reposar diez minutos. Servir caliente.

Valor nutritivo (por ración)	
Glúcidos	79 g
Lípidos	24 g
Prótidos	12 g
Calorías	568
Julios	2.373

53. ARROZ SIMPLE

Ingredientes

• *«Arroz base»* (ver receta n.º 29) • *50 g de pasas de Corinto* • *4 dientes de ajo* • *2 cucharadas de perejil picado* • *1 cucharadita de orégano* • *sal marina* • *4 cucharadas de aceite de oliva*

Preparación

1.º Cocer el arroz siguiendo la receta indicada.
2.º En una sartén grande, se calienta el aceite y se rehogan los ajos picaditos. Remover un poco y añadir las pasas, el orégano y el perejil. A continuación añadir el arroz y remover con cuidado hasta que esté bien mezclado.
3.º Servir caliente como guarnición, acompañando alguna verdura, asado vegetal, etc.

Valor nutritivo (por ración)	
Glúcidos	86 g
Lípidos	16 g
Prótidos	9 g
Calorías	530
Julios	2.215

54. ARROZ TRES DELICIAS

Ingredientes

• *400 g de arroz* • *1/2 lata de carne vegetal picada (150 g)* • *100 g de guisantes* • *2 zanahorias (200 g)* • *2 huevos* • *4 cucharadas de aceite de oliva* • *sal marina*

Preparación

1.º Cocer el arroz siguiendo la receta de «Arroz base» (ver receta n.º 29).
2.º Pelar, lavar y rallar las zanahorias, no muy finas. Los guisantes, si son de bote se pueden usar directamente, en caso de ser frescos, se deberán cocer previamente en agua salada.
3.º En una sartén pequeña, con una cucharadita de aceite, se cuajan los huevos, que previamente habremos batido con un poco de sal, formando una tortilla francesa. Partir la tortilla en trocitos o en tiritas. Reservar.
4.º En una sartén grande, se calienta el resto del aceite y se rehoga la zanahoria, la carne vegetal y los guisantes, sazonando a gusto. Cuando la zanahoria esté tierna, se le añade el arroz cocido. Se remueve bien hasta que todos los ingredientes estén mezclados.
5.º Disponer el arroz rehogado sobre una fuente de servir y adornar con las tiritas de tortilla.

Valor nutritivo (por ración)	
Glúcidos	89 g
Lípidos	23 g
Prótidos	19 g
Calorías	652
Julios	2.723

RECETA n.º 55

55. ASADO DE GLUTEN

Ingredientes

• *400 g de gluten molido* (ver receta n.º 243, «Gluten I») • *100 g de nueces sin cáscara (1 taza)* • *2 cebollas medianas* • *2 dientes de ajo* • *2 huevos* • *1 decilitro de aceite* • *100 g de pan rallado* • *2,5 decilitros de agua (una taza)* • *2 hojas de laurel* • *sal marina*

Preparación

1.º Pelar y lavar las cebollas y los ajos. Picarlo muy finamente. Picar igualmente las nueces, pero no demasiado; es mejor que queden a trocitos.

2.º Mezclar los ingredientes anteriormente picados con el gluten, el aceite y el pan rallado, sazonando a gusto. Batir los huevos y añadirlos a la mezcla removiendo bien.

3.º Untar un molde para horno con un poquito de aceite. Verter en él la mezcla que hemos preparado. Echar por encima el agua y el laurel.

1412

4º Introducir en el horno caliente y asar durante media hora. Reducir entonces el fuego y seguir cocinando una hora más, hasta que se haya absorbido todo el caldo.

Valor nutritivo (por ración)	
Glúcidos	40 g
Lípidos	42 g
Prótidos	36 g
Calorías	678
Julios	2.834

56. ASADO DE LENTEJAS

Ingredientes

• 100 g de lentejas • 50 g de nueces picadas muy pequeñas • 1 cebolla mediana • 3 ajos • 1 huevo • 1 decilitro de leche • 1 decilitro de aceite • 1 ramita de perejil • sal marina

Preparación

1.º Poner en remojo las lentejas la noche anterior. Cocerlas en agua con sal y escurrirlas (se puede aprovechar un resto de lentejas guisadas que tengamos de otra comida).

2.º Pelar y picar muy menudo la cebolla y los ajos.

3.º Batir el huevo y mezclarlo con la leche, el aceite, el perejil picado y sal a gusto.

4.º Añadir a la mezcla obtenida las lentejas cocidas, la cebolla y los ajos. Mezclarlo todo muy bien y verterlo en una fuente para horno.

5.º Introducir la fuente en el horno muy caliente y dejarlo hornear durante aproximadamente cuarenta minutos. Para saber si la cocción ha terminado se pincha el asado con un cuchillo y si sale limpio ya está listo para servir.

Valor nutritivo (por ración)

Glúcidos	24 g
Lípidos	33 g
Prótidos	12 g
Calorías	433
Julios	1.808

Preparación

1.º Lavar el pimiento y la cebolla y picarlos muy menuditos. Cortar también el pan en cubitos pequeños.

2.º En un recipiente hondo se baten bien los huevos con un poco de sal. Añadir el resto de los ingredientes y remover bien. Encender el horno.

3.º Untar un molde con muy poco aceite y verter en él la mezcla preparada. Introducir el molde, dentro de otro recipiente con agua caliente, en el horno y cocer a fuego medio hasta que la mezcla esté sólida, aproximadamente una hora.

Valor nutritivo (por ración)

Glúcidos	28 g
Lípidos	12 g
Prótidos	16 g
Calorías	286
Julios	1.196

58. ASADO DE VEGETALES

Ingredientes

• *1 kg de patatas* • *1/2 kg de cebollas* • *1/2 kg de tomates* • *1/2 kg de berenjenas* • *5 dientes de ajo* • *perejil* • *sal marina* • *4 cucharadas de aceite*

Preparación

1.º Lavar y pelar las hortalizas. Las patatas se deben lavar de nuevo después de peladas. Los tomates y las berenjenas, si es-

---

57. ASADO DE MAIZ TIERNO

Ingredientes

• *300 g de maíz tierno* • *100 g de queso tierno rallado* • *1 decilitro de leche caliente* • *2 huevos* • *50 g de pan duro* • *1 pimiento verde pequeño* • *1 cebolla pequeña* • *sal marina*

tán bien lavados no es necesario pelarlos. Cortar todo en rodajas entre medio y un centímetro de grosor. Sazonar a gusto. Pelar los ajos y picarlos finamente junto con el perejil.

2.º Encender el horno. En una cazuela de barro o una bandeja grande para horno se van colocando las rodajas por capas. En primer lugar una capa de patatas que se espolvoreará con ajo y perejil y con un poquito de aceite. A continuación una capa de cebolla, con más perejil, ajo y aceite. Seguir poniendo capas por orden dejando para el final otra capa de patatas, sobre la que se espolvoreará el resto del ajo y perejil y el aceite.

3.º Introducir en el horno y cocer a fuego fuerte durante treinta o cuarenta minutos, hasta que todo esté tierno y dorado. Servir caliente.

```
        Valor nutritivo (por ración)

   Glúcidos  . . . . . . .      64 g
   Lípidos   . . . . . . . .    16 g
   Prótidos  . . . . . . . .     9 g
   Calorías  . . . . . . .      422
   Julios    . . . . . . . . .  1.765
```

59. BARQUITOS DE HUEVO

Ingredientes

• 4 huevos • 4 trocitos de pimiento morrón (de bote)

Preparación

1.º Cocer los huevos en agua con sal durante unos diez minutos. Enfriarlos rápida-

mente bajo el chorro de agua fría. Pelar cuando estén fríos.

2.º Parta los huevos por la mitad a lo largo. Corte también una lonchita de clara de cada mitad de huevo y recórtela luego en forma de velita. Pinche cada mitad de huevo con un palillo. Coloque el trozo de clara por el palillo y pinche en la parte superior un trocito de pimentón rojo. Se trata de adornar los huevos como si fueran barquitos de vela. Si le resulta difícil hacerlo con la misma clara de huevo cortada, puede hacerlo con papel blanco o de colores.

3.º Coloque los barquitos sobre una fuente con ensalada. Los niños se la comerán más a gusto.

```
        Valor nutritivo (por ración)

   Glúcidos  . . . . . . .       —
   Lípidos   . . . . . . . .     7 g
   Prótidos  . . . . . . . .     8 g
   Calorías  . . . . . . . .    93
   Julios    . . . . . . . . .  389
```

60. BATIDO DE AGUACATE CON MANZANA

Ingredientes

• 2 aguacates grandes • 2 manzanas medianas • 2 decilitros de leche • 2 cucharadas de nata líquida • 2 cucharadas de miel

Preparación

1.º Pelar los aguacates y las manzanas, eliminando las semillas y los corazones respectivamente. Partirlos en trozos.

RECETA n.º 62

2.º En un vaso grande de la batidora se mezclan y trituran todos los ingredientes.

3.º Servir en seguida en copas de cristal.

Valor nutritivo (por ración)	
Glúcidos	27 g
Lípidos	19 g
Prótidos	4 g
Calorías	367
Julios	1.533

61. BATIDO DE AGUACATE Y PIÑA

Ingredientes

- 1 aguacate • 1/2 kg de piña • 2 manzanas
- 4 naranjas

1416

Preparación

1º Lavar, pelar y trocear el aguacate, la piña y las manzanas.
2º Exprimir las naranjas.
3º Triturar todos los ingredientes en un vaso grande de batidora y servir.

Valor nutritivo (por ración)

Glúcidos	5 g
Lípidos	6 g
Prótidos	3 g
Calorías	254
Julios	1.062

62. BATIDO DE ALBARICOQUE

Ingredientes

• *250 g de albaricoques* • *1/2 litro de leche de soja* • *2 plátanos* • *2 cucharadas de miel* • *50 g de avellanas ralladas*

Preparación

1º Lavar los albaricoques y deshuesarlos. Pelar los plátanos y trocearlos.
2º Mezclar todos los ingredientes en un vaso grande de la batidora y triturarlos. Servir frío.

Valor nutritivo (por ración)

Glúcidos	34 g
Lípidos	12 g
Prótidos	7 g
Calorías	262
Julios	1.096

63. BATIDO DE COCO Y PLATANO

Ingredientes

• *1 kg de plátanos* • *200 g de coco fresco* • *1/2 kg de mandarinas*

Preparación

1º Pelar los plátanos y trocearlos. Trocear el coco y triturarlo con la picadora.
2º Partir las mandarinas y exprimir con el exprimidor de cítricos.
3º Mezclar todos los ingredientes y batirlos con la batidora.

Valor nutritivo (por ración)

Glúcidos	57 g
Lípidos	18 g
Prótidos	5 g
Calorías	381
Julios	1.590

64. BATIDO DE CHIRIMOYA, COCO Y PIÑA

Ingredientes

• *1/2 kg de chirimoyas* • *1/2 coco fresco (150 g)* • *1 piña americana (ananás)*

Preparación

1º Pelar la piña, partirla en trozos y pasarla por la licuadora para extraerle el zumo.

2º Lavar las chirimoyas, pelarlas y trocearlas eliminando las semillas. Trocear también el coco.

3º Triturar el coco con la picadora o el molinillo. Mezclar el coco picado, la chirimoya y el zumo de piña y batir con la batidora. Servir fresco.

Valor nutritivo (por ración)

Glúcidos	44 g
Lípidos	14 g
Prótidos	13 g
Calorías	280
Julios	1.175

65. BATIDO DE CHIRIMOYA Y NARANJA

Ingredientes

• 1/2 kg de chirimoyas • 4 naranjas

Preparación

1º Lavar las chirimoyas, pelarlas y trocearlas eliminando los huesos. Partir las naranjas y exprimirlas.

2º Verter los dos ingredientes en un vaso grande de la batidora y triturar. Servir frío.

Valor nutritivo (por ración)

Glúcidos	23 g
Lípidos	—
Prótidos	1 g
Calorías	91
Julios	395

66. BATIDO DE ESPINACAS

Ingredientes

• 50 g de espinacas frescas • 1 yogur natural • 1 cucharada de miel • unas gotas de zumo de limón • 3,5 decilitros de agua (taza y media aproximadamente)

Preparación

1º Lavar bien las espinacas y partirlas en trocitos.

2º En un vaso grande de la batidora triturar primero las espinacas con un poco de agua.

3º Añadir después el resto de los ingredientes y seguir batiendo medio minuto. Guardar en el frigorífico hasta el momento de servir.

Valor nutritivo (por ración)

Glúcidos	7 g
Lípidos	1 g
Prótidos	2 g
Calorías	43
Julios	180

RECETA n.º 67

67. BATIDO DE FRAMBUESAS

Ingredientes

• *100 g de frambuesas* • *2 cucharadas de almendras molidas* • *1/2 litro de «Leche de almendras»* (ver receta n.º 284) • *zumo de medio limón* • *1 cucharada de miel*

Preparación

1.º Preparar la leche de almendras según la receta que se indica, o compre alguna de las leches de almendra que existen en el comercio, pero sin endulzar.
2.º Lavar bien las frambuesas y desprenderles el rabillo.
3.º Mezclar todos los ingredientes en un vaso grande de la batidora y triturar durante un minuto.

RECETA n.º 68

Valor nutritivo (por ración)

Glúcidos	11 g
Lípidos	8 g
Prótidos	3 g
Calorías	128
Julios	536

Hemos de distinguir entre la «artesanía culinaria» y el «arte culinario». El artesano precisa de habilidad para reproducir lo que tradicionalmente se viene haciendo generación tras generación de una determinada manera. El artista es un innovador y necesita estar inspirado. La artesanía culinaria tiene su mérito, pues conserva las tradiciones. El artista, cuando une a su inspiración, habilidad y ciencia, entonces *mejora* y *actualiza* las tradiciones... y las hace *más salutíferas*.

68. BATIDO DE FRESA Y PLATANO

Ingredientes

- *1/2 kg de fresas* • *1/2 kg de plátanos* • *2 decilitros de nata líquida* • *1 cucharada de miel*

Preparación

1.º Lavar las fresas y eliminar los rabillos. Pelar los plátanos y trocearlos.
2.º Mezclar todos los ingredientes y triturar con la batidora. Servir frío.

Valor nutritivo (por ración)	
Glúcidos	35 g
Lípidos	10 g
Prótidos	5 g
Calorías	245
Julios	1.023

69. BATIDO DE MANGO

Ingredientes

- *1/2 kg de mango (sólo pulpa)* • *1 decilitro de nata líquida* • *1 cucharada de miel* • *4 rodajas de limón*

Preparación

1.º Triturar bien todos los ingredientes y dejar en el frigorífico.

2.º Servir en copas con una rodajita de limón.

Valor nutritivo (por ración)	
Glúcidos	25 g
Lípidos	5 g
Prótidos	1 g
Calorías	145
Julios	607

70. BATIDO DE MANZANA Y COCO

Ingredientes

- *1 bote de leche concentrada no azucarada* • *3 manzanas* • *100 g de coco rallado* • *4 cucharadas de sirope de manzana* • *3 decilitros de agua*

Preparación

1.º Remojar el coco con el agua hirviendo durante unos quince minutos.

2.º Lavar y pelar las manzanas, trocearlas y triturarlas en la batidora junto con el sirope y la leche.

3.º Mezclar bien el preparado de las manzanas y el coco con el agua de remojo. Introducir en el frigorífico y servir frío.

Valor nutritivo (por ración)

Glúcidos	54 g
Lípidos	21 g
Prótidos	10 g
Calorías	431
Julios	1.802

71. BATIDO DE PAPAYA

Ingredientes

• *1/2 kg de pulpa de papaya* • *4 cucharadas de miel* • *2 claras de huevo* • *zumo de un limón*

Preparación

1.º Triturar bien la papaya con la miel y el zumo de limón, en un vaso grande de la batidora.

2.º Batir las claras a punto de nieve e incorporar poco a poco la papaya triturada, al tiempo que se va mezclando.

3.º Servir frío sobre copas de helado. Se puede adornar con una rajita de limón.

Valor nutritivo (por ración)

Glúcidos	32 g
Lípidos	—
Prótidos	2 g
Calorías	132
Julios	554

72. BATIDO DE PLATANOS

Ingredientes

• *4 plátanos* • *1/2 litro de «Leche de almendras»* (ver receta n.º 284) • *1 cucharada de miel* • *50 g de almendras crudas fileteadas.*

Preparación

1.º Pelar los plátanos y trocearlos. Introducirlos en un vaso grande de la batidora junto con la miel y la leche de almendras.

2.º Batirlo bien y repartirlo en cuatro vasos. Espolvorear cada vaso con las almendras fileteadas.

Valor nutritivo (por ración)

Glúcidos	37 g
Lípidos	14 g
Prótidos	6 g
Calorías	292
Julios	1.221

73. BERENJENAS A LA PLANCHA

Ingredientes

• *1 kg de berenjenas* • *3 dientes de ajo* • *unas ramitas de albahaca fresca picada* • *perejil* • *sal marina* • *4 cucharadas de aceite*

Preparación

1.º Lavar bien las berenjenas. Si la piel es firme y está bien limpia, no será necesario pelarlas. Cortar en rodajas de un centímetro de grosor. Pelar los ajos y lavar las hierbas. Picarlo todo muy menudito.

2.º Colocar las rodajas de berenjena sobre una plancha lisa u ondulada y asar por ambos lados. Colocar sobre una fuente de servir. Sazonar a gusto y espolvorear con las hierbas y el ajo picado. Rociar con aceite crudo y servir todavía calientes.

3.º Calentar el aceite en una sartén. Pasar las berenjenas por la harina y freírlas.

4.º Encender el horno. Colocar las berenjenas en una fuente de horno de la siguiente forma: una capa de berenjenas, una capa de salsa de tomate, un poco de huevo batido; otra capa de berenjenas, salsa de tomate y huevo batido; y así hasta terminar las berenjenas. Por último se pone el resto de la salsa y el resto de huevo batido.

5.º Introducir en el horno caliente. Reducir el fuego y dejar cocer de quince a veinte minutos.

Valor nutritivo (por ración)

Glúcidos	11 g
Lípidos	15 g
Prótidos	3 g
Calorías	182
Julios	759

Valor nutritivo (por ración)

Glúcidos	26 g
Lípidos	34 g
Prótidos	10 g
Calorías	440
Julios	1.839

---

74. BERENJENAS AL HORNO

Ingredientes

• 1/2 kg de berenjenas • 2 huevos • 2 cucharadas de harina • sal marina • 4 cucharadas de aceite de oliva • «Salsa de tomate I» (ver receta n.º 407)

Preparación

1.º Preparar la salsa de tomate según la receta que se cita.

2.º Lavar bien las berenjenas. Si la piel es lisa y está bien limpia no es necesario pelarlas. Cortar en rodajas de un centímetro de grueso y sazonar a gusto.

---

75. BIRCHER-MUESLI

Ingredientes

• 100 g de copos de avena (una taza) • 2 tazas de agua • 30 g de uvas pasas • 30 g de higos secos • 30 g de orejones • 50 g de nueces • 50 g de avellanas • 50 g de coco rallado • 2 yogures naturales • 4 manzanas • zumo de medio limón • 4 cucharadas de miel • 2 plátanos • 2,5 decilitros de nata líquida (1 taza)

Preparación

1.º Escoger los copos de avena, eliminando cualquier pajita o impureza que pudie-

RECETA n.º 74

ran tener. Ponerlos en remojo en el agua indicada.

2.º Picar todos los frutos secos en trozos menudos y añadirlos al agua con los copos. Dejar reposar toda la noche.

3.º Por la mañana cuando se vaya a servir, pelar las manzanas, rallarlas y rociarlas con el zumo de limón. Pelar y trocear los plátanos y añadirlo todo a los copos y frutos secos que están en remojo.

4.º Agregar también los yogures, la miel y la nata. Mezclar bien y servir.

Valor nutritivo (por ración)

Glúcidos	112 g
Lípidos	37 g
Prótidos	13 g
Calorías	793
Julios	3.315

76. BISTEC A LA CAMPESINA

Ingredientes

• *1 bote de carne vegetal en lonchas (400 g)* • *400 g de champiñón* • *1/2 kg de pimientos verdes finos* • *1 cebolla* • *3 dientes de ajo* • *pimentón* • *orégano* • *2 cucharadas de harina* • *1 decilitro de aceite de oliva* • *sal marina*

Preparación

1.º Adobar las lonchas de carne vegetal con la sal, el pimentón y el orégano. Dejar en reposo unas dos horas.

2.º Lavar bien las hortalizas. Cortar el champiñón a trocitos un poco gruesos. La cebolla menudita. Los pimientos a trozos alargados. Los ajos picados muy menudos.

3.º Calentar tres cucharadas de aceite en la sartén y freír el champiñón junto con la cebolla y un poco de sal. Cuando empiece a dorarse apartar en un plato.

4.º En la misma sartén se añade el resto del aceite y se fríen los pimientos con los ajos, que se apartarán, escurriéndolos bien con la espumadera, sobre los champiñones. Mezclar bien con los champiñones.

5.º Si ha escurrido bien los pimientos, le quedará aceite suficiente para freír la carne vegetal. Reboce con harina las lonchas de la carne, que ya estará adobada, y fríalas en el aceite que ha quedado. Tomará un sabor especial.

6.º En una fuente para servir extiéndase parte de los pimientos y el champiñón mezclados. Por encima poner unos cuantos bistecs y cubrir con otro poco de la mezcla. Poner encima el resto de los bistecs y cubrir nuevamente con el resto de la mezcla de pimientos y champiñón.

7.º Este plato se puede preparar con tiempo e incluso sabe mejor que recién hecho. Se puede comer frío, pero si se desea se puede calentar un poco al horno tapando la fuente.

8.º Al ser un plato que se puede tomar frío, es ideal para una salida campestre, siempre que se utilice un recipiente hermético para transportarlo.

Valor nutritivo (por ración)

Glúcidos	24 g
Lípidos	23 g
Prótidos	26 g
Calorías	381
Julios	1.591

---

77. BIZCOCHO BASE

Ingredientes

• 200 g de harina (taza y media) • 60 g de azúcar blanco • 60 g de azúcar moreno • 5 huevos • ralladura de un limón

Preparación

1º Si los huevos están en la nevera, sacarlos y dejarlos un par de horas sobre la mesa o banco de cocina para que tomen la temperatura ambiente. Encender el horno.

2º Separar las claras de las yemas. Batir las claras, en un recipiente ancho, a punto de nieve. Añadir las yemas y seguir batiendo hasta que esté bien mezclado. Añadir el azúcar, seguir batiendo y por último, agregar la harina y la ralladura de limón. Mezclar bien pero sin batir. Encender el horno.

3º Untar un molde de horno con muy poco aceite o mantequilla. Verter sobre él la masa e introducir en el horno caliente. Cocer a fuego medio durante media hora aproximadamente. Pinchar con un palito antes de sacar; si sale seco ya puede apagar el horno.

Valor nutritivo (por ración)

Glúcidos	69 g
Lípidos	9 g
Prótidos	15 g
Calorías	412
Julios	1.725

78. BIZCOCHO DE MANZANAS

Ingredientes

• 1/2 kg de manzanas • 100 g de sirope de manzana • 100 g de harina integral (3/4 de taza) • 1 decilitro de aceite • 2 huevos • 1 cucharada de levadura en polvo • zumo de un limón

Preparación

1º Mezclar el sirope con el aceite y batir bien hasta que ambos ingredientes estén amalgamados. Separar las claras de las yemas (los huevos no deben estar fríos sino a temperatura ambiente) y batir las claras a punto de nieve. Añadir las yemas y seguir batiendo. Agregar la mezcla de aceite y sirope sin dejar de batir. A continuación añadir la harina y la levadura y trabajar bien hasta conseguir una masa perfectamente homogénea.

2º Lavar y pelar las manzanas. Cortarlas en rodajas, quitándoles el corazón. Rociarlas con un poco de limón para que no se pongan negras. Encender el horno.

3º Untar un molde para horno con muy poco aceite (o mantequilla). Poner en el fondo del molde una capa de masa; a continuación una capa de rodajas de manzana; otra de masa y otra de manzana, terminando con una tercera capa de masa.

4º Introducir el molde en el horno caliente y dejar cocer a fuego moderado durante unos cuarenta y cinco minutos. Pinchar con un palito o aguja para comprobar que esté en su punto; si el palito sale seco apagar el horno, dejar enfriar el bizcocho y sacar del molde.

<table>
<tr><td colspan="2">Valor nutritivo (por ración)</td></tr>
</table>

Valor nutritivo (por ración)

Glúcidos	53 g
Lípidos	26 g
Prótidos	8 g
Calorías	476
Julios	1.991

Valor nutritivo (por ración)

Glúcidos	103 g
Lípidos	29 g
Prótidos	13 g
Calorías	729
Julios	3.048

80. BOCADILLO DE CALABACIN CON HUEVO

79. BIZCOCHO DE YOGUR

Ingredientes

• *1 yogur con sabor a limón* • *3 medidas de yogur de harina (225 g)* • *1 medida de azúcar moreno (110 g)* • *1 medida de azúcar blanco (125 g)* • *3/4 de medida de yogur de aceite (1 decilitro)* • *3 huevos* • *1 cucharada de levadura en polvo* • *ralladura de un limón*

Preparación

1º En un recipiente hondo mezclar bien todos los ingredientes con ayuda de la batidora, hasta que quede una pasta homogénea. Encender el horno.

2º Untar un molde para horno con muy poco aceite. Verter sobre él la pasta que tenemos preparada, e introducir en el horno caliente durante media hora. El fuego debe ser fuerte mientras sube la masa, pero después hay que reducirlo al mínimo.

3º Una vez comprobado que el bizcocho está cocido, sacar del horno y dejar enfriar. Se trocea y sirve con un vaso de leche o una infusión de plantas digestivas.

Ingredientes

• *1/2 kilo de calabacines* • *1 huevo* • *2 cucharadas de aceite de oliva* • *sal marina*

Preparación

1º Pelar los calabacines y picarlos finamente. Sazonarlos con sal marina y dejarlos en reposo para que escurran el agua.

2º En una sartén calentar el aceite y añadir el calabacín para que se vaya haciendo a fuego lento. Remover de vez en cuando y machacar suavemente con una cuchara de madera para deshacerlo.

3º Cuando haya perdido toda el agua y empiece a dorarse, añadir el huevo, removiendo suavemente para deshacerlo hasta que la mezcla se cuaje.

4º Apartar en un plato y dejar enfriar antes de utilizarlo como acompañamiento del pan o para relleno.

Valor nutritivo (por ración)

Glúcidos	8 g
Lípidos	9 g
Prótidos	7 g
Calorías	118
Julios	495

RECETA nº 79

81. BOCADILLO DE TOMATE CON HUEVO

Ingredientes

- 1/2 kilo de tomates maduros y firmes
- 1 huevo • 2 cucharadas de aceite de oliva
- sal

Preparación

1º Lavar, pelar y picar los tomates muy menuditos.

2º Ponerlos en una sartén, con el aceite y la sal, a fuego medio, removiendo de vez en cuando.

3º Cuando haya perdido el agua por completo añadir el huevo, deshaciéndolo suavemente mientras se revuelve hasta que se cuaje.

4º Apartar en un plato y dejar enfriar antes de aplicarlo al pan

Valor nutritivo (por ración)	
Glúcidos	5 g
Lípidos	9 g
Prótidos	4 g
Calorías	116
Julios	486

Variaciones

Antes de servir espolvorear con hierbas aromáticas (albahaca, orégano, perejil). Para aquellos que les gustan las aceitunas verdes, trocear por la mitad y colocarlas como adorno. Así resulta ideal como complemento de muchos platos.

82. BOCADITOS DE FRUTOS SECOS

Ingredientes

- «Masa base para tartas» (ver receta n.º 303)
- 100 g de uvas pasas • 100 g de higos secos
- 70 g de nueces • 70 g de almendras • zumo de una naranja

Preparación

1º Preparar la masa siguiendo la receta que se indica.

2º Picar muy menuditos todos los frutos secos, rociarlos con el zumo de naranja y reservar.

3º Extender la masa con el rodillo y cortar en cuadritos o círculos pequeños de unos cuatro centímetros. Encender el horno.

4º Colocar una cucharadita de frutos secos en cada porción de masa doblando la misma a modo de empanadilla. Presionar las orillas para que quede bien cerrada.

5º Untar una bandeja para horno con muy poco aceite. Colocar los bocaditos ya preparados e introducir en el horno a fuego medio hasta que estén dorados.

Valor nutritivo (por 100 g, unos siete bocaditos)	
Glúcidos	55 g
Lípidos	32 g
Prótidos	11 g
Calorías	546
Julios	2.282

83. BOLITAS DE PATATA

Ingredientes

• 3 patatas medianas • 1 huevo • 2 dientes de ajo • 50 g de piñones • 2 cucharadas de perejil picado • 1 cucharadita de mantequilla • 3 cucharadas de pan rallado • aceite de oliva • sal marina

Preparación

1.º Lavar las patatas y cocerlas con la piel en agua con sal. Cuando estén blandas se les escurre el agua, se pelan y se hacen puré.
2.º Se pican los ajos muy finos y se mezclan con el perejil ya picado. Aparte, en un mortero, se machacan ligeramente los piñones y se echa todo en el puré. Se añade también la yema del huevo, la mantequilla y un poco de sal. Mezclar bien.
3.º Batir la clara del huevo.
4.º En una sartén poner a calentar bastante aceite. De la pasta preparada se van tomando porciones con una cuchara y se forman bolitas. Se rebozan en la clara batida, después en el pan rallado y se fríen.

Valor nutritivo (por ración)	
Glúcidos	37 g
Lípidos	27 g
Prótidos	9 g
Calorías	423
Julios	1.768

84. BORRAJAS ESTILO ARAGON

Ingredientes

• 1 kg de borrajas • 1/2 kg de patatas • sal marina • 2 cucharadas de aceite

Preparación

1.º Limpiar y lavar bien las borrajas. Pelar y lavar también las patatas. Trocearlo todo.
2.º Poner una cacerola al fuego con agua suficiente. Cuando hierva el agua se incorporan las patatas y la sal. Cuando recobre la ebullición se añade una parte de las borrajas. Se espera a que hierva de nuevo para agregar otra parte de las borrajas, y así en dos o tres veces para que mantengan su color verde. Cocer a fuego medio hasta que estén tiernas las patatas.
3.º Escurrir y disponer sobre una fuente de servir. Cada comensal rociará su plato con aceite crudo.

Valor nutritivo (por ración)	
Glúcidos	30 g
Lípidos	8 g
Prótidos	4 g
Calorías	191
Julios	799

RECETA nº 85

85. «BOTIFARRES D'HORTA»
(Butifarras de huerta)

Ingredientes

• 1/2 kg de acelgas de tallo fino • 1 cebolla
grande • 1 huevo • 50 g de piñones • 3 cucharadas de pan triturado • 2 cucharadas de
harina • 1 cucharada de orégano • 1 cucharadita de pimentón • sal marina • aceite de
oliva

Preparación

1.º Lavar bien las acelgas y la cebolla después de pelarla. Cortarlo todo a trocitos
y cocerlo en agua con un poco de sal durante unos diez minutos.

2.º Escurrir bien y verter sobre un recipiente
hondo. (No se debe tirar el caldo que
puede servir para alguna sopa.) Añadir
el resto de los ingredientes, excepto el
aceite, y mezclar bien. Debe quedar una
pasta blanda pero no demasiado. Si no
se han escurrido bien las acelgas se puede necesitar un poco más de harina.

3.º Poner la sartén sobre el fuego con aceite.
Cuando éste empiece a calentarse se van
incorporando porciones de la pasta preparada, aplastándolas ligeramente para
que adopten una forma aproximada a
una hamburguesa pequeña. Freír por
ambos lados, a fuego medio, hasta que
estén doraditas y apartar en una fuente
colocándolas sobre papel absorbente. Se
pueden servir calientes o frías.

Valor nutritivo (por ración)	
Glúcidos	19 g
Lípidos	20 g
Prótidos	9 g
Calorías	281
Julios	1.176

86. BRAZO DE GITANO CON SALSA DE TOMATE

Ingredientes

• 1 kg de patatas • 2 zanahorias • 1 cebolla pequeña • 150 g de carne vegetal picada • 100 g de aceitunas verdes • 2 huevos • 1 pimiento rojo grande • 50 g de guisantes • «Salsa de tomate I» (ver receta n.º 407) • 50 g de mantequilla • sal marina

Preparación

1.º Pelar las patatas, las zanahorias y la cebolla. Lavarlas y trocearlas. Cocerlas en agua con sal. Cuando estén blandas se escurre el agua y se hace un puré espeso con estos tres ingredientes. Ya hecho puré y estando todavía caliente se añade la mantequilla removiendo bien.

2.º Preparar la «Salsa de tomate I» siguiendo las instrucciones de la receta indicada.

3.º Hervir los guisantes en agua con sal. Asar el pimiento, pelarlo y cortarlo a trocitos. Cocer los huevos y pelarlos.

4.º En un recipiente mezclar la carne vegetal picada con las aceitunas, los huevos y el pimiento, todo ello picado. Añadir los guisantes hervidos y mezclar.

5.º Sobre un paño limpio se extiende el puré en forma de rectángulo. En el centro y en todo su largo se extiende la mezcla preparada para relleno y se va enrollando con la ayuda del paño.

6.º Se coloca sobre una fuente de servir dándole una forma alargada, ayudándose siempre con el paño. Se cubre con la salsa de tomate y se adorna con algunas aceitunas verdes.

Valor nutritivo (por ración)	
Glúcidos	77 g
Lípidos	89 g
Prótidos	20 g
Calorías	724
Julios	3.024

87. BRECOL A LA ANDALUZA

Ingredientes

• 1 kg de brécol • 1 rebanada de pan integral • 1 diente de ajo • 1 huevo • 2 cucharadas de aceite de oliva • sal marina

Preparación

1.º Lavar bien el brécol y trocearlo. Cocer con poca agua y sal en una cazuela a fuego medio.

2.º Freír la rebanada de pan. Machacarla junto con el ajo pelado en un mortero.

3.º Cuando el brécol esté tierno, pero no muy blando, se le añade el contenido del mortero y el huevo batido. Se remueve hasta que el huevo se cuaje.

Valor nutritivo (por ración)	
Glúcidos	17 g
Lípidos	10 g
Prótidos	11 g
Calorías	186
Julios	778

88. BRECOL CON SETAS

Ingredientes

• 1/2 kg de brécol • 250 g de setas • 100 g de guisantes desgranados • 2 zanahorias • 1 cebolla • 2 patatas • 1 tomate • 2 dientes de ajo • 1 cucharadita de harina • sal marina • 3 cucharadas de aceite de oliva • 1/2 cucharadita de pimentón

Preparación

1.º Lavar bien todas las verduras. Pelar las patatas, las zanahorias y las cebollas.

2.º Trocear el brécol y cocer con agua y un poco de sal hasta que esté tierno pero no demasiado blando.

3.º Las patatas y las zanahorias se cortan a cudraditos y se ponen a cocer también junto con los guisantes en una cazuela aparte del brécol.

4.º Mientras tanto trocear las setas, después de limpias. Picar la cebolla y los ajos. Rehogarlo todo en una sartén con el aceite y un poco de sal.

5.º Cortar los tomates por la mitad y rallarlos. Agregrarlos a la sartén cuando las setas y la cebolla empiecen a estar tiernas. Se deja cocer unos minutos y cuando empiece a agotarse el jugo del tomate se añade la harina y el pimentón, se remueve bien y se apaga el fuego.

6.º Escurrir el brécol y la otra cazuela de verduras sin que quede demasiado seco. Reservar los caldos para alguna sopa. Verter en una de las cazuelas el contenido de la otra, y sobre todo ello se vierte igualmente el contenido de la sartén.

7.º Dejar cocer todavía unos minutos a fuego lento y servir caliente.

Valor nutritivo (por ración)

Glúcidos	43 g
Lípidos	12 g
Prótidos	11 g
Calorías	312
Julios	1.305

89. BUDIN DE ARROZ Y SOJA

Ingredientes

• *1 taza y media de puré de soja verde* • *1 cucharada de harina* • *1 taza de «Arroz base integral»* (ver receta n.º 30) • *1 cebolla* • *3 cucharadas de caldo vegetal* • *3 cucharadas de aceite de oliva* • *un poquito de mantequilla* • *1 cucharada de pan rallado* • *sal marina*

Preparación

1.º Cuando ya tenemos la soja cocida (ver la receta n.º 427, «Soja verde»), la trituramos bien. Sólo necesitamos taza y media, por lo que se puede aprovechar un resto de soja que hayamos preparado para alguna comida anterior.

2.º Cocinar el arroz integral siguiendo la receta que se cita. Usaremos sólo una taza de este arroz cocido, el resto se puede aprovechar para hacer otra receta.

3.º Pelar y picar la cebolla. Incorporarla al puré de soja.

4.º En una sartén grande se calienta el aceite y se dora la harina. Añadir el caldo de verduras, remover bien y sazonar. Cuando espese la salsa se agrega el puré de soja y el arroz. Apagar el fuego y mezclar bien.

5.º Untar con muy poca mantequilla un molde hondo y alargado. Espolvorearlo con el pan rallado. Incorporar la mezcla que tenemos preparada. Introducir en el horno caliente y cocer hasta que esté bien dorado.

6.º Vaciar el molde sobre una fuente alargada. Se puede servir frío o caliente. Cortar a rebanadas.

Valor nutritivo (por ración)

Glúcidos	29 g
Lípidos	19 g
Prótidos	8 g
Calorías	303
Julios	1.266

90. BUÑUELOS A LA CRIOLLA

Ingredientes

• *150 g de harina (1/2 taza de integral y 1/2 taza de blanca)* • *80 g de azúcar moreno (1/2 taza)* • *2 plátanos maduros* • *1 huevo*

RECETA n.º 90

• 1 cucharadita de levadura en polvo • 1,25 decilitros de leche de soja (1/2 taza) • 1/2 cucharadita de canela en polvo • una pizca de nuez moscada • 1/2 cucharadita de vainilla en polvo • una pizca de sal • aceite de oliva

Preparación

1.º Mezclar bien todos los ingredientes con ayuda de la batidora hasta que la pasta quede homogénea.
2.º Calentar aceite abundante en una sartén grande o freidora. Echar la masa a cucharadas, que se hinchará con el calor.

Dorar uniformemente y apartar sobre una fuente cubierta con servilletas de papel para que absorban el aceite.

Valor nutritivo (por cada 100 g, unos ocho buñuelos)	
Glúcidos	46 g
Lípidos	29 g
Prótidos	6 g
Calorías	473
Julios	1.975

RECETA n.º 91

91. BUÑUELOS DE ZANAHORIA

Ingredientes

- *150 g de zanahoria* • *125 g de harina*
- *1,25 decilitros de agua (1/2 taza)* • *1/2 cebolla* • *1 diente de ajo* • *perejil* • *1 cucharadita de pimentón* • *una pizca de tomillo*
- *1 huevo* • *sal marina* • *aceite de oliva*

Preparación

1.º Pelar, lavar y rallar las zanahorias. Pelar y lavar igualmente la cebolla y los ajos y picarlos menuditos junto con el perejil. Mezclar estos ingredientes con la zanahoria rallada y sazonar a gusto.

2.º Diluir la harina en el agua con un poco de sal. Añadir las yemas y batir. Incorporar la zanahoria, cebolla, etc. y remover.

3.º Batir las claras a punto de nieve y añadirlas a la masa de las zanahorias.

4.º Calentar aceite suficiente en una sartén y freír la masa a cucharaditas. Los buñuelos se hincharán y dorarán uniformemente si hay suficiente aceite.

5.º Cuando estén dorados se apartan sobre una fuente con papel absorbente. Se sirven calientes o fríos.

Valor nutritivo (por ración)	
Glúcidos	30 g
Lípidos	15 g
Prótidos	6 g
Calorías	276
Julios	1.152

Valor nutritivo (por ración)	
Glúcidos	17 g
Lípidos	9 g
Prótidos	12 g
Calorías	150
Julios	627

92. CALABACINES GRATINADOS

93. «CALÇOTADA»
(Cebollitas a la brasa)

Ingredientes

• 4 calabacines (1 kg aproximadamente)
• 50 g de queso manchego tierno rallado • 1
cucharada de aceite • 10 g de mantequilla
• una pizca de pimienta • 1 cucharada de
caldo de verduras • sal marina

Ingredientes

• 2 kg de cebollitas tiernas con tallo (en catalán: calçots) • 1,5 decilitros de aceite
• 2 cucharadas de vinagre de manzanas • perejil • una pizca de pimienta • sal marina

Preparación

1.º Pelar y lavar los calabacines. Cortarlos
por la mitad a lo largo y cocerlos en una
cazuela en agua con un poco de sal, durante doce minutos.
2.º Untar una fuente para horno con el aceite. Depositar en ella los calabacines escurridos. Espolvorearlos con una pizca
de pimienta. Poner encima de cada mitad un poquito de mantequilla y queso
rallado. Añadir a la fuente una cucharada del caldo donde se han cocido los calabacines.
3.º Encender el gratinador. Introducir la
fuente y gratinar hasta que estén dorados por encima.

Preparación

1.º Lavar las cebollitas y quitarles las impurezas, pero no se deben pelar.
2.º Colocar las cebollitas con su tallo en una
parrilla sobre brasas. Asar lentamente
durante unos veinte o treinta minutos,
hasta que estén tiernas. Dar vueltas de
vez en cuando.
3.º Mientras se asan las cebollitas preparar
la salsa con el aceite, el vinagre de manzana, el perejil lavado y picado, una pizca de pimienta y sal a gusto. Mezclar
bien, batiendo si es necesario.
4.º Cuando las cebollitas están asadas se les
quitan las hojas exteriores que estarán
chamuscadas y se sirven calientes. Cada
comensal las untará con salsa a su gusto.

Valor nutritivo (por ración)

Glúcidos	22 g
Lípidos	34 g
Prótidos	3 g
Calorías	407
Julios	1.702

95. CANELONES DE CARNE VEGETAL

94. CALDO GALLEGO

Ingredientes

• 1/2 kg de grelos • 1/2 kg de patatas • 1 cebolla • 1 cubito de caldo vegetal • sal marina • 2 cucharadas de aceite

Preparación

1.º Lavar bien las verduras. Pelar las patatas y la cebolla. Trocear los grelos, también las patatas a cuadros rasgados pequeños, y la cebolla menudita.

2.º Poner a cocer una olla con agua. Cuando comience a hervir se añade la cebolla picada y se cuece unos cinco minutos. Agregar entonces los grelos y las patatas y un poco de sal. Hervir otros diez minutos. Añadir por último el cubito de caldo vegetal y el aceite y dejar cocer dos o tres minutos más. Servir caliente.

Ingredientes

• 16 canelones • 270 g de carne vegetal • 1 berenjena pequeña • 1 calabacín mediano • 1 pimiento verde • 1 cebolla mediana • 3 tomates maduros • 1 diente de ajo • 50 g de almendras molidas • «Salsa bechamel I» (ver receta n.º 400) • 50 g de queso rallado • 5 cucharadas de aceite de oliva • sal marina

Preparación

1.º Preparar la «Salsa bechamel I».

2.º Pelar y lavar la berenjena, el calabacín, el pimiento y la cebolla. Picarlos en trozos pequeños.

3.º En una sartén se calienta el aceite y se fríen las verduras con el ajo picado y sazonadas con sal. Cuando estén blandas se añade el tomate rallado y se deja freír unos minutos más.

4.º Una vez frito se tritura. Se le añaden las almendras molidas y la carne vegetal rallada y se deja reposar.

5.º Mientras tanto se prepara la pasta de los canelones según las instrucciones del paquete: cocer, remojar, etc.

6.º Se rellenan los canelones con la mezcla preparada, se cubren con salsa bechamel y se espolvorean con el queso rallado. Poner a gratinar en el horno antes de servir.

Valor nutritivo (por ración)

Glúcidos	30 g
Lípidos	8 g
Prótidos	6 g
Calorías	213
Julios	891

Valor nutritivo (por ración)

Glúcidos	51 g
Lípidos	53 g
Prótidos	26 g
Calorías	768
Julios	3.212

RECETA n.º 96

96. CANELONES DE ESPINACAS

Ingredientes

• *16 canelones* • *1 kg de espinacas* • *4 huevos* • *1 cebolla grande* • *100 g de piñones* • *«Salsa de tomate II»* (ver receta n.º 401) • *6 cucharadas de aceite de oliva* • *sal marina*

Preparación

1.º Cocer los huevos en agua con sal y pelarlos.

2.º Preparar la «Salsa de tomate II» siguiendo las instrucciones de la receta indicada.

3.º Preparar la pasta de los canelones según las instrucciones del paquete.

4.º Limpiar y lavar las espinacas. Cortarlas en trozos pequeños. En una sartén con tres cucharadas de aceite se dejan cocer las espinacas con un poco de sal, a fuego lento y tapadas, para que se hagan en su propio jugo. Cuando estén blandas se sacan y se escurren bien.

5.º Se vuelven a calentar otras tres cuchara-

1440

das de aceite. Se pela la cebolla y se fríe picada muy menuda con los piñones. Cuando está ligeramente dorada se le añaden las espinacas, los huevos duros rallados y se mezcla bien.

6.º Se rellenan los canelones, se cubren con la salsa de tomate y se introducen en el horno caliente durante unos diez minutos.

Valor nutritivo (por ración)

Glúcidos	....	47 g
Lípidos	....	56 g
Prótidos	....	29 g
Calorías	....	788
Julios	....	3.295

97. CARACOLITOS CON CHAMPIÑONES

Ingredientes

- 250 g de pasta en forma de caracolitos
- 250 g de champiñones • 1 huevo • «Salsa de tomate I» (ver receta n.º 407) • 2 dientes de ajo • 3 cucharadas de aceite de oliva • sal marina

1441

Preparación

1.º Preparar la «Salsa de tomate I» siguiendo las instrucciones de la receta indicada.
2.º Cocer los caracolitos en abundante agua salada, con una cucharada de aceite para que no se peguen. Cocerlos hasta que estén «al dente». Escurrir y pasar por agua fría.
3.º Cocer también el huevo en agua con sal durante diez minutos. Enfriar con abundante agua fría y pelar.
4.º Mientras tanto, limpiar bien los champiñones raspándolos con un cuchillo en seco. Lavarlos después ligeramente con agua fría, y cortarlos finamente.
5.º En una sartén se calienta el aceite y se echan los ajos picados muy menudos y los champiñones. Se dejan a fuego suave, removiendo de vez en cuando, hasta que hayan perdido casi todo su jugo.
6.º Añadir los champiñones y la salsa de tomate a los caracolitos. Mezclarlo bien y verterlos sobre una fuente. Se espolvorea con el huevo duro rallado y se introduce al horno caliente diez minutos.

Valor nutritivo (por ración)	
Glúcidos	64 g
Lípidos	29 g
Prótidos	15 g
Calorías	580
Julios	2.422

98. CARAMELOS DE FRUTAS

Ingredientes

- *50 g de ciruelas pasas* • *50 g de orejones*
- *50 g de higos secos* • *50 g de dátiles* • *50 g de pasas sin semillas* • *100 g de nueces molidas* • *100 g de miel* • *10 g de mantequilla*

Preparación

1.º Poner las frutas desecadas en remojo en agua caliente durante cinco minutos.
2.º Escurrir y triturar con una máquina de picar. Añadir a la masa la miel y la mitad de las nueces molidas.
3.º Untese las manos con un poco de aceite y vaya formando pequeñas bolitas. Hágalas rodar sobre el resto de las nueces molidas y deposite sobre una fuente.
4.º Dejar secar durante un par o tres de días, y después se pueden guardar en frascos de cristal para ir usando.

Valor nutritivo (por 100 g, unos diez caramelos)	
Glúcidos	78 g
Lípidos	19 g
Prótidos	8 g
Calorías	493
Julios	2.060

99. CARDOS A LA CREMA

Ingredientes

- *1,5 kg de cardos* • *50 g de nata líquida*
- *«Salsa bechamel I» (ver receta n.º 400)*
- *zumo de un limón* • *sal marina*

Preparación

1.º Pelar y limpiar bien los cardos. Cortarlos en trozos de unos seis centímetros y dejar en remojo en agua y el zumo de limón. Con unos diez minutos de remojo será suficiente.

2.º Cocer los cardos en agua abundante y sal. Escurrir cuando estén tiernos y depositar sobre una fuente para horno.

3.º Mientras se cuecen los cardos preparar la salsa bechamel siguiendo la receta que se cita.

4.º Encender el horno. Añadir a la bechamel la nata líquida y mezclar bien. Verter la salsa sobre los cardos e introducir en el horno. Dejar cocer durante diez o quince minutos.

Valor nutritivo (por ración)

Glúcidos	14 g
Lípidos	19 g
Prótidos	6 g
Calorías	249
Julios	1.042

100. CARDOS EN SALSA

Ingredientes

• 2 kg de cardos • 50 g de piñones • 1 cucharada de harina • 3 dientes de ajo • perejil • sal marina • zumo de un limón • 3 cucharadas de aceite de oliva

Preparación

1.º Pelar y lavar bien los cardos. Cortarlos en trozos de unos seis centímetros de largo. Dejarlos en remojo, en agua y el zumo de limón, durante diez o quince minutos.

2.º Cocer los cardos en agua con sal. No poner demasiada agua, solamente que los

cubra. Si los cuece en la olla a presión será suficiente con veinte minutos.

3.º Calentar el aceite en una sartén y freír dos ajos picados muy menuditos. Añadir la cucharada de harina y cuando esté dorada se añade a los cardos.

4.º Machacar el otro ajo junto con el perejil y los piñones y agregar también a los cardos. Dejar cocer a fuego lento, con la olla destapada unos diez minutos más.

Valor nutritivo (por ración)

Glúcidos	28 g
Lípidos	17 g
Prótidos	15 g
Calorías	279
Julios	1.165

101. CARNE VEGETAL CASERA

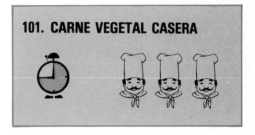

Ingredientes

• 75 g de almendras molidas (aproximadamente una taza) • 75 g de avellanas molidas • 150 g de harina (poco más de una taza) • 3 huevos • 1 cebolla mediana • 2 tomates grandes maduros • 1 diente de ajo • 1 cucharada de aceite • 1 cucharadita de orégano • sal marina

Preparación

1.º Lavar, pelar y triturar los tomates. Pelar la cebolla y los ajos y triturarlos igualmente.

2.º Mezclar bien todos los ingredientes con la batidora.

3.º Escoger tres botes de cristal, de paredes

RECETA n.º 101

rectas y sin cuello (algunas personas lo hacen en latas de conserva vacías, pero siempre es mejor el cristal). Untar por dentro los botes con un poco de aceite. Introducir la mezcla que tenemos preparada, de forma que se llenen dos terceras partes del bote.

4.º Poner los botes dentro de un recipiente con agua, de forma que no los cubra por completo, sino que falten dos o tres dedos.

5.º Cocer al baño María durante una hora y dejar enfriar. Esta «carne» se puede usar en rodajas tal como queda, o bien frita,

rebozada o siguiendo alguna de las recetas de este recetario.

Valor nutritivo (por 100 g)	
Glúcidos	16 g
Lípidos	11 g
Prótidos	6 g
Calorías	175
Julios	731

102. CARNE VEGETAL DE NUECES

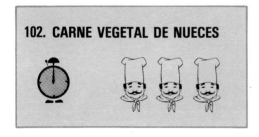

Ingredientes

- 150 g de nueces picadas (1 taza y media)
- 120 g de queso manchego tierno rallado
- 3 huevos • 2 cebollas • 1 pimiento verde
- 250 g de zanahorias • 300 g de pan tritu-rado • 3 dientes de ajo • 1,5 decilitros de aceite de oliva • sal marina • una pizca de tomillo salsero

Preparación

1º En un recipiente hondo se mezclan bien las nueces, el queso, los huevos batidos, el pan triturado, una cebolla rallada, dos dientes de ajo picaditos, un poco de perejil picado y sal a gusto. Amasar bien (debe quedar una masa muy compacta) y darle la forma de un cilindro alargado.

2º Calentar el aceite en una sartén y dorar en él uno de los ajos, que cuando esté frito se aparta y reserva para machacarlo. Colocar el cilindro de «carne» en la sartén y freír a fuego medio, dándole vueltas con cuidado hasta que esté dorado uniformemente. Apartar entonces del fuego y colocar el «redondo» en una cazuela de fondo ancho.

3º Mientras tanto, lavar bien y trocear la otra cebolla, el pimiento y las zanahorias. Rehogar estas hortalizas en la sartén con el mismo aceite y verterlo todo sobre la «carne» que está en la cazuela.

4.º En un mortero se machaca bien el ajo frito que tenemos apartado, con un poco de perejil y el tomillo e incorporarlo igualmente a la cazuela.

5.º Añadir agua, sin que llegue a cubrir totalmente el «redondo», y sazonar a gusto. Cocer a fuego lento durante media hora.

6.º Sacar el «redondo» y colocarlo en una fuente alargada. Trincharlo en lonchas finas. La salsa que ha quedado en la cazuela, se pasa por un pasapuré y se vierte sobre la «carne». Servir caliente. Si lo desea se puede acompañar con patatas fritas.

Valor nutritivo (por ración)

Glúcidos	63 g
Lípidos	66 g
Prótidos	24 g
Calorías	944
Julios	3.948

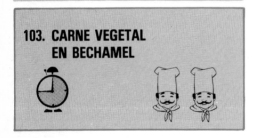

103. CARNE VEGETAL EN BECHAMEL

Ingredientes

• *1 bote de carne vegetal (de unos 270 g)*
• *«Salsa bechamel II» (ver receta n.º 401)*
• *2 huevos • una pizca de nuez moscada*
• *4 cucharadas de pan rallado • aceite de oliva • sal marina*

Preparación

1.º Preparar la bechamel siguiendo la receta indicada, pero añadiendo al final una pizca de nuez moscada.

2.º Cortar la carne vegetal en rodajas (de unos tres milímetros de grueso), rebozar con la bechamel, colocar sobre una fuente y dejar enfriar bien.

3.º Batir los dos huevos con un poco de sal. Pasar los trozos de «carne» (cuando la bechamel esté fría y compacta) por el huevo batido y el pan rallado.

4.º Calentar el aceite en la sartén y freír los trozos de «carne» procurando que se doren uniformemente por los dos lados.

5.º Disponer en una fuente y servir sola o acompañada de patatas fritas, lechuga, u otras hortalizas.

Valor nutritivo (por ración)

Glúcidos	28 g
Lípidos	58 g
Prótidos	18 g
Calorías	729
Julios	3.049

104. CAZUELITAS DELICIA

Ingredientes

• *1 kg de espinacas de tallo corto • 4 zanahorias • 2 huevos • 2 cebollas • 50 g de piñones • «Salsa bechamel I» (ver receta n.º 400) • 100 g de queso manchego tierno rallado • sal marina • 4 cucharadas de aceite*

Preparación

1.º Limpiar y lavar bien las espinacas. Cocerlas en una olla, sin agua y con un poco de sal, a fuego muy suave.

2.º Pelar y lavar las cebollas y las zanahorias. Picar las cebollas muy menuditas y rallar las zanahorias.

3º Cocer los huevos en agua salada durante unos diez o doce minutos. Enfriar inmediatamente con agua fría.

4º Preparar la salsa bechamel según la receta que se indica.

5º Calentar el aceite en una sartén grande y rehogar la cebolla picada. Cuando empiece a estar tierna se le añade la zanahoria rallada y sal a gusto. Se sigue rehogando y removiendo de vez en cuando durante unos diez minutos. Añadir entonces las espinacas (escurrir si han soltado mucha agua) y los piñones lavados. Remover y dejar cocer cinco minutos más. Apagar el fuego.

6º Encender el horno. Pelar los huevos y picarlos finamente. Añadir este picadillo a la sartén y remover.

7º Untar ligeramente con aceite cuatro cazuelitas individuales de barro. Repartir en ellas el contenido de la sartén. Cubrir con la salsa bechamel y espolvorear con el queso rallado.

8º Introducir en el horno caliente y cocer hasta que se dore el queso.

Valor nutritivo (por ración)	
Glúcidos	43 g
Lípidos	47 g
Prótidos	26 g
Calorías	693
Julios	2.897

105. CEBOLLAS CON SALSA DE CACAHUETE

Ingredientes

• 8 cebollas pequeñas • 5 decilitros de zumo de tomate (2 tazas) • 1 taza de cacahuetes

rallados (70 g) • 1 cucharada de harina • 2 cucharadas de aceite • 60 g de migas de pan • sal marina

Preparación

1º Pelar y lavar las cebollas. Cocerlas al vapor de forma que queden un poco tiesas.

2º Hacer una salsa con la harina, los cacahuetes, el zumo de tomate y una cucharada de aceite. Batir bien y sazonar a gusto.

3º Encender el horno. Colocar las cebollas, partidas por la mitad, en una fuente para horno. Verter encima la salsa que hemos preparado. Mezclar las migas de pan con la otra cucharada de aceite. Cubrir la fuente de las cebollas con las migas de pan.

4º Introducir en el horno y cocer a fuego lento durante veinte o treinta minutos.

Valor nutritivo (por ración)	
Glúcidos	33 g
Lípidos	17 g
Prótidos	9 g
Calorías	303
Julios	1.268

106. CINTAS CON JUDIAS VERDES

Ingredientes

• 250 g de judías verdes • 200 g de cintas • «Salsa de tomate II» (ver receta nº 408) • 50 g de queso tierno rallado • sal marina

RECETA n.º 106

Preparación

1.º Preparar la salsa de tomate siguiendo la receta que se indica.

2.º Lavar bien las judías verdes. Quitarles las puntas y las hebras, si las tienen, y cortarlas en tres o cuatro trozos.

3.º Poner medio litro de agua en una cazuela a fuego vivo. Cuando comience a hervir agregar las judías verdes y dejar que cuezan hasta que estén tiernas, pero no demasiado blandas. Agregar la sal poco antes de retirar del fuego. Escurrir y reservar.

4.º Volver a poner la cazuela en el fuego con el mismo caldo de las judías y añadir dos vasos de agua. Cuando comience de nuevo a hervir echar la pasta y remover de vez en cuando. Cocer hasta que esté «al dente» y escurrir.

5.º En un recipiente adecuado mezclar bien las cintas cocidas, las judías verdes y la salsa de tomate. Remover bien y verter sobre una fuente de horno. Espolvorear con el queso rallado e introducir en el horno para gratinar durante diez o quince minutos.

Valor nutritivo (por ración)	
Glúcidos	55 g
Lípidos	21 g
Prótidos	15 g
Calorías	467
Julios	1.953

107. CINTAS EN SALSA VERDE

Ingredientes

• 400 g de cintas • 100 g de almendras picadas • 50 g de queso manchego tierno rallado • «Salsa verde I» (ver receta n.º 416) • sal
marina

Preparación

1.º Preparar la «Salsa verde» siguiendo las
instrucciones de la receta indicada.

2.º Cocer la pasta en bastante agua hirviendo con sal y un chorrito de aceite para
que no se peguen. Se dejan cocer hasta
que estén «al dente».

3.º Mezclar las cintas con la salsa y extenderlas en una fuente de servir. Espolvorearlas con el queso rallado y las almendras
picadas.

Valor nutritivo (por ración)	
Glúcidos	81 g
Lípidos	22 g
Prótidos	21 g
Calorías	605
Julios	2.529

108. «COCA AMB TOMACA»
(Coca con tomate)

Ingredientes

Masa: • 250 g de harina • 15 g de levadura prensada (de hacer pan) • 2 cucharadas de aceite • agua caliente • sal marina
Relleno: • 500 g de tomates maduros y duros • 2 pimientos verdes • 3 dientes de ajo • 25 g de piñones • perejil • 4 cucharadas de aceite de oliva • sal marina

Preparación

1.º Lavar bien los tomates y los pimientos. Pelar los tomates y picarlos (no triturar). Picar también los pimientos.
2.º En una sartén se rehogan los pimientos en el aceite. Antes de que empiecen a dorarse se añade el tomate y se va friendo a fuego suave. A media cocción añadir la sal, los ajos y el perejil picados, y los piñones. Seguir friendo hasta que espese el tomate, pero sin que llegue a agarrarse. Retirar del fuego y dejar enfriar en un sitio fresco.
3.º Mientras tanto, preparar la masa. Deshacer la levadura con un poco de agua caliente. Mezclarla con la harina y la sal, y, mientras se va trabajando con las manos, añadir el agua caliente necesaria. Agregar también las dos cucharadas de aceite y seguir amasando hasta que la masa se despegue de las manos y del recipiente donde amasamos. Debe quedar una masa fina y un poco blanda.
4.º Untar un molde grande, con bordes bajos, con un poco de aceite. Extender la masa sobre el molde. Debe quedar delgadita y con las orillas levantadas. Cubrir el molde con un paño limpio, un poco húmedo, cuidando que no roce la masa. Dejar reposar en un lugar resguar-

dado hasta que la masa suba el doble (media hora aproximadamente). Encender el horno.
5.º Cuando la masa haya subido, se le extiende el tomate frito (que debe estar frío) por encima. Introducir en el horno caliente y dejar cocer durante unos veinte minutos, hasta que la masa quede doradita.

Valor nutritivo (por ración)	
Glúcidos	59 g
Lípidos	26 g
Prótidos	10 g
Calorías	501
Julios	2.094

109. CODITOS CON ALCACHOFAS

Ingredientes

• 150 g de coditos • 1/2 kg de alcachofas • 1 cebolla • 1 limón • 1 litro de caldo de verduras • 1 diente de ajo • perejil • sal marina • 4 cucharadas de aceite de oliva

Preparación

1.º Lavar bien las alcachofas y la cebolla. Quitar todas las hojas duras de las alcachofas y cortarles el tallo y las puntas, dejar exclusivamente el corazón tierno. Partirlas luego en gajos finos y rociarlas con el zumo de limón. Picar la cebolla muy menudita.
2.º Rehogar la cebolla en una cacerola en el aceite con un poco de sal. Cuando empiece a dorar añadir las alcachofas y seguir rehogando durante unos tres minutos. Añadir el caldo de verduras.

3.º Cuando comience a hervir, incorporar los coditos y remover de vez en cuando para evitar que se peguen.
4.º A los cinco minutos de cocción rectificar de sal y agregar el ajo y el perejil machacados en un mortero. Seguir cociendo hasta que la pasta esté en su punto, «al dente».

Valor nutritivo (por ración)

Glúcidos	44 g
Lípidos	16 g
Prótidos	7 g
Calorías	334
Julios	1.396

la cebolla y el apio picados y rehogar hasta que la cebolla empiece a dorarse.
4.º Añadir a continuación la carne vegetal y los tomates picados, las judías cocidas, el caldo de verduras y sazonar con sal a gusto. Llevar a ebullición.
5.º Cuando rompa a hervir echar la pasta y dejar cocer hasta que esté «al dente».

Valor nutritivo (por ración)

Glúcidos	55 g
Lípidos	25 g
Prótidos	14 g
Calorías	508
Julios	2.122

111. COL AL HORNO

Ingredientes

• 1 col (1 kilo aproximadamente) • 1 cebolla • 1/2 kg de tomates maduros • 100 g de carne vegetal picada • 4 cucharadas de aceite de oliva • sal marina

Preparación

1.º Lavar bien la col, quitarle las hojas más duras y practicarle dos cortes en forma de cruz en la parte del tronco. Ponerla en una olla grande con agua hirviendo y un poco de sal para que cueza durante unos quince minutos, de forma que no quede demasiado blanda.
2.º Pelar la cebolla y picarla muy finamente. Pelar también los tomates, exprimirlos ligeramente para que salgan las semillas y cortarlos en pedacitos pequeños.

110. CODITOS CON JUDIAS

Ingredientes

• 150 g de coditos • 100 g de judías pintas • 100 g de carne vegetal • 1 cebolla • 1 rama de apio • 1/2 kg de tomates maduros • 1/2 litro de caldo de verduras • 6 cucharadas de aceite • sal marina

Preparación

1.º Poner las judías en remojo la noche anterior. Cocerlas en agua con sal hasta que estén tiernas y escurrirlas.
2.º Pelar la cebolla y los tomates. Limpiar el apio. Picar la cebolla muy menuda, los tomates en cuadritos y el apio en tiras. Cortar la carne vegetal en cubitos pequeños.
3.º En una cazuela calentar el aceite, echar

1451

RECETA n.º 112

3.º Preparar un sofrito en una sartén con la cebolla y la carne picada. Añadir el tomate cuando la cebolla esté tierna. Seguir friendo y removiendo, y apagar el fuego antes de que se agote el caldo del tomate. Encender el horno.

4.º En una fuente redonda para horno colocar la col con la parte del tronco hacia arriba. Abrirla un poco por los cortes que hemos practicado y vaciarla en el centro para que quede un hueco. Llenar ese hueco con el sofrito que hemos preparado e introducir la fuente en el horno, a fuego medio, durante unos quince minutos, hasta que la col quede dorada.

Valor nutritivo (por ración)	
Glúcidos	26 g
Lípidos	18 g
Prótidos	9 g
Calorías	296
Julios	1.237

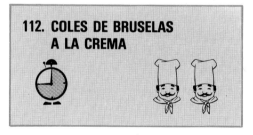

112. COLES DE BRUSELAS A LA CREMA

Ingredientes

- 700 g de coles de Bruselas • 2 cucharadas de fécula de maíz • 2 decilitros de nata líquida • 3 dientes de ajo • perejil • nuez moscada • 3 cucharadas de aceite de oliva • sal marina

Preparación

1.º Lavar bien las coles de Bruselas, quitando las hojitas feas o estropeadas.

2.º En una cazuela, rehogar primeramente el perejil removiendo constantemente. Añadir las coles y seguir rehogando unos

cinco minutos. Agregar un vaso de agua caliente y sal a gusto.

3º Mientras tanto desleír la fécula de maíz con la nata líquida y añadirla también a las coles. Remover, tapar la cazuela y dejar cocer a fuego muy suave durante unos veinte minutos. Mover la cazuela de vez en cuando para que no se agarren las coles.

4º Pelar y picar los ajos muy menuditos y agregarlos al guiso junto con una pizca de nuez moscada. Dejar unos cinco minutos más y apagar el fuego. Servir caliente.

Valor nutritivo (por ración)

Glúcidos	19 g
Lípidos	31 g
Prótidos	7 g
Calorías	372
Julios	1.553

113. COLES DE BRUSELAS REHOGADAS

Ingredientes

• 1/2 kg de coles de Bruselas • 250 g de zanahorias • 250 g de guisantes desgranados • 250 g de cebollas pequeñitas • albahaca • sal marina • 3 cucharadas de aceite de oliva

Preparación

1º Lavar bien todas las hortalizas y pelar las que convenga.

2º Cocer las coles de Bruselas con poca agua y sal. Apartar a media cocción.

3.º Cortar las zanahorias a cuadritos y cocerlas junto con los guisantes con poca agua y sal.

4.º Calentar el aceite y rehogar las cebollitas enteras. Hacerlo a fuego lento y cuando empiecen a estar tiernas, se les añaden las coles de Bruselas escurridas, así como la zanahoria y los guisantes, también escurridos. Rectificar de sal si es necesario. Añadir la albahaca y seguir rehogando durante unos diez minutos más.

Valor nutritivo (por ración)

Glúcidos . . . .   29 g
Lípidos . . . .   12 g
Prótidos . . . .   10 g
Calorías   251
Julios 1.051

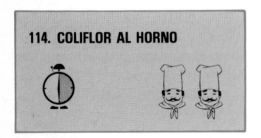

114. COLIFLOR AL HORNO

Ingredientes

• 1 coliflor (unos 750 g aproximadamente)
• «Salsa bechamel II» (ver receta n.º 401)
• 50 g de queso rallado • sal marina

Preparación

1.º Limpiar la coliflor, quitándole las hojas y el tallo duro. Lavarla y cocerla entera con agua y sal durante unos veinte minutos, procurando que no quede muy blanda.

2.º Preparar la salsa bechamel siguiendo la receta que se indica. Encender el horno.

3.º En una fuente redonda para horno poner un poco de bechamel en la base. Co-

locar en el centro la coliflor escurrida y cubrirla con el resto de la bechamel. Espolvorearla con el queso rallado e introducirla en el horno caliente durante unos quince minutos, hasta que esté dorada.

Valor nutritivo (por ración)

Glúcidos . . . .   24 g
Lípidos . . . .   20 g
Prótidos . . . .   13 g
Calorías   323
Julios 1.350

115. COLIFLOR CON SETAS AL HORNO

Ingredientes

• 1 coliflor grande (de 1 kg aproximadamente) • 50 g de setas deshidratadas • 3 tomates grandes maduros • 1 cebolla • 1 diente de ajo • perejil • 2,5 decilitros de caldo de verduras • sal marina • 4 cucharadas de aceite de oliva

Preparación

1.º Lavar bien la coliflor y partirla en ramilletes. Cocerla en agua con sal durante poco tiempo, de forma que quede un poco tiesa.

2.º Mientras tanto poner las setas en remojo. Lavar los tomates, la cebolla, el ajo y el perejil, pelando previamente lo que convenga. Partir los tomates y rallarlos. Picar la cebolla muy menudita. Picar también el ajo y el perejil.

3.º Calentar el aceite en una sartén y rehogar la cebolla. Cuando empiece a estar tierna se le añaden las setas escurridas y se sazona a gusto. Seguir rehogando unos cinco minutos y añadir los tomates rallados. Rehogar otros cinco minutos, removiendo de vez en cuando. Añadir entonces el caldo y el picadillo de ajo y perejil. Cocer a fuego lento y rectificar de sal. Encender el horno.

4.º Escurrir la coliflor y disponerla en una fuente para horno. Cuando empiece a agotarse el caldo de la salsa que se está cociendo, se vierte sobre la coliflor.

5.º Introducir en el horno caliente y dejar cocer unos cinco minutos más. Servir caliente.

Valor nutritivo (por ración)

Glúcidos	20 g
Lípidos	16 g
Prótidos	8 g
Calorías	243
Julios	1.016

---

116. COLIFLOR GRATINADA

Ingredientes

• *1 coliflor (de un kilo aproximadamente)* • *100 g de nueces picadas* • *2 decilitros de caldo de verduras* • *2 dientes de ajo* • *una pizca de tomillo* • *150 g de queso tierno rallado* • *4 cucharadas de aceite de oliva* • *sal marina*

Preparación

1.º Lavar la coliflor quitándole las hojas verdes y partirla en ramilletes. Pelar y picar los ajos muy menuditos.

2.º En una sartén rehogar los ajos y las nueces durante un minuto.

3.º En una cazuelita que pueda ir al fuego y al horno, colocar los ramilletes de coliflor y rociarlos con el aceite, ajos y nueces. Añadir también el caldo de verduras y cocer a fuego suave, con una cazuela tapada, durante unos quince minutos. A media cocción añadir una pizca de tomillo.

4.º Dar vuelta a los ramilletes de coliflor, cubrir con el queso rallado y poner la cazuela, sin tapar, en el horno con el gratinador durante unos cinco minutos.

Valor nutritivo (por ración)

Glúcidos	18 g
Lípidos	40 g
Prótidos	19 g
Calorías	506
Julios	2.117

---

117. COLIFLOR REBOZADA

Ingredientes

• *1 coliflor pequeña (de 1/2 kg aproximadamente)* • *2 huevos* • *pan rallado* • *sal marina* • *aceite de oliva*

Preparación

1.º Lavar bien la coliflor. Dividirla en ramilletes no demasiado pequeños y cocerla ligeramente en agua salada. Escurrir y dejar enfriar.

2.º Batir los huevos con un poco de sal.

3.º Calentar el aceite en una sartén. Pasar los ramilletes de coliflor por el huevo batido y el pan rallado. Freír hasta que se

RECETA n.º 118

doren uniformemente. Colocar en una
fuente sobre papel absorbente para que
escurran el exceso de aceite.
4.º Servir todavía caliente. Si lo desea puede
acompañarla con una buena ensalada.

Valor nutritivo (por ración)	
Glúcidos	17 g
Lípidos	22 g
Prótidos	8 g
Calorías	302
Julios	1.263

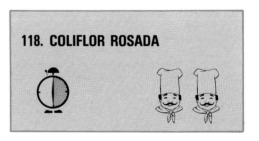

118. COLIFLOR ROSADA

Ingredientes

- 1 coliflor (de unos 700 g aproximadamente) • «Salsa bechamel II» (ver receta n.º 401)
- 1 taza de «Salsa de tomate II» (ver receta

RECETA n.º 119

n.º 408) • *4 cucharadas de nata líquida* • *1 cucharada de aceite* • *sal marina*

Preparación

1.º Lavar bien la coliflor y partirla en ramilletes no muy pequeños. Cocerla con agua y sal durante pocos minutos, de forma que quede un poco tiesa.

2.º Preparar la salsa bechamel según la receta que se indica.

3.º Preparar igualmente la salsa de tomate según la receta que se indica, o bien aprovechar un resto de salsa de tomate que ya se tenga hecha, pues sólo se necesita una taza.

4.º Encender el horno. Escurrir la coliflor y disponerla en una fuente para horno previamente untada con aceite.

5.º Mezclar la taza de salsa de tomate con la salsa bechamel que hemos preparado. Añadirle la nata líquida y verter esta salsa rosada sobre la coliflor.

6.º Introducir en el horno a fuego medio y cocer durante quince o veinte minutos.

Valor nutritivo (por ración)

Glúcidos	28 g
Lípidos	29 g
Prótidos	11 g
Calorías	413
Julios	1.728

119. COMPOTA DE MANZANA Y MELOCOTON

Ingredientes

• *1/2 kg de manzanas* • *1/2 kg de melocotones* • *1 limón* • *50 g de azúcar moreno*

1457

• 100 g de pasas de Corinto • un trocito de canela en rama • 1 taza de agua

Preparación

1.º Pelar las manzanas y los melocotones y trocearlos. Rociar la fruta con el zumo de limón y añadir también la ralladura del mismo.

2.º Poner una cazuela al fuego con el agua indicada. Agregar la fruta y la canela y dejar cocer a fuego lento durante diez minutos.

3.º Añadir el azúcar y las pasas y dejar cocer otros diez minutos.

4.º Dejar enfriar y servir.

Valor nutritivo (por ración)

Glúcidos	54 g
Lípidos	1 g
Prótidos	2 g
Calorías	215
Julios	900

120. CONCHITAS CON ESPINACAS

Ingredientes

• 150 g de conchitas • 300 g de espinacas
• 1 litro de caldo de verduras • 1 huevo
• 1 diente de ajo • 1 cucharadita de fécula de maíz • 3 cucharadas de aceite • sal marina

Preparación

1.º Lavar bien las espinacas, picarlas y cocer al vapor en una cazuelita a fuego muy suave. A media cocción añadir la sal y las tres cucharadas de aceite. Después de cocidas se pican un poco más para que queden bien menuditas.

2.º En una cazuela se pone el litro de caldo a fuego vivo hasta que empiece a hervir. Agregar entonces las conchitas y remover para que no se peguen.

3.º Mientras se cuecen las conchitas se bate bien el huevo, se le agrega el diente de ajo machacado y la cucharadita de maíz. Seguir batiendo, añadirle dos o tres cucharadas del caldo en que se cuecen las conchitas, remover y verter sobre la cazuela. Añadir también las espinacas y remover.

4.º Cuando las conchitas estén en su punto («al dente»), verter en una sopera y servir.

Valor nutritivo (por ración)

Glúcidos	33 g
Lípidos	14 g
Prótidos	9 g
Calorías	290
Julios	1.213

121. CONSOME DE QUESO

Ingredientes

• 100 g de queso tierno rallado • 1 litro de caldo de verduras • 1 huevo • 10 almendras tostadas y peladas • 1 cucharada de puré de patatas • sal marina

Preparación

1.º Poner el caldo en una olla a fuego fuerte.

2.º Batir el huevo con un poco de sal y mezclar bien con el queso rallado.

3.º Picar las almendras a trocitos no muy finos.

4.º Cuando comience a hervir el caldo se le añade el huevo batido con el queso. Se remueve bien y se deja cocer un minuto. Añadir entonces las almendras y el puré de patata. Servir en seguida en cuencos de barro.

Valor nutritivo (por ración)

Glúcidos	1 g
Lípidos	11 g
Prótidos	9 g
Calorías	137
Julios	575

122. COQUITOS

Ingredientes

• *200 g de azúcar blanco (1 taza)* • *200 g de coco rallado* • *2 claras de huevo*

Preparación

1.º Moler un poco el azúcar con el molinillo o la picadora. Encender el horno.

2.º Batir las claras a punto de nieve. Añadir primero el azúcar y a continuación el coco rallado, sin dejar de remover hasta que quede bien mezclado.

3.º Formar unas bolitas aplastadas de unos veinte gramos y pellizcar la masa en el centro formando una especie de pezón.

4.º Colocar los coquitos sobre una fuente o bandeja para horno untada con poco aceite e introducir en el mismo a fuego medio durante unos tres minutos a hor-

no normal y otros tres con el gratinador, sólo hasta que coja un poco de color. Obtendrá unos veinte coquitos.

Valor nutritivo (por cada 100 g, unos cinco coquitos)

Glúcidos	63 g
Lípidos	21 g
Prótidos	4 g
Calorías	444
Julios	1.855

123. CORONA DE ARROZ I

Ingredientes

• *200 g de arroz integral* • *2 cebollas* • *1 diente de ajo* • *150 g de carne vegetal picada* • *1 tomate grande, maduro pero fuerte* • *100 g de queso tierno* • *2 huevos duros* • *50 g de aceitunas* • *sal marina* • *2 cucharadas de aceite de oliva* • *«Salsa mayonesa»* (ver receta n.º 411)

Preparación

1.º Cocer el arroz siguiendo la receta de «Arroz base integral» (ver receta n.º 30).

2.º Preparar la salsa mayonesa siguiendo la receta que se indica.

3.º Pelar las cebollas y el ajo y picar muy menudito. Rehogar en una sartén con dos cucharadas de aceite y un poco de sal.

4.º Lavar y pelar el tomate. Picarlo a trocitos. Picar también el queso, uno de los huevos cocidos y las aceitunas, excepto unas pocas que dejaremos para adornar. El otro huevo lo cortaremos en rodajitas para adornar también.

5.º En un recipiente hondo se mezclarán

RECETA n.º 122

bien el arroz con el sofrito de cebolla y los ingredientes que tenemos picaditos. Sazonar a gusto. Verterlo sobre un molde de corona. Apretando un poco para que tome bien la forma.

6.º Vaciar el molde sobre una fuente redonda. Cubrir con la mayonesa y adornar con las rodajas de huevo duro y las aceitunas que habremos reservado.

Valor nutritivo (por ración)	
Glúcidos	54 g
Lípidos	75 g
Prótidos	23 g
Calorías	1.059
Julios	4.427

124. CORONA DE ARROZ II

Ingredientes

• 300 g de arroz (poco menos de taza y media) • 1 cebolla • 150 g de carne vegetal picada • 2 huevos duros • 250 g de champiñones • sal marina • 4 cucharadas de aceite de oliva • «Salsa de tomate I» (ver receta n.º 407)

Preparación

1.º Cocer el arroz siguiendo la receta de «Arroz base» (ver receta n.º 29).

2.º Preparar la salsa de tomate según la receta que se cita.

3.º Lavar y picar la cebolla y los champiñones por separado.

4.º Los champiñones se rehogan en una sartén con dos cucharadas de aceite y un poco de sal. Reservar.

5.º En otra sartén grande, rehogar la cebolla con otras dos cucharadas de aceite y un poco de sal. Cuando esté tierna, añadir la carne vegetal picada, el arroz cocido y uno de los huevos cocidos picados. Mezclar bien y verter sobre un molde de corona. Presionar un poco para que tome bien la forma.

6.º Vaciar el molde sobre una fuente redonda. Verter en el centro los champiñones rehogados y un poco de salsa de tomate. El resto de la salsa se vierte por los lados de la corona, cubriendo en parte la misma. Adornar también con el otro huevo cocido cortado en rodajitas.

Valor nutritivo (por ración)	
Glúcidos	83 g
Lípidos	38 g
Prótidos	10 g
Calorías	766
Julios	3.202

125. CORONA DE HUEVO

Valor nutritivo (por ración)

Glúcidos	34 g
Lípidos	25 g
Prótidos	20 g
Calorías	443
Julios	1.851

Ingredientes

• 4 huevos • 4 cucharadas de leche • 400 g de guisantes pequeños • 1 cebolla • 100 g de carne vegetal picada • 3 rebanadas de pan de molde • 2 dientes de ajo • 4 cucharadas de aceite de oliva • 1 ramita de perejil • sal marina

Preparación

1.º Hervir ligeramente los guisantes en agua con sal y escurrirlos.

2.º Limpiar la cebolla y picarla muy menuda. En una sartén calentar dos cucharadas de aceite y rehogar en él la cebolla hasta que esté blanda. Añadir un diente de ajo muy picado y la carne vegetal. Rehogarlo durante un momento.

3.º Agregar los guisantes y una pizca de sal. Dejar rehogar durante unos minutos removiendo continuamente. Reservarlos en un lugar donde se mantengan calientes.

4.º Volver a poner en la sartén otras dos cucharadas de aceite con la leche y una pizca de sal. Dejar calentar.

5.º Batir los huevos y añadirles el otro ajo y el perejil picados muy finos. Echarlos en una sartén que se mantendrá a fuego lento mientras se remueve constantemente para que se vayan cuajando.

6.º Cuando todavía estén los huevos un poco blandos se retira la sartén del fuego y se sigue removiendo un poco más.

7.º Cortar las rebanadas de pan en triángulos y tostarlas.

8.º En una fuente se colocan, en el centro, los guisantes. Se rodean con los huevos en forma de corona y se adorna con los triángulos de pan alrededor.

126. CORONA DE PATATAS

Ingredientes

• 1 kg de patatas • «Salsa de tomate II» (ver receta n.º 408) • 1 yogur • 50 g de queso manchego tierno rallado • 50 g de mantequilla • sal marina

Preparación

1.º Pelar las patatas, lavarlas y trocearlas. Ponerlas a cocer en agua con sal. Cuando estén blandas escurrir el agua y reducirlas a puré.

2.º Preparar la «Salsa de tomate II» siguiendo las instrucciones de la receta indicada.

3.º En un recipiente mezclar el puré de patata, la mantequilla, el yogur y el queso rallado, removiendo bien.

4.º Untar un molde en forma de corona con un poco de mantequilla. Verter en él la mezcla y presionar para que la pasta tome la forma del molde. Introducir en el horno caliente diez minutos.

5.º Cuando aún esté caliente volcar el molde sobre una fuente de servir y cubrir con la salsa de tomate.

Valor nutritivo (por ración)		
Glúcidos	58 g	
Lípidos	32 g	
Prótidos	13 g	
Calorías	567	
Julios	2.370	

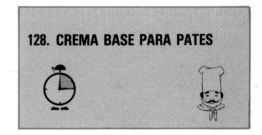

127. CORONA DE PLATANO

Ingredientes

• 280 g de harina integral (2 tazas) • 140 g de harina blanca (1 taza) • 80 g de azúcar moreno (1/2 taza) • 160 g de sirope de manzana (1/2 taza) • 2,5 decilitros de aceite (1 taza) • 2 huevos • 2 plátanos grandes • 100 g de nueces picadas (1 taza) • 1/2 cucharadita de sal • 1 cucharadita de vainilla en polvo • 2 cucharaditas de levadura en polvo • 2 cucharadas de agua caliente

Preparación

1.º Escoger dos plátanos maduros y grandes. Pelarlos y aplastarlos con un tenedor. Encender el horno.

2.º Mezclar bien en primer lugar el aceite con el azúcar y el sirope. Añadir después los dos huevos batiendo bien. A continuación se van incorporando los plátanos, la harina, las nueces y el resto de los ingredientes. Mezclar bien removiendo vigorosamente.

3.º Untar con un poco de aceite un molde de corona y verter en él la pasta que tenemos preparada.

4.º Introducir el molde en el horno caliente y cocer a fuego medio durante cuarenta y cinco minutos. Antes de sacar del horno, comprobar, pinchando con un palito o una aguja, que esté cocido por dentro.

Valor nutritivo (por ración)		
Glúcidos	142 g	
Lípidos	76 g	
Prótidos	22 g	
Calorías	1.333	
Julios	5.573	

128. CREMA BASE PARA PATES

Ingredientes

• 250 g de requesón • 1/2 taza de nata líquida

Preparación

1.º Mezclar bien el requesón y la nata líquida con un tenedor o con la batidora.

Valor nutritivo (por 100 g)		
Glúcidos	5 g	
Lípidos	15 g	
Prótidos	7 g	
Calorías	168	
Julios	702	

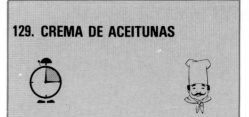

129. CREMA DE ACEITUNAS

Ingredientes

• *250 g de aceitunas negras de Aragón*

Preparación

1.º Deshuesar las aceitunas y triturarlas con la batidora hasta obtener una pasta cremosa, de aspecto semejante al caviar.

Valor nutritivo	
(por 100 g, suficiente para untar unas siete rebanadas)	
Glúcidos	4 g
Lípidos	60 g
Prótidos	3 g
Calorías	567
Julios	2.370

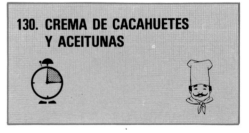

130. CREMA DE CACAHUETES Y ACEITUNAS

Ingredientes

• *150 g de requesón* • *50 g de nata líquida* • *50 g de cacahuetes tostados y molidos* • *50 g de aceitunas negras picadas* • *1 cucharadita de ajo en polvo* • *1 cucharadita de perejil picado* • *sal marina*

RECETA n.º 130

Preparación

1.º Mezclar bien todos los ingredientes con una batidora o con el tenedor, de forma que no queden grumos.
2.º Utilizarlo como relleno de tomates o para bocadillos, conservándolo en el frigorífico, pero no más de dos días.

Valor nutritivo
(por 100 g, suficiente para untar unas tres o cuatro rebanadas)

Glúcidos	8 g
Lípidos	32 g
Prótidos	11 g
Calorías	357
Julios	1.492

131. CREMA DE CALABACIN

Ingredientes

• *1 kg de calabacín* • *«Salsa bechamel I»* (ver receta n.º 400) • *50 g de almendras tostadas* • *sal marina*

Preparación

1.º Pelar y lavar los calabacines. Trocearlos y cocerlos en poca agua con sal hasta que estén tiernos.
2.º Preparar la salsa bechamel siguiendo la receta que se cita.
3.º Picar las almendras no demasiado finas.
4.º Triturar los calabacines con la batidora. Añadir la salsa bechamel y mezclar bien. Espolvorear con las almendras picadas y servir caliente.

RECETA n.º 131

Valor nutritivo (por ración)

Glúcidos	31 g
Lípidos	23 g
Prótidos	17 g
Calorías	344
Julios	1.438

132. CREMA DE ESPARRAGOS

Ingredientes

• *1/2 kg de espárragos* • *«Salsa bechamel II»* (ver receta n.º 401) • *sal marina*

Preparación

1.º Pelar y lavar los espárragos. En esta receta se pueden aprovechar los trozos que hemos reservado de las recetas que requerían sólo las puntas. Cortar los espárragos en trozos pequeños y cocerlos con poca agua y sal.

2.º Preparar la «Salsa bechamel II».

3.º Cuando los espárragos estén tiernos se trituran con la batidora y se pasan por el pasapurés. Se añade entonces la salsa bechamel y se mezcla bien. Se pueden reservar algunos trocitos de espárragos, de la parte más tierna, para emplearlos como guarnición.

Valor nutritivo (por ración)

Glúcidos	17 g
Lípidos	16 g
Prótidos	7 g
Calorías	244
Julios	1.020

133. CREMA DE ESPINACAS

Ingredientes

• *1/2 kg de espinacas* • *«Salsa bechamel II»* (ver receta n.º 401) • *sal marina*

Preparación

1.º Limpiar bien las espinacas desechando las partes estropeadas. Lavar, escurrir y trocear. Cocerlas con muy poca agua (o al vapor) y un poco de sal.

2.º Preparar la salsa bechamel siguiendo la receta que se indica.

3.º Triturar las espinacas sin escurrir procurando que no queden demasiado deshechas. Mezclar con la salsa bechamel, cocer cinco minutos más y servir.

Valor nutritivo (por ración)

Glúcidos	19 g
Lípidos	16 g
Prótidos	8 g
Calorías	255
Julios	1.066

134. CREMA DE GARBANZOS

Ingredientes

• *200 g de garbanzos* • *1 cebolla* • *250 g de espinacas* • *50 g de nueces* • *1 decilitro de* nata líquida • 1 cucharada de harina integral • 3 cucharadas de aceite de oliva • una pizca de nuez moscada • sal marina

Preparación

1.º Poner en remojo en agua salada los garbanzos, la noche anterior. Por la mañana cocerlos en abundante agua con sal hasta que estén tiernos.
2.º Pelar la cebolla, lavarla y trocearla. Limpiar bien las espinacas, lavarlas y picarlas.
3.º En una cazuela, rehogar primeramente la cebolla con el aceite. Cuando empiece a estar tierna añadir las espinacas. Seguir rehogando unos minutos y agregar la harina. Remover un poco y agregar los garbanzos con su caldo.
4.º Cuando comience a hervir, rectificar de sal, agregar la nata, la nuez moscada y las nueces picadas. Pasar la batidora hasta reducirlo todo a una crema clarita.

Valor nutritivo (por ración)

Glúcidos	41 g
Lípidos	26 g
Prótidos	16 g
Calorías	457
Julios	1.910

135. CREMA DE NISCALOS

Ingredientes

• 300 g de níscalos • 1 cebolla grande • 2 cucharadas de harina • 1 decilitro de leche • 1 decilitro de nata líquida • 1/2 litro de caldo de verduras • perejil • 3 cucharadas de aceite de oliva • sal marina

Preparación

1.º Limpiar bien los níscalos, eliminando primeramente en seco todas las partes estropeadas. Lavar ligeramente con agua y trocear. Pelar la cebolla, lavarla y picarla.
2.º En una cazuela se rehoga la cebolla con el aceite. Cuando empiece a estar tierna añadir los níscalos y la sal. Seguir rehogando hasta que empiecen a perder su jugo. Agregar entonces la harina y cuando empiece a dorarse agregar la leche, la nata y un poco de caldo de verduras. Remover al mismo tiempo que se van incorporando los líquidos.
3.º Cuando espese, apartar momentáneamente del fuego y triturar con la batidora. Poner al fuego de nuevo e incorporar el resto del caldo de verduras. Dejar cocer a fuego medio durante unos diez minutos. Si lo desea más claro puede añadir un poco de agua o más caldo de verduras.
4.º Lavar y picar el perejil. Incorporarlo a la crema en el momento de servir.

Valor nutritivo (por ración)

Glúcidos	15 g
Lípidos	18 g
Prótidos	4 g
Calorías	229
Julios	958

136. CREMA DE PATATAS

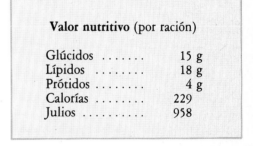

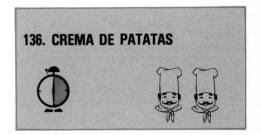

Ingredientes

• 750 g de patatas • 2 zanahorias • 2 decilitros de leche • 1 huevo • 4 cucharadas de

RECETA n.º 136

aceite • 1/2 *cucharadita de hierbas aromáti-*
cas • *sal marina*

Preparación

1.º Lavar bien las patatas y las zanahorias.
Cocerlas con piel en una olla en agua salada. Dejar enfriar, pelar y rallar.
2.º En una cazuela baja, rehogar las patatas
y zanahorias que hemos rallado, en el
aceite, con un poco de sal. Agregar la leche removiendo al mismo tiempo. Seguir cociendo a fuego muy suave durante unos quince minutos, removiendo a
menudo.
3.º Batir bien el huevo, agregarle las hierbas

aromáticas e incorporar a la crema de
patatas. Remover enérgicamente y retirar del fuego. Si estuviera demasiado espeso, se le puede añadir un poquito más
de leche.

Valor nutritivo (por ración)	
Glúcidos	40 g
Lípidos	19 g
Prótidos	8 g
Calorías	365
Julios	1.525

RECETA n.º 137

137. CREMA DE PUERROS

Ingredientes

• 1/2 kg de puerros • 350 g de patatas • 4 cucharadas de aceite • 4 cucharadas de nata líquida • 1 litro y cuarto de agua • 1 cucharada de concentrado vegetal • sal marina • perejil

Preparación

1º Pelar y lavar bien los puerros y las patatas. Trocear los puerros y las patatas en trozos irregulares. Lavar y picar el perejil menudito.

2º En una cazuela se calienta el aceite y se rehogan ligeramente los puerros y las patatas con un poco de sal. Se añade el agua y cuando comience a hervir se le agrega la cucharada del concentrado de verduras. Dejar cocer unos quince minutos.

3º Triturarlo todo con la batidora. Añadir la nata y mezclar bien. Servir caliente y espolvorear el perejil en el momento de servir.

Valor nutritivo (por ración)	
Glúcidos	24 g
Lípidos	19 g
Prótidos	6 g
Calorías	288
Julios	1.204

139. CREPES AL QUESO

138. CREMA VEGETAL

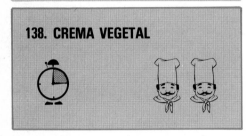

Ingredientes

• *1 huevo duro* • *1/2 cebolla pequeña*
• *1 zanahoria* • *50 g de aceitunas sin hueso*
• *4 hojas de lechuga* • *100 g de mayonesa*
(ver receta n.º 411)

Preparación

1.º Preparar de salsa mayonesa siguiendo la
receta que se indica.
2.º Lavar bien la lechuga, la cebolla y la zanahoria.
3.º Rallar la zanahoria finamente. Picar el
huevo, las aceitunas y la cebolla, todo
muy menudito. Cortar la lechuga en tiras muy finas.
4.º Mezclar todos los ingredientes con la
mayonesa y ya está listo para extender
sobre el pan.

Ingredientes

• *8 crepes* (ver receta n.º 143) • *400 g de
queso cremoso (para fundir)* • *1 cucharadita
de ajo en polvo* • *1 cucharadita de orégano*
• *1 cucharadita de pimentón*

Preparación

1.º Preparar los crepes siguiendo las indicaciones de la receta que se indica, pero
con la mitad de los ingredientes.
2.º Cortar el queso en ocho porciones y poner cada una de ellas en una esquina de
un crepe. Encender el horno.
3.º Mezclar el ajo, el orégano y el pimentón.
Espolvorear con esta mezcla el queso.
4.º Enrollar cada uno de los crepes y colocarlos en una fuente de horno.
5.º Introducir en el horno a fuego medio
durante unos quince minutos. Servir calientes.
6.º Si en lugar de presentarlos de la manera
tradicional se les quiere dar forma de cu-
curucho, se pliegan en cuatro, se levanta
uno de los lados y se introduce el relleno.

Valor nutritivo	
(por 100 g, suficiente para untar dos o tres rebanadas)	
Glúcidos	4 g
Lípidos	24 g
Prótidos	2 g
Calorías	250
Julios	1.046

Valor nutritivo (por ración)	
Glúcidos	31 g
Lípidos	34 g
Prótidos	16 g
Calorías	494
Julios	2.066

140. CREPES CON REQUESON

Ingredientes

• *8 crepes* (ver receta n.º 143) • *250 g de requesón* • *1 cebolla pequeña* • *50 g de aceitunas deshuesadas* • *2 cucharadas de nata líquida* • *perejil* • *2 cucharadas de aceite de oliva* • *sal marina*

Preparación

1.º Preparar los crepes siguiendo las indicaciones de la receta que se cita, pero con la mitad de los ingredientes.

2.º Pelar y lavar la cebolla, picarla muy menudita y rehogarla en una sartén en el aceite, con un poco de sal.

3.º Picar las aceitunas y verterlas en un recipiente junto con el requesón, la nata, el perejil picado y la cebolla rehogada. Mezclarlo todo bien con ayuda de un tenedor. Probar y rectificar de sal.

4.º Rellenar los crepes con la mezcla que tenemos preparada. Enrollarlos y colocarlos en una fuente de servir.

Valor nutritivo (por ración)	
Glúcidos	34 g
Lípidos	28 g
Prótidos	15 g
Calorías	441
Julios	1.844

141. CREPES DE CALABACIN

Ingredientes

• *8 crepes* (ver receta n.º 143) • *2 calabacines medianos* • *«Salsa de tomate II»* (ver receta n.º 408) • *100 g de queso mozzarella rallado* • *albahaca* • *sal marina*

Preparación

1.º Preparar los crepes siguiendo las instrucciones de «Crepes, receta básica», pero con la mitad de los ingredientes.

2.º Lavar y pelar los calabacines. Cortarlos en cuatro trozos cada uno a lo largo y cocerlos en agua salada hasta que estén tiernos. Escurrirles el agua.

3.º Preparar la «Salsa de tomate II» siguiendo las instrucciones de la receta indicada.

4.º En el centro de cada crepe se coloca un trozo de calabacín, se espolvorea con un poquito de albahaca y se enrolla.

5.º Disponer todos los crepes en una fuente de horno engrasada con unas gotas de aceite. Cubrirlos con el queso rallado e introducirlos al horno a gratinar. Servir con la salsa de tomate.

Valor nutritivo (por ración)	
Glúcidos	52 g
Lípidos	32 g
Prótidos	20 g
Calorías	541
Julios	2.262

RECETA n.º 142

142. CREPES DE CARNE VEGETAL

Ingredientes

• *8 crepes* (ver receta n.º 143) • *«Salsa bechamel II»* (ver receta n.º 401) • *1 taza de soja deshidratada granulada (carne vegetal)* • *2 huevos* • *2 cebollas grandes* • *1/2 kg de champiñones* • *2 hojas de laurel* • *1/2 cucharadita de orégano* • *una pizca de nuez moscada molida* • *50 g de queso manchego tierno rallado* • *3 cucharadas de aceite de oliva* • *sal marina*

Preparación

1.º Preparar los crepes siguiendo las instrucciones de «Crepes, receta básica», pero con la mitad de los ingredientes.

2.º Rehidratar la carne vegetal poniéndola en remojo en el mismo volumen de agua que de granulado (1 taza), durante veinte minutos.

3.º Preparar la salsa bechamel siguiendo las instrucciones de la receta indicada.

4.º Lavar los champiñones y cortarlos muy finos. Pelar las cebollas y picarlas muy menudas.

5.º En una sartén, con aceite, freír las cebollas picadas. Cuando estén blandas añadir los champiñones, el laurel, la nuez moscada, el orégano, sal a gusto y por

RECETA n.º 144

último la carne vegetal. Rehogar durante quince minutos y retirar del fuego. Quitar las hojas de laurel y dejar enfriar.

6.º Batir los huevos y mezclarlos bien con la preparación de la carne vegetal.

7.º Rellenar los crepes con la mezcla preparada y colocarlos en una bandeja para horno engrasada con un poco de aceite.

8.º Cubrirlos con la salsa bechamel y espolvorear con el queso rallado. Introducir al horno caliente durante unos diez minutos.

Valor nutritivo (por ración)

Glúcidos	65 g
Lípidos	44 g
Prótidos	36 g
Calorías	793
Julios	3.316

143. CREPES, RECETA BASICA

Ingredientes (para 16 crepes)

• 250 g de harina • 1/2 litro de leche • 3 huevos • 2 cucharadas de aceite • 1/2 cucharadita de sal marina

Preparación

1.º Batir los huevos.

2.º Colocar la harina en un recipiente. Añadir los huevos batidos y mezclar. Agregar poco a poco la leche batiendo para evitar grumos.

1473

3.º Cuando está bien batido y sin grumos echar el aceite y la sal y remover bien. Dejarlo reposar de una a dos horas.

4.º Transcurrido el tiempo de reposo remover ligeramente toda la crema.

5.º Poner al fuego una sartén untada con unas gotas de aceite. Cuando se haya calentado verter sobre ella tres cucharadas de la crema y extenderla de forma que cubra todo el fondo de la sartén.

6.º Dar la vuelta a la tortita con una espátula y dorarla por el otro lado con cuidado de que no se queme. Sacarla y dejarla extendida sobre una fuente. Poner de nuevo unas gotas de aceite en la sartén y repetir la operación hasta terminar la crema. Con una sartén de 16 centímetros de diámetro se obtienen 16 crepes del grosor adecuado.

Valor nutritivo (por cada crepe)

Glúcidos	14 g
Lípidos	4 g
Prótidos	4 g
Calorías	112
Julios	469

Variaciones

Si se desean preparar crepes dulces, sustituir la sal por media cucharadita de azúcar. Estos pueden rellenarse de cremas dulces, frutos secos, frutas, etc.

144. CREPES ROSADOS

Ingredientes

• *8 crepes* (ver receta n.º 143) • *2 pimientos morrones de lata* • *6 porciones de quesitos*

• *2 huevos* • *60 g de aceitunas verdes sin hueso* • *1 taza de «Salsa mayonesa»* (ver receta n.º 411) • *1/2 lechuga* • *3 tomates medianos* • *sal marina*

Preparación

1.º Preparar los crepes siguiendo las instrucciones de «Crepes, receta básica», pero con la mitad de los ingredientes.

2.º Cocer los huevos en agua con sal y pelarlos.

3.º Preparar la salsa mayonesa siguiendo las instrucciones de la receta indicada.

4.º Trocear los pimientos morrones y los quesitos y pasarlos juntos por la batidora hasta obtener una crema rosácea.

5.º Rallar los huevos duros, picar las aceitunas, añadir ambos a la crema preparada y mezclar bien.

6.º Rellenar los crepes con esta pasta y enrollarlos. Colocarlos en una bandeja y cubrirlos con la mayonesa.

7.º Lavar la lechuga y cortarla en tiritas pequeñas. Lavar los tomates y cortarlos en rodajas. Alrededor de los crepes colocar la lechuga y las rodajas de tomate.

Valor nutritivo (por ración)

Glúcidos	30 g
Lípidos	86 g
Prótidos	16 g
Calorías	971
Julios	4.060

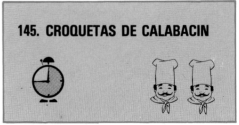

145. CROQUETAS DE CALABACIN

Ingredientes

• *1 calabacín grande (300 g)* • *150 g de copos de avena* • *100 g de avellanas tostadas y* molidas • *1/2 taza de leche • 3 huevos* • *50 g de pan triturado • una pizca de tomi-llo • 1 cucharadita de ajo en polvo • sal marina • aceite de oliva*

Preparación

1.º En un recipiente hondo mezclar bien el calabacín pelado y rallado, los huevos batidos, la leche, los copos de avena, las avellanas molidas, el pan triturado, el tomillo, el ajo y la sal. Dejar reposar media hora.
2.º Poner una sartén al fuego con aceite de oliva y cuando esté caliente se van depositando cucharadas de la masa procurando aplastarlas un poco. Cuando estén doradas por ambos lados se van retirando con la espumadera sobre un plato o fuente con dos servilletas de papel para que absorba el exceso de aceite.

Valor nutritivo (por ración)	
Glúcidos	49 g
Lípidos	43 g
Prótidos	18 g
Calorías	631
Julios	2.636

Preparación

1.º Poner una sartén al fuego con dos cucharadas de aceite. Dorar en ella la harina y apartar momentáneamente del fuego. Añadir la leche poco a poco, removiendo sin parar, para que no se formen grumos.
2.º Volver a poner al fuego la sartén y cuando empiece a hervir añadir la carne vegetal y los huevos duros bien picados, el queso rallado y sal a gusto. Remover bien durante unos minutos, verter después en una fuente y dejar enfriar.
3.º Cuando la masa esté bien fría, se forman las croquetas con ayuda de dos cucharas. Se pasan por el pan rallado y se dejan secar un poco.
4.º En una sartén con aceite suficiente se van friendo las croquetas, a fuego medio, hasta que estén uniformemente doradas.

Valor nutritivo (por ración)	
Glúcidos	25 g
Lípidos	30 g
Prótidos	16 g
Calorías	441
Julios	1.844

146. CROQUETAS DE CARNE VEGETAL Y HUEVO

Ingredientes

• *150 g de carne vegetal picada (1/2 bote aproximadamente) • 2 huevos cocidos • 3 cucharadas de harina • 3 decilitros de leche (poco más de un vaso) • 3 cucharadas de queso rallado • pan rallado • aceite de oliva • sal marina*

147. CROQUETAS DE CHAMPIÑON

Ingredientes

• *300 g de champiñones • 1 cebolla mediana • 3 dientes de ajo • 1 huevo • perejil • sal marina • 5 cucharadas de harina • 1/2 litro de leche • pan rallado • aceite de oliva*

RECETA n.º 147

Preparación

1.º Limpiar y picar bien los champiñones, la cebolla y el ajo.

2.º En una sartén con dos cucharadas de aceite, se fríe a fuego lento el picadillo anterior con un poco de sal.

3.º Se añade el perejil picadito a la sartén, se revuelve bien y se vierte en un recipiente hondo para triturarlo todo con la batidora.

4.º Se vuelve a depositar la mezcla en la misma sartén, se le añade la harina y se les van dando vueltas para que se vaya dorando.

5.º Apartar momentáneamente del fuego para ir añadiendo la leche, al tiempo que se va removiendo sin parar para que no forme grumos.

6.º Volver a poner sobre el fuego y esperar a que cueza un poco, mientras se van dando vueltas de vez en cuando. Debe que-

dar una masa ligada, ni muy blanda ni demasiado dura.

7.º Verter la masa sobre un plato o fuente para que se enfríe y sólo entonces se formarán las croquetas, que se pasarán por huevo batido y pan rallado. Dejar secar las croquetas unos minutos.

8.º Poner otra sartén en el fuego con aceite suficiente para freír las croquetas hasta que estén doradas.

Valor nutritivo (por ración)	
Glúcidos	36 g
Lípidos	22 g
Prótidos	12 g
Calorías	387
Julios	1.616

1476

148. CROQUETAS DE ESCORZONERA

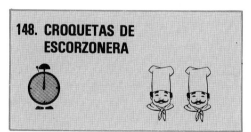

Ingredientes

• 400 g de escorzoneras • 50 g de pan triturado • 1 huevo • 2 cucharadas de aceite • una
pizca de salvia • sal marina • «Salsa verde I»
(ver receta n.º 416)

Preparación

1.º Lavar bien, pelar o raspar las escorzoneras y cortar en trozos.
2.º Poner en una cazuela la escorzonera cu-
bierta de agua y con las dos cucharadas de aceite y la sal. Cocer hasta que esté
tierna y casi se haya evaporado el agua.
3.º Déjese enfriar, tritúrese y añádase el
huevo batido, el pan triturado y la salvia.
4.º Formar las croquetas con ayuda de dos
cucharas o con la mano. Colocarlas en
una fuente y poner en el horno a fuego
medio hasta que estén doradas.
5.º Preparar una salsa verde según la receta
que se cita, añadir las croquetas y dejar
cocer unos diez minutos.

Valor nutritivo (por ración)	
Glúcidos	22 g
Lípidos	13 g
Prótidos	5 g
Calorías	229
Julios	959

149. CROQUETAS DE ESPINACAS I

Valor nutritivo (por ración)	
Glúcidos	28 g
Lípidos	23 g
Prótidos	13 g
Calorías	355
Julios	1.486

Ingredientes

• 1/2 kg de espinacas • 50 g de piñones • 1 cebolla pequeña • 3 cucharadas de harina • 3 decilitros de leche (poco más de un vaso) • 1 huevo • 1 pimiento morrón pequeño • 3 cucharadas de pan rallado • sal marina • nuez moscada • aceite de oliva

150. CROQUETAS DE ESPINACAS II

Preparación

1.º Lavar bien las espinacas, trocearlas y, sin escurrirlas demasiado, cocerlas en una cazuela tapada, sin añadirle agua, a fuego muy suave.

2.º Lavar y picar la cebolla. Freírla en una sartén con dos cucharadas de aceite. Cuando esté ligeramente dorada, se le añade la harina y la sal y se va removiendo hasta que se tueste un poco.

3.º Apartar momentáneamente del fuego para ir añadiendo la leche, sin dejar de remover para que no se formen grumos.

4.º Volver a poner al fuego y dejar cocer unos minutos removiendo de vez en cuando.

5.º A continuación añadir las espinacas, los piñones, el pimiento morrón bien picadito y una pizca de nuez moscada. Rectificar de sal.

6.º Cuando la pasta parece que se desprende de la sartén, se retira y se deja enfriar.

7.º Se van cogiendo porciones con una cuchara. Se les da la forma alargada y se pasan por huevo batido y pan rallado. Dejar secar un poco.

8.º En una sartén con aceite se van friendo las croquetas a fuego medio hasta que estén doradas uniformemente.

Ingredientes

• 1/2 kg de espinacas • 1 patata (de unos 250 g) • 2 huevos • 3 cucharadas de pan triturado • 3 dientes de ajo • perejil • tomillo • sal marina • aceite de oliva

Preparación

1.º Lavar bien las espinacas, trocearlas y, sin escurrir demasiado, cocerlas en una cazuela con un poco de sal, sin añadirle agua, a fuego muy suave.

2.º Lavar bien la patata pero sin pelarla. Cocerla en agua, pelarla después de cocida y aplastarla con un tenedor.

3.º En un recipiente hondo se mezclan las espinacas bien escurridas, la patata, el pan triturado, los ajos bien picaditos, el perejil y una pizca de tomillo. Se sazona a gusto y se le añaden los dos huevos batidos.

4.º Se forman las croquetas con ayuda de dos cucharas y se fríen en una sartén con aceite de oliva, a fuego medio, hasta que estén uniformemente doradas.

Valor nutritivo (por ración)	
Glúcidos	32 g
Lípidos	18 g
Prótidos	9 g
Calorías	328
Julios	1.371

151. CROQUETAS DE HUEVO Y CHAMPIÑON

Ingredientes

• *2 huevos* • *150 g de champiñones* • *1 cebolla pequeña* • *3 cucharadas de harina* • *3 decilitros de leche (poco más de un vaso)* • *sal marina* • *nuez moscada* • *pan rallado* • *aceite de oliva*

Preparación

1º Se cuece uno de los huevos y se pica muy menudito.

2º Se lavan y se trocean también los champiñones y la cebolla, por separado.

3º En una sartén, con dos cucharadas de aceite, se sofríe la cebolla con un poco de sal, se le añade el champiñón y se sigue rehogando durante unos minutos. Añadir entonces la harina y seguir rehogando hasta que se dore.

4º Apartar del fuego momentáneamente para ir añadiendo la leche al mismo tiempo que se remueve para evitar la formación de grumos.

5º Poner de nuevo sobre el fuego y remover de vez en cuando hasta que espese. Añadir entonces el huevo duro picado, una yema de huevo cruda, una pizca de nuez moscada. Remover enérgicamente y verter sobre un plato o fuente para que se enfríe.

6º Cuando la pasta esté bien fría se van cogiendo porciones con una cuchara, se le da la forma deseada (alargada o redonda) y se pasan por la clara batida y pan rallado. Dejar secar.

7º En una sartén con aceite suficiente se van friendo las croquetas, a fuego medio, hasta que estén uniformemente doradas.

Valor nutritivo (por ración)	
Glúcidos	26 g
Lípidos	21 g
Prótidos	11 g
Calorías	342
Julios	1.428

152. CROQUETAS DE JUDIAS PINTAS

Ingredientes

• *2 tazas de judías pintas cocidas* • *1 cebolla picada* • *2 huevos* • *sal marina* • *3 cucharadas de pan rallado* • *aceite de oliva* • *«Salsa de tomate I»* (ver receta n.º 407)

Preparación

1º Aplastar las judías cocidas con ayuda de un tenedor.

2º En un recipiente hondo mezclar bien las judías trituradas, la cebolla picada, una yema de huevo y sal a gusto.

3º Formar las croquetas con ayuda de dos cucharas, pasarlas por el huevo batido con la clara sobrante y después por el pan rallado. Dejar secar un poco.

4º En una sartén con aceite, se fríen las cro-

RECETA n.º 152

quetas dándoles vuelta para que se doren uniformemente.

5.º Preparar una salsa de tomate según la receta que se cita. Verterla en una cazuela juntamente con las croquetas y cocer a fuego suave durante unos diez minutos.

Valor nutritivo (por ración)

Glúcidos	44 g
Lípidos	40 g
Prótidos	16 g
Calorías	588
Julios	2.460

153. CROQUETAS DE QUESO

Ingredientes

• *250 g de queso manchego rallado* • *1 cebolla mediana* • *1 huevo* • *3 cucharadas de harina* • *3 decilitros de leche* • *sal marina* • *aceite de oliva* • *3 cucharadas de pan rallado*

RECETA n.º 153

Preparación

1.º En una sartén con dos cucharadas de aceite, sofreír la cebolla, previamente pelada y picada.

2.º Cuando la cebolla esté tierna, añadir sal y la harina y seguir rehogando hasta que esté dorada.

3.º Apartar momentáneamente del fuego para ir agregando la leche, al mismo tiempo que se remueve para deshacer la harina evitando la formación de grumos.

4.º Volver a poner sobre el fuego, añadir el queso y seguir removiendo hasta que espese. Verter sobre un plato o fuente y dejar enfriar.

5.º Cuando esté bien fría la pasta, se van cogiendo porciones con una cuchara, se les da la forma deseada y se pasan por el huevo batido y el pan rallado. Dejar secar.

6.º En una sartén, o freidora, con aceite suficiente, se van friendo las croquetas, a fuego medio, cuidando que se doren uniformemente.

Valor nutritivo (por ración)

Glúcidos	22 g
Lípidos	41 g
Prótidos	25 g
Calorías	552
Julios	2.307

154. CROQUETAS DE SOJA I

155. CROQUETAS DE SOJA II

Ingredientes

• *200 g de soja blanca cocida* • *250 g de champiñones* • *1 cebolla grande* • *2 huevos* • *3 dientes de ajo* • *50 g de pan triturado* • *3 cucharadas de pan rallado* • *perejil* • *una pizca de mejorana* • *aceite de oliva* • *sal marina*

Preparación

1.º Triturar bien la soja cocida, lo más espesa que se pueda, y reservar.

2.º En una sartén con tres cucharadas de aceite se rehogan, a fuego medio, la cebolla y los champiñones, previamente limpios y picados finamente.

3.º En un recipiente hondo se mezclan bien la soja triturada, el sofrito de la cebolla y el champiñón, el ajo picadito, un huevo batido, el pan triturado, el perejil picado, la mejorana y la sal.

4.º Con ayuda de dos cucharas se van formando las croquetas. Se pasan por el otro huevo batido y por el pan rallado y se dejan secar un poco.

5.º En una sartén con aceite se fríen las croquetas, a fuego medio, hasta que se doren.

Valor nutritivo (por ración)	
Glúcidos	32 g
Lípidos	26 g
Prótidos	18 g
Calorías	407
Julios	1.702

Ingredientes

• *2 tazas de soja blanca cocida* • *1 cebolla pequeña* • *1 tomate maduro grande* • *2 cucharadas de harina* • *1 huevo* • *2 cucharadas de aceite de oliva* • *3 cucharadas de pan rallado* • *sal marina* • *sal de apio*

Preparación

1.º Triturar la soja cocida hasta formar un puré espeso y reservar.

2.º En una sartén con dos cucharadas de aceite se rehoga, a fuego lento, la cebolla, previamente pelada y picada, con la sal y una pizca de sal de apio.

3.º Mientras tanto, lavar, pelar y triturar el tomate.

4.º Cuando la cebolla esté tierna, se le añade la harina y se sigue rehogando hasta que se dore. Entonces se le añade el puré de tomate y se sigue removiendo hasta que espese.

5.º Apartar del fuego y añadir el puré de soja. Mezclar bien y dejar enfriar por completo.

6.º Con ayuda de una cuchara se toman porciones de masa y se forman las croquetas. Se pasan por el huevo batido y el pan rallado.

7.º Se colocan todas las croquetas en una fuente y se cocinan al horno, a fuego medio, hasta que se doren.

8.º Se pueden servir con patatas fritas o con unas hojas de lechuga.

Valor nutritivo (por ración)

Glúcidos .... 28 g
Lípidos .... 17 g
Prótidos .... 18 g
Calorías 296
Julios 1.238

156. CROQUETAS DE ZANAHORIA

Ingredientes

• *250 g de zanahorias (dos o tres zanahorias)* • *1 cebolla pequeña* • *3 cucharadas de harina* • *3 decilitros de leche* • *1 huevo* • *pan rallado* • *sal marina* • *una pizca de nuez moscada* • *aceite de oliva*

Preparación

1º Lavar, pelar y rallar por separado la cebolla y las zanahorias.

2º En una sartén con tres cucharadas de aceite se rehoga la cebolla hasta que esté transparente. Se sazona a gusto, se añade la zanahoria rallada y se rehoga durante unos cinco minutos. Se añade entonces la harina, se remueve bien y se deja otros dos minutos más para que tome sabor.

3º Apartar momentáneamente del fuego y añadir la leche, poco a poco, sin dejar de remover para que no se formen grumos.

4º Volver a poner sobre el fuego y dejar cocer, removiendo de vez en cuando hasta que espese y la masa se desprenda de la sartén. Añadir una pizca de nuez moscada, verter en un plato o fuente y dejar enfriar.

5º Cuando esté bien fría la masa, se van cogiendo porciones con una cuchara y se forman las croquetas. Se pasan por el huevo batido y el pan rallado y se dejan secar un poco.

6º En una sartén con aceite de oliva, a fuego medio, se van friendo las croquetas hasta que estén doradas uniformemente.

Valor nutritivo (por ración)

Glúcidos .... 21 g
Lípidos .... 16 g
Prótidos .... 7 g
Calorías 267
Julios 1.116

157. CRUDITOS

Ingredientes

• *4 tomates grandes* • *2 zanahorias* • *1 nabo tierno* • *100 g de lechuga* • *100 g de espinacas muy tiernas* • *2 alcachofas pequeñas* • *100 g de aceitunas negras* • *1 diente de ajo* • *4 cucharadas de aceite* • *sal marina* • *zumo de medio limón* • *perejil*

Preparación

1º Lavar bien todas las verduras y hortalizas. Pelar las zanahorias y el nabo y rallarlos muy finamente. Pelar las alcachofas, cortándoles el tallo y las puntas y dejando sólo el corazón. Partirlas en gajos muy finos y rociarlas con el zumo de limón para que no ennegrezcan. La lechuga y las espinacas se cortan en tiras muy finas (tipo sopa juliana).

RECETA n.º 157

2.º Mezclar todos los ingredientes que tenemos preparados y aliñarlos con el ajo picado, la sal y el aceite.

3.º Cortar los tomates por la mitad horizontalmente y vaciarlos un poco de su pulpa, que añadiremos también cortadita a la mezcla de vegetales. Colocar sobre cada mitad de tomate unas cucharadas de la mezcla y disponerlos sobre una fuente de servir. Adornar con las aceitunas y el perejil picado.

Valor nutritivo (por ración)

Glúcidos	21 g
Lípidos	23 g
Prótidos	6 g
Calorías	308
Julios	1.286

158. CUADRITOS DE AVENA

Ingredientes

• 100 g de margarina vegetal • 80 g de azúcar moreno (1/2 taza) • 2 cucharadas de leche • 1 cucharada de miel • 200 g de copos de avena

Preparación

1.º Poner en un cazo la margarina, el azúcar, la miel y la leche y disolver a fuego

1484

muy suave, removiendo constantemente. Retirar del fuego en cuanto se haya disuelto el azúcar. Encender el horno.

2.º Escoger los copos de avena, eliminando cualquier pajita o impureza. Agregarlos al jarabe que tenemos preparado mezclando bien.

3.º Untar un molde de paredes bajas con muy poco aceite. Extender sobre él la mezcla que tenemos preparada, de forma que quede una capa uniforme y delgada.

4.º Introducir en el horno y cocer a fuego medio hasta que se dore la superficie.

5.º Sacar del horno y cortar en cuadraditos de unos cuatro centímetros. Dejar enfriar en el molde para que se endurezcan. Se pueden guardar durante unas dos semanas en botes herméticos.

Valor nutritivo (por 100 g, unos seis cuadritos)	
Glúcidos	70 g
Lípidos	23 g
Prótidos	6 g
Calorías	471
Julios	1.969

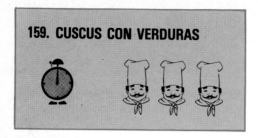

159. CUSCUS CON VERDURAS

Ingredientes

• *200 g de garbanzos* • *300 g de sémola para cuscús* • *1 patata* • *2 nabos* • *2 zanahorias* • *1 cebolla* • *1 calabacín* • *2 tomates maduros* • *2 ramas de apio* • *2 dientes de ajo* • *1 cucharadita de pimentón* • *1 cucharadita de especias (cúrcuma, canela, comino, etc.)* • *5 cucharadas de aceite de oliva* • *sal marina*

Preparación

1º Poner los garbanzos en remojo la noche anterior. Poner una olla profunda con tres litros de agua y sal y cocer en ella los garbanzos.

2º En un recipiente ancho depositar el cuscús y rociarlo con una taza de agua tibia salada. Removerlo de vez en cuando hasta que se humedezca toda la sémola.

3º Lavar todas las hortalizas pelando las que convenga. La patata se corta a trozos irregulares no demasiado pequeños, los nabos y las zanahorias se cortan en cuadritos. Todo esto se agrega a la olla cuando los garbanzos empiecen a estar tiernos.

4º En una sartén con tres cucharadas de aceite se rehogan la cebolla y el calabacín rallados. Rallar igualmente los tomates y agregarlos a la sartén cuando la cebolla empiece a dorarse. Sazonar a gusto y añadir el apio y los ajos picados. Por último agregar el pimentón, remover bien y verter todo el sofrito a la olla con los garbanzos. Añadir también la cucharadita de especias y seguir cociendo a fuego medio.

5º Rociar el cuscús con el aceite restante y ponerlo sobre un colador grande que encaje sobre la olla. El colador debe ser de orificio fino, de lo contrario tendrá que cubrirlo con un lienzo limpio y poner encima el cuscús. El cuscús así dispuesto se va cociendo al vapor durante unos quince minutos. De vez en cuando hay que removerlo para que no se apelmace.

6º Cuando el cuscús esté cocido, se pone sobre una fuente. Este guiso se sirve caliente, con la sémola de cuscús por separado.

Valor nutritivo (por ración)	
Glúcidos	113 g
Lípidos	23 g
Prótidos	25 g
Calorías	725
Julios	3.029

160. CHAMPIÑONES PARA ENSALADA

Ingredientes

• *1/2 kg de champiñones* • *1 decilitro de zumo de manzana* • *zumo de un limón* • *2 dientes de ajo* • *perejil* • *sal marina* • *3 cucharadas de aceite de oliva*

Preparación

1º Limpiar bien los champiñones y cortarlos en filetes finos.

2º Rehogarlos en una sartén, con el aceite y un poco de sal, a fuego vivo durante dos minutos.

3º Añadir el zumo de manzana y el zumo

de limón y dejar cocer a fuego lento durante unos diez minutos.

4.º Mientras tanto pelar los ajos, lavar el perejil y machacarlos juntos en el mortero. Agregar a los champiñones, dejar cocer dos minutos más y apartar del fuego. Servir fríos, acompañando alguna ensalada.

Valor nutritivo (por ración)

Glúcidos	8 g
Lípidos	11 g
Prótidos	4 g
Calorías	150
Julios	627

---

161. CHAYOTE FRITO

Ingredientes

• 1/2 kg de chayotes • 2 huevos • 4 cucharadas de pan rallado • «Salsa cremosa de almendras» (ver receta n.º 404) • aceite de oliva

Preparación

1.º Lavar y pelar los chayotes. Cortarlos en rebanadas de un centímetro de grueso. Cocerlos en agua con sal hasta que estén tiernos.

2.º Preparar la «Salsa cremosa de almendras» siguiendo la receta que se cita.

3.º Calentar el aceite en una sartén. Pasar las lonchas de chayote por huevo batido y pan rallado y freír por ambos lados hasta que se doren uniformemente. Apartar en una fuente sobre papel absorbente.

4.º Servir caliente acompañado con la salsa.

Valor nutritivo (por ración)

Glúcidos	34 g
Lípidos	36 g
Prótidos	12 g
Calorías	501
Julios	2.094

---

162. CHUCRUT CON CHAMPIÑONES Y ZANAHORIA

Ingredientes

• 1/2 kg de chucrut • 300 g de champiñones • 300 g de zanahorias • 3 cebollas • 1 cucharadita de semillas de enebro, comino o hinojo (indistintamente) • una pizca de tomillo • perejil • sal marina • 5 cucharadas de aceite

Preparación

1.º Limpiar bien los champiñones, las zanahorias, las cebollas y pelar lo que convenga. Cortar a láminas los champiñones. Las zanahorias se cortan a cuadritos y las cebollas se pican finamente, dos por un lado y una parte. Aclarar ligeramente el chucrut.

2.º Calentar tres cucharadas de aceite en una sartén y rehogar las dos cebollas picadas. Cuando empiecen a estar tiernas añadir el chucrut, un poco de sal y las semillas. Cocer a fuego lento durante unos diez minutos, removiendo de vez en cuando.

3.º En otra sartén calentar el resto del aceite y rehogar la otra cebolla picada junto con los champiñones. Sazonar a gusto y dejar a fuego medio unos cinco minutos.

4.º Cocer las zanahorias en agua con sal hasta que estén tiernas, pero no demasiado. Escurrir y agregar el chucrut. Añadir igualmente el champiñón rehogado y seguir cociendo unos cinco minutos más.

5.º Verter sobre una fuente de servir y espolvorear con el perejil lavado y picado.

Valor nutritivo (por ración)

Glúcidos	26 g
Lípidos	20 g
Prótidos	7 g
Calorías	301
Julios	1.258

163. CHUCRUT CON PATATAS

Ingredientes

• 1/2 kg de chucrut • 750 g de patatas • 250 g de cebolla • 250 g de queso fresco • sal marina • 3 cucharadas de aceite

Preparación

1.º Pelar las patatas y las cebollas y lavarlas. Cortarlas en rodajas de medio centímetro de grueso aproximadamente.

2.º En una cazuela poner el chucrut, las rodajas de patata y las de cebolla. Añadir un poco de agua y sal a gusto. Cocer a fuego vivo hasta que hierva, reducir el fuego y seguir cociendo hasta que las patatas estén tiernas.

3.º Rallar el queso fresco, o cortarlo en lonchitas muy finas. Agregar a la cazuela y servir caliente.

Valor nutritivo (por ración)

Glúcidos	45 g
Lípidos	21 g
Prótidos	14 g
Calorías	419
Julios	1.753

164. «CHUTNEY» DE BERENJENAS

Ingredientes

• 1,5 kg de berenjenas • 1 cebolla • 1 pimiento verde pequeño • 2 dientes de ajo • 1 cucharada de zumo de limón • perejil • sal marina • 2 cucharadas de aceite de oliva

Preparación

1.º Lavar bien las hortalizas. Pelar las berenjenas y cortarlas en rodajas de un centímetro aproximadamente. Cocerlas con muy poca agua y sal durante un minuto. Añadirle el zumo de limón.

2.º Pelar la cebolla y picarla finamente junto con el pimiento y los dos dientes de ajo. Lavar el perejil y picarlo también finamente.

3.º Encender el horno. Mezclar bien todos los ingredientes, removiendo y aplastando con un tenedor. Verterlo todo sobre una fuente para horno.

4.º Introducir en el horno caliente y cocer a fuego medio durante diez o quince minutos. Servir caliente.

Valor nutritivo (por ración)	
Glúcidos	20 g
Lípidos	8 g
Prótidos	4 g
Calorías	147
Julios	614

Valor nutritivo (por cada 100 g, unas diez piezas)	
Glúcidos	79 g
Lípidos	14 g
Prótidos	8 g
Calorías	463
Julios	1.937

165. DULCES DE COCO

Ingredientes

• *100 g de copos de avena* • *100 g de coco rallado* • *160 g de azúcar integral (1 taza)* • *4 claras de huevo*

Preparación

1.º Triturar los copos de avena con un molinillo o una picadora. Triturar igualmente el azúcar.

2.º Batir las claras a punto de nieve. Ir agregando el azúcar a cucharadas sin dejar de batir. Añadir igualmente el coco y la avena removiendo constantemente para que quede una masa uniforme. Encender el horno.

3.º Untar ligeramente con muy poco aceite una placa o bandeja para horno. Depositar sobre ella pequeñas porciones de la masa (de unos tres o cuatro centímetros) que cogeremos con una cuchara. Espaciar las masitas entre sí para que no se peguen al cocer.

4.º Introducir en el horno a fuego medio y dejar cocer hasta que estén secas.

166. EMPANADA

Ingredientes

• *«Masa base para tarta»* (ver receta n.º 303 y doblar cantidades) • *1 taza de «Salsa de tomate I»* (ver receta n.º 407) • *250 g de champiñones* • *100 g de aceitunas verdes deshuesadas* • *1 cebolla* • *2 pimientos morrones asados* • *2 huevos cocidos* • *1 clara de huevo* • *sal marina* • *4 cucharadas de aceite de oliva*

Preparación

1.º Preparar la masa según la receta que se cita, con el doble de ingredientes.

2.º Preparar la salsa de tomate según la receta indicada, pero tomar sólo una taza de la misma. También se puede aprovechar un resto de salsa de tomate que tengamos (aproximadamente unos 250 g).

3.º Lavar bien las hortalizas. Los champiñones se cortan en láminas finas. Las aceitunas se pican a trocitos. La cebolla se pela y se pica menudita. Los pimientos se trocean igualmente. Los huevos, después de cocidos y fríos, se cortan en rodajas finas.

4.º En una sartén se calienta el aceite y se rehogan un poco la cebolla y los champiñones sazonando a gusto. Encender el horno.

1489

5.º Tomar la pasta que tenemos preparada y dividirla en dos partes, una un poco mayor que otra. Estirar la parte mayor con el rodillo y colocarla en un molde de forma que sobren como unos tres centímetros alrededor. Pinchar la masa con un tenedor. Extender por encima la salsa de tomate, la cebolla con el champiñón, las aceitunas, el pimiento y por último el huevo a rodajas. Estirar también con el rodillo el resto de la pasta y cubrir con ella el relleno. A continuación ir montando la pasta que sobresalía por el contorno, plegándola y formando un cordón.

6.º Untar la superficie con la clara batida e introducir al horno caliente. Dejar cocer, a fuego medio, durante media hora aproximadamente.

Valor nutritivo (por ración)

Glúcidos	105 g
Lípidos	89 g
Prótidos	24 g
Calorías	1.327
Julios	5.546

167. EMPANADILLAS

Ingredientes

● «Masa base para tarta» (ver receta n.º 303) ● 1/2 taza de «Salsa de tomate I» (ver receta n.º 407) ● 2 huevos ● 1 cebolla pequeña ● 1 pimiento verde ● 1 pimiento morrón pequeño ● 100 g de aceitunas verdes deshuesadas ● sal marina ● 3 cucharadas de aceite de oliva

Preparación

1.º Preparar la masa base según la receta que se cita.

2.º Preparar también la salsa de tomate siguiendo la receta indicada. O bien aprovechar algún resto de salsa que tengamos ya preparada, pues sólo usaremos media taza (aproximadamente 125 g).

3.º Lavar bien las hortalizas. Cortar la cebolla y los pimientos muy menuditos. Picar igualmente las aceitunas. Cocer uno de los huevos, enfriar y trocear.

4.º En una sartén calentar el aceite y rehogar la cebolla con los pimientos sazonando a gusto. Cuando esté tierno, se le añaden las aceitunas y el huevo. Se le da unas vueltas y se añade por último la salsa de tomate. Mezclar bien y apagar el fuego. Encender el horno.

5.º Extender la masa que tenemos preparada con el rodillo, hasta que quede de un grueso aproximado de unos tres milímetros. Cortar la masa con ayuda de un tazón u otro molde redondo, de unos doce centímetros de diámetro. Colocar en el centro de cada círculo una porción del relleno. Montar una parte del círculo de masa sobre la otra, formando una media luna. Unir los extremos con ayuda de un tenedor o montando los bordes de la masa sobre sí misma en forma de cordón.

6.º Untar la superficie de las empanadillas con el huevo batido. Colocarlas en una fuente para horno ligeramente engrasada e introducirlas en el mismo cuando esté caliente. Dejar cocer a fuego medio durante unos veinte minutos.

Valor nutritivo (por ración)

Glúcidos	53 g
Lípidos	53 g
Prótidos	15 g
Calorías	747
Julios	3.123

168. EMPAREDADOS DE BERENJENA

Ingredientes

• 1 berenjena grande • 1 caja de queso en porciones (8 porciones) • 1 huevo • 3 cucharadas de pan rallado • aceite de oliva • sal marina • zumo de un limón

Preparación

1.º Lavar y pelar la berenjena. Cortar en rodajas de medio centímetro de grosor. Ponerlas en remojo en agua, sal y el zumo de limón. Dejar así una hora.

2.º Escurrir las berenjenas y secarlas. Pelar los quesitos y colocar cada uno entre dos rodajas de berenjena. Aplastarlas ligeramente para que se peguen bien y se reduzca el volumen del quesito.

3.º Calentar el aceite en una sartén. Batir el huevo con un poco de sal. Pasar los emparedados por el huevo batido y el pan rallado y freír. Dar la vuelta para que se dore por ambos lados. Apartar sobre un plato en papel absorbente para que pierda el exceso de aceite.

Valor nutritivo (por ración)	
Glúcidos	11 g
Lípidos	37 g
Prótidos	5 g
Calorías	396
Julios	1.656

169. EMPAREDADOS DE CARNE VEGETAL

Ingredientes

• 1 bote de carne vegetal (de unos 270 g) • 1/2 kg de espinacas • 1 cebolla • 50 g de piñones • 1 cucharada de harina • 1 decilitro de leche • 1 pimiento rojo • 1 huevo • 3 cucharadas de pan rallado • aceite de oliva • sal marina

Preparación

1.º Lavar bien las verduras. Cortar las espinacas a trocitos. La cebolla, después de pelada se pica finamente. El pimiento se asa, se pela (puede servir un pimiento de bote), y se corta en trocitos pequeños.

2.º Cocer las espinacas al vapor con un poco de sal.

3.º En una sartén con tres cucharadas de aceite se rehoga la cebolla. Cuando esté tierna se le añade la harina y se sigue rehogando hasta que se dore ligeramente. Añadir entonces la leche y cocer durante unos minutos. Escurrir y agregar las espinacas, el pimiento rojo y los piñones. Rectificar de sal, mezclar bien y dejar enfriar.

4.º Cortar la carne vegetal en lonchas finas (1,5 o 2 milímetros). Sobre una loncha de carne vegetal se pondrá una cucharada de la crema de espinacas y taparemos con otra loncha. Preparar de ese modo todos los emparedados.

5.º Batir bien el huevo con un poco de sal. Pasar los emparedados por el huevo batido y el pan rallado.

6.º En una sartén calentar aceite suficiente para freír los emparedados. Procurar que se doren bien por ambos lados. Servir calientes.

RECETA n.º 170

Valor nutritivo (por ración)	
Glúcidos	31 g
Lípidos	31 g
Prótidos	23 g
Calorías	469
Julios	1.959

170. EMPAREDADOS REBOZADOS

Ingredientes

- 4 lonchas de queso cremoso (unos 120 g)
- 8 rebanadas de pan integral de molde
- 2 huevos • 3 decilitros de leche • aceite de oliva • sal marina

Preparación

1.º Recortar la corteza del pan de forma que las rebanadas queden cuadradas y sin bordes duros. Colocar una loncha de queso entre dos rebanadas sin que sobresalga el queso. Cortar cada emparedado por la mitad.

2.º Batir en un recipiente la leche y un poco de sal. Remojar en ella los emparedados. Ponerlos sobre paños limpios, tapar

1492

RECETA nº 171

igualmente con paños limpios y dejarlos en reposo durante media hora.

3.º Batir los huevos con otro poco de sal y rebozar los emparedados.

4.º Calentar aceite suficiente en una sartén e ir friendo los emparedados de forma que queden dorados por ambos lados. Al sacarlos de la sartén procurar escurrir el máximo de aceite y depositarlos en una fuente sobre papel absorbente. Servir calientes.

Valor nutritivo (por ración)	
Glúcidos	24 g
Lípidos	30 g
Prótidos	13 g
Calorías	422
Julios	1.765

171. ENSALADA ANDALUZA

Ingredientes

• 1/2 escarola • 1/2 lechuga • 2 pimientros rojos asados • 100 g de aceitunas aliñadas • 2 huevos • 2 tomates • «Salsa rosa» (ver receta nº 415)

Preparación

1.º Preparar la «Salsa rosa» siguiendo la receta que se indica.

2.º Los pimientos rojos darán mucho mejor

sabor a esta ensalada si se asan en casa que si se compran de bote. Cocer los dos huevos en agua con sal durante diez minutos. Enfriar inmediatamente con agua.

3.º Lavar bien las hojas de lechuga y de escarola y cortarlas en pequeños trozos. Lavar igualmente los tomates y partirlos en gajos.

4.º Sobre una fuente de servir se disponen los trozos de lechuga y escarola. Poner por encima los pimientos asados partidos en trozos y adornar con los trozos de tomate, los huevos, partidos igualmente en gajos, y las aceitunas.

5.º En el momento de servir verter por encima la salsa rosa.

Valor nutritivo (por ración)	
Glúcidos	13 g
Lípidos	36 g
Prótidos	9 g
Calorías	408
Julios	1.706

172. ENSALADA BLANCA

Ingredientes

• *2 endivias* • *2 puerros tiernos* • *4 ramas de apio* • *2 puñados de alfalfa germinada* • *2 cucharadas de aceite* • *1 cucharada de vinagre de manzana* • *sal marina*

Preparación

1.º Lavar bien las verduras y cortar en tiras largas las endivias y los puerros y a rodajitas el apio.

2.º Mezclar todo con la alfalfa germinada y aliñar con el aceite, el vinagre y la sal.

3.º Remover bien y servir sobre una fuente de color para que destaque el blanco de la ensalada, lo cual la hará más vistosa.

Valor nutritivo (por ración)	
Glúcidos	10 g
Lípidos	8 g
Prótidos	4 g
Calorías	114
Julios	475

173. ENSALADA CON MAYONESA VERDE

Ingredientes

• *«Arroz base integral»* (ver receta n.º 30) • *100 g de guisantes* • *1/2 lechuga* • *1 pepino* • *100 g de aceitunas verdes* • *«Salsa mayonesa verde»* (ver receta n.º 413)

Preparación

1.º Preparar el arroz integral siguiendo la receta que se cita, pero sólo con 200 g de arroz (una taza). Dejar enfriar.

2.º Cocer los guisantes, si no son de bote, en agua con un poco de sal. Escurrir y dejar enfriar.

3.º Lavar la lechuga, trocearla finamente y colocarla en una ensaladera junto con el arroz y los guisantes.

4.º Preparar la mayonesa verde siguiendo la

receta que se cita. Cubrir con ella la ensalada.

5.º Pelar el pepino, cortarlo en rodajas y adornar la fuente con estas rodajas y con las aceitunas verdes.

Valor nutritivo (por ración)

Glúcidos	47 g
Lípidos	52 g
Prótidos	10 g
Calorías	704
Julios	2.943

174. ENSALADA DE AGUACATE

Ingredientes

• *2 aguacates* • *4 tomates* • *1 diente de ajo grande* • *1 cucharada de zumo de limón* • *2 cucharadas de aceite de oliva* • *una ramita de perejil* • *sal marina*

Preparación

1.º Pelar los aguacates y cortarlos en rajitas como de melón. Colocar en el centro de una fuente.

2.º Lavar los tomates y cortarlos en rodajas. Colocarlos en la fuente alrededor del aguacate.

3.º Aliñar con el ajo picado muy menudo, el limón, el aceite y un poco de sal. Espolvorear con el perejil muy picado.

Valor nutritivo (por ración)

Glúcidos	18 g
Lípidos	16 g
Prótidos	4 g
Calorías	226
Julios	945

175. ENSALADA DE AGUACATE CON YOGUR

Ingredientes

• *2 aguacates grandes maduros* • *2 tomates rojos* • *2 yogures* • *sal de apio* • *sal marina*

Preparación

1.º Lavar bien los tomates y los aguacates. Partir estos últimos por la mitad y quitarles el hueso. Con una cucharita ir cogiendo porciones de pulpa y colocarla en platos individuales.

2.º Batir ligeramente los yogures. Sazonar un poco la pulpa de los aguacates con sal y cubrirlar con medio yogur en cada plato.

3.º Pelar los tomates y cortarlos en cuadritos pequeños. Sazonarlos con la sal de apio y poner una porción en un extremo de cada plato. Servir frío.

Valor nutritivo (por ración)

Glúcidos	21 g
Lípidos	14 g
Prótidos	5 g
Calorías	217
Julios	907

176. ENSALADA DE ARROZ INTEGRAL I

Ingredientes

• *200 g de arroz integral (1 taza)* • *1 pimiento verde mediano* • *1 zanahoria mediana* • *1 pepino mediano* • *2 tomates* • *2 huevos duros* • *1 cebolla pequeña* • *1 diente de ajo* • *unas gotitas de zumo de limón* • *4 cucharadas de aceite de oliva* • *sal marina*

Preparación

1.º Cocer el arroz siguiendo la receta n.º 30, «Arroz base integral». Dejar enfriar.

2.º Lavar bien las hortalizas. El pimiento se corta en tiritas finas. La zanahoria se pela y se ralla no muy fina. El pepino se pela y se corta en cuadritos. Los tomates se cortan menuditos. Los huevos cocidos se pican.

3.º Se prepara una salsa cruda con cebolla y ajo muy picaditos, el aceite, la sal y unas gotas de limón.

4.º Mezclar bien el arroz con las hortalizas preparadas y la salsa. Servir sobre una fuente o ensaladera.

Valor nutritivo (por ración)	
Glúcidos	51 g
Lípidos	19 g
Prótidos	10 g
Calorías	416
Julios	1.739

177. ENSALADA DE ARROZ INTEGRAL II

Ingredientes

- 200 g de arroz integral • 1/2 lechuga • 2 tomates • 100 g de aceitunas • 1 lata de espárragos • 200 g de champiñones • 2 huevos duros • 1 diente de ajo • perejil • unas gotas de zumo de limón • 4 cucharadas de aceite • sal marina

Preparación

1.º Cocer el arroz siguiendo la receta de «Arroz base integral» (ver receta n.º 30). Dejar enfriar.

2.º Lavar bien las hortalizas y verduras. Cortar la lechuga en tiritas, los tomates en cuadritos, los espárragos en trocitos de unos dos centímetros. Los champiñones se cortan en láminas, se rocían con unas gotas de limón y se dejan reposar un poco. Picar los huevos duros y el ajo y el perejil muy menuditos.

3.º Mezclar bien el arroz con todas las hortalizas preparadas, sazonar a gusto, añadir el aceite, espolvorear con el ajo y el perejil picados. Servir sobre una fuente o ensaladera.

Valor nutritivo (por ración)	
Glúcidos	48 g
Lípidos	22 g
Prótidos	13 g
Calorías	442
Julios	1.850

178. ENSALADA DE CHAMPIÑON

Ingredientes

- *1/2 kg de champiñones* • *1 lechuga*
- *1 diente de ajo* • *6 cucharadas de aceite*
- *1 limón* • *perejil* • *sal marina*

Preparación

1.º Lavar los champiñones y cortarlos en fi-letes finos.
2.º Triturar el ajo y mezclarlo con el zumo de limón, tres cucharadas de aceite, el perejil picado muy menudo y un poco de sal. Sazonar con esto los champiñones y ponerlos en un lado de la fuente de ser-vir.
3.º Lavar la lechuga y trocearla, aderezarla con el resto del aceite, y un poco de sal, y ponerla en el otro lado de la fuente.

Valor nutritivo (por ración)	
Glúcidos	8 g
Lípidos	23 g
Prótidos	6 g
Calorías	260
Julios	1.086

179. ENSALADA DE CHUCRUT

Ingredientes

- *1/2 escarola* • *1/2 lechuga* • *200 g de chu-crut* • *1 cebolla* • *1 pepino* • *un puñado de alfalfa germinada* • *100 g de aceitunas ne-gras* • *4 cucharadas de aceite* • *sal marina*

Preparación

1.º Lavar bien las hojas de lechuga y escaro-la. Picarlas menuditas en una ensalade-ra.
2.º Pelar la cebolla y el pepino y cortar fina-mente. Añadirlos a la ensaladera, así co-mo el chucrut y la alfalfa germinada.
3.º Mezclar bien todos los ingredientes y aliñar con la sal y el aceite. Colocar las aceitunas por encima y servir.

Valor nutritivo (por ración)	
Glúcidos	12 g
Lípidos	23 g
Prótidos	4 g
Calorías	266
Julios	1.112

180. ENSALADA DE ENDIVIAS

Ingredientes

- *3 endivias* • *120 g de nueces* • *200 g de*

queso fresco • 2 cucharadas de aceite • 1 cucharada de salsa de soja (tamari) • sal marina

Preparación

1.º Lavar las endivias y cortarlas en rodajitas. Colocarlas en una fuente.
2.º Picar las nueces y cortar el queso a dados. Esparcirlo por encima de las endivias.
3.º Sazonar con el aceite, la salsa de soja y un poco de sal. Servir frío.

Valor nutritivo (por ración)	
Glúcidos	11 g
Lípidos	32 g
Prótidos	14 g
Calorías	376
Julios	1.572

181. ENSALADA DE ENDIVIAS A LA CREMA

Ingredientes

• 4 endivias • 2 huevos • 4 cucharadas de leche • 2 cucharadas de vinagre de manzana • 3 cucharadas de aceite • albahaca • sal marina

Preparación

1.º Separar las hojas de las endivias, lavarlas y escurrirlas. Colocarlas en una ensaladera.
2.º Batir los huevos y mezclarlos con la leche, el vinagre de manzana, un poco de albahaca y sal.
3.º En una cazuelita o sartén calentar el aceite. Echar los huevos batidos y cocerlos a fuego lento sin dejar de remover hasta obtener una crema consistente.
4.º Verter la salsa sobre las endivias y servir antes de que se enfríe.

Valor nutritivo (por ración)	
Glúcidos	6 g
Lípidos	15 g
Prótidos	8 g
Calorías	186
Julios	776

182. ENSALADA DE ESCAROLA Y REMOLACHA

Ingredientes

• 1 escarola • 2 remolachas • 2 huevos • 6 rabanitos • 4 cucharadas de aceite • zumo de medio limón • sal marina

Preparación

1.º Hervir las remolachas en agua con sal, durante unos cuarenta minutos, hasta que estén tiernas. Cocer también los huevos hasta que estén duros.
2.º Lavar bien la escarola y los rabanitos. Trocear la escarola y disponerla sobre una fuente de servir, aliñada con sal y aceite.
3.º Cuando las remolachas estén cocidas se dejan enfriar, se pelan y se cortan en rodajas. Aliñarlas con el zumo de limón,

sal y aceite. Cortar también en rodajas los dos huevos duros.

4.º Colocar las rodajas de remolacha sobre la escarola. Adornar con las rodajas de huevos y con los rabanitos semipartidos para que se abran en forma de flor.

Valor nutritivo (por ración)

Glúcidos	16 g
Lípidos	19 g
Prótidos	8 g
Calorías	253
Julios	1.058

183. ENSALADA DE ESPINACAS Y SOJA GERMINADA

Ingredientes

• 250 g de espinacas muy tiernas • 150 g de soja germinada • 3 tomates • 1 cebolla pequeña • 2 ramitas de apio tierno • 100 g de alcaparras • 3 cucharadas de aceite • 1 cucharada de salsa de soja (tamari) • sal de ajo • 1 cucharada de agua

Preparación

1.º Limpiar bien las espinacas, lavándolas con agua suficiente. Escurrir y picar menuditas.

2.º Lavar bien la cebolla pelada, los tomates y el apio. Picar la cebolla y el apio en trocitos muy menudos, y el tomate en trozos normales.

3.º Escaldar la soja germinada en agua hirviendo durante cinco minutos. Escurrir.

4.º Mezclar los ingredientes anteriormente preparados en una ensaladera.

5.º Preparar una salsita con el aceite, la salsa de soja, la sal de ajo y una cucharada de agua. Verter la salsa sobre la ensalada, remover bien y adornar con las alcaparras.

Valor nutritivo (por ración)

Glúcidos	21 g
Lípidos	12 g
Prótidos	6 g
Calorías	182
Julios	759

184. ENSALADA DE FRESAS

Ingredientes

• 1/2 kg de fresas o fresones • 2 plátanos • 1/2 kg de naranjas • 1 cucharada de miel

Preparación

1.º Se lavan bien las fresas y se pelan los plátanos.

2.º En una fuente honda se echan las fresas troceadas y los plátanos cortados en rodajas.

3.º Se exprimen las naranjas y en el zumo se disuelve la miel y se vierte por encima de las frutas troceadas.

Valor nutritivo (por ración)

Glúcidos	27 g
Lípidos	1 g
Prótidos	3 g
Calorías	117
Julios	487

185. ENSALADA DE FRUTAS

Ingredientes

• 2 peras • 2 plátanos • 2 manzanas • 2 melocotones • 2 naranjas • 4 rodajas de piña americana (ananás) • 100 g de avellanas tostadas • 200 g de nata líquida • 250 g de fresas

Preparación

1.º Se pelan las frutas, se cortan a cuadritos y se mezclan en una fuente. Las fresas se lavan y se reservan.
2.º Se añaden las avellanas picadas y se cubre todo con la nata. Se adorna con las fresas y se sirve.

Valor nutritivo (por ración)	
Glúcidos	73 g
Lípidos	27 g
Prótidos	9 g
Calorías	523
Julios	2.188

186. ENSALADA DE FRUTAS CON AGUACATE

Ingredientes

• 1 aguacate grande • 2 naranjas • 2 plátanos • 200 g de fresas • 200 g de melón • 200 g

de piña americana (ananás) • 200 g de melocotón • zumo de un limón

Preparación

1.º Lavar bien todas las frutas. Pelar y deshuesar las que convenga.
2.º Trocear todas las piezas en cuadritos. Mezclarlas en una ensaladera y rociarlas con el zumo del limón. Servir frío.

Valor nutritivo (por ración)	
Glúcidos	43 g
Lípidos	7 g
Prótidos	3 g
Calorías	238
Julios	993

187. ENSALADA DE GARBANZOS

Ingredientes

• 100 g de garbanzos • 1 pimiento verde • 2 tomates • 1 zanahoria • 1 tallo grande de apio tierno y con hojas • 1 pepino • 4 hojas de lechuga repollada • 4 cucharadas de «Salsa mayonesa» (ver receta n.º 411) • 4 cucharadas de aceite • zumo de medio limón • sal marina

Preparación

1.º Dejar los garbanzos en remojo la noche anterior. Cocerlos en abundante agua con sal hasta que estén tiernos. Escurrir y dejar enfriar.

2º Lavar bien todas las hortalizas y pelar las que convenga. Picarlo todo menudito a excepción de las cuatro hojas de lechuga que se dejarán enteras.

3º En un recipiente hondo se mezclan bien las hortalizas picadas, los garbanzos cocidos, el zumo de limón, el aceite y la sal.

4º Colocar en cada plato una hoja de lechuga, y sobre ésta una porción de la ensalada de garbanzos. Encima de todo se coloca una cucharada de mayonesa que ya tengamos preparada de otra vez.

Valor nutritivo (por ración)	
Glúcidos	24 g
Lípidos	32 g
Prótidos	8 g
Calorías	410
Julios	1.715

188. ENSALADA DE JUDIAS VERDES Y GUISANTES

Ingredientes

• 1/2 kg de judías verdes • 200 g de guisantes desgranados • 1 aguacate • 4 cucharadas de «Salsa a la vinagreta» (ver receta nº 397) • sal marina

Preparación

1º Lavar las judías verdes y trocearlas. Cocerlas en agua con un poco de sal.

2º Cocer igualmente los guisantes. Escurrir las verduras cuando estén tiernas, pero no demasiado cocidas, y mezclarlas en una ensaladera. Dejar enfriar.

3º Mientras se cuecen las verduras, preparar la salsa vinagreta siguiendo la receta que se indica.

4º Pelar el aguacate y cortar la mitad en tajaditas que dejaremos en espera. La otra mitad se pica menudito y se añade a la ensaladera.

5º Cuando se vaya a servir, aliñar la ensalada con la salsa preparada, remover bien y adornar con las tajaditas de aguacate.

Valor nutritivo (por ración)	
Glúcidos	20 g
Lípidos	13 g
Prótidos	7 g
Calorías	220
Julios	918

189. ENSALADA DE LECHUGA Y BERROS

Ingredientes

• 1 lechuga • 100 g de berros • 1 apio pequeño • 2 ramitas de menta • 2 ramitas de perejil • 4 cucharadas de aceite • 2 dientes de ajo • limón • sal marina

Preparación

1º Lavar las verduras y trocearlas junto con la menta y el perejil.

2º En un mortero machacar los ajos con un poco de sal. Añadir el aceite, unas gotas de limón y mezclarlo bien.

3º Se echa esta salsa sobre los vegetales, se mezcla bien y se coloca en una fuente de servir

Valor nutritivo (por ración)

Glúcidos	12 g
Lípidos	16 g
Prótidos	4 g
Calorías	195
Julios	814

190. ENSALADA DE MAIZ

Ingredientes

• *300 g de maíz tierno desgranado* • *2 tallos de apio* • *1 pimiento verde* • *1 pimiento rojo* • *1 cebolla pequeña* • *1/2 lechuga* • *perejil* • *«Salsa francesa»* (ver receta nº 409)

Preparación

1º Cocer el maíz y escurrirlo. Limpiar bien el resto de los ingredientes.
2º Preparar la «Salsa francesa» siguiendo la receta que se indica.
3º Cortar el apio muy menudito, el pimiento rojo en tiras finas y picar el pimiento verde y la cebolla. Mezclar todo bien y aliñar con la «Salsa francesa».
4º Sobre los platos se colocan las hojas de lechuga y encima se pone la ración de ensalada bien fría. Se adorna con el perejil.

Valor nutritivo (por ración)

Glúcidos	25 g
Lípidos	24 g
Prótidos	5 g
Calorías	330
Julios	1.378

191. ENSALADA DE NARANJAS

Ingredientes

• *700 g de naranjas* • *50 g de coco rallado* • *50 g de guindas en almíbar*

Preparación

1º Pelar las naranjas, cortarlas en rodajas y colocarlas sobre una fuente.
2º Espolvorearlas con el coco rallado y colocar una guinda sobre cada rodaja.

Valor nutritivo (por ración)

Glúcidos	27 g
Lípidos	7 g
Prótidos	2 g
Calorías	165
Julios	691

192. ENSALADA DE REMOLACHA

Ingredientes

• *250 g de remolacha* • *250 g de pepino* • *250 g de zanahorias* • *100 g de aceitunas negras* • *1 diente de ajo* • *4 cucharadas de aceite* • *zumo de medio limón* • *sal marina*

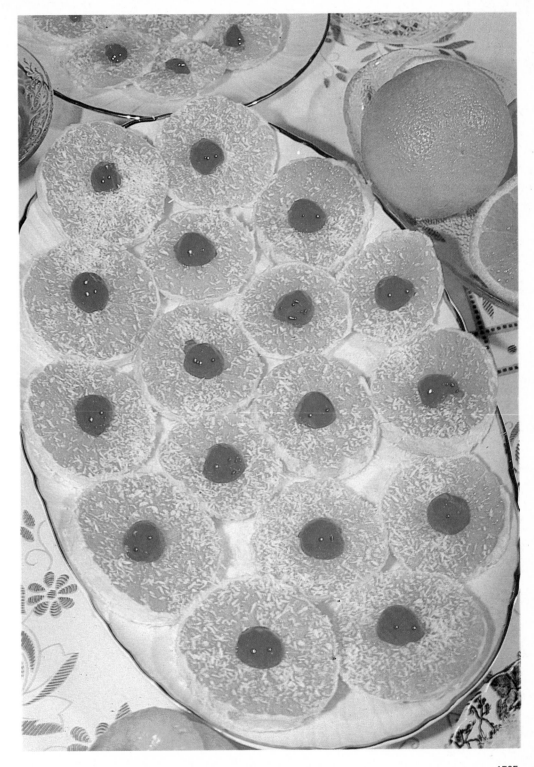

Preparación

1.º Lavar las remolachas y cocerlas en agua con sal, sin pelarlas.
2.º Cuando las remolachas estén tiernas, se escurren y se dejan enfriar. Pelarlas después y cortarlas en rodajas.
3.º Pelar los pepinos y las zanahorias, lavarlos y cortar los pepinos en rodajas y la zanahoria rallada.
4.º Pelar el ajo y machacarlo en un mortero, agregar la sal, el aceite y el zumo de limón. Mezclar bien y aliñar con un poco de esta salsa cada uno de los ingredientes que tenemos preparados.
5.º En una fuente de servir se coloca en el centro la zanahoria rallada. A su alrededor se colocan las rodajas de pepino montando unas sobre otras. Por el borde exterior se colocan las rodajas de remolacha montadas. Adornar también con las aceitunas.

Valor nutritivo (por ración)

Glúcidos . . . . 12 g
Lípidos . . . . 23 g
Prótidos . . . . 2 g
Calorías 256
Julios 1.071

193. ENSALADA DE REPOLLO Y CHAMPIÑONES

Ingredientes

• *300 g de repollo tierno* • *250 g de champiñones* • *150 g de queso manchego tierno* • *zumo de medio limón* • *«Salsa francesa»* (ver receta n.º 409)

Preparación

1.º Lavar bien el repollo que debe ser muy tierno. Las hojas más duras y verdes se pueden usar en otra receta.
2.º Limpiar bien los champiñones. Cortarlos en láminas muy finas, rociarlos con el zumo de limón y dejar en reposo durante unos minutos.
3.º Mientras tanto cortar el repollo en tiras muy finas, y el queso en taquitos.
4.º Preparar la «Salsa francesa», siguiendo la receta que se indica, y aliñar el repollo con ella.
5.º Sobre una fuente se coloca en primer lugar el repollo, por encima los champiñones y después los taquitos de queso adornando.

Valor nutritivo (por ración)

Glúcidos . . . . 7 g
Lípidos . . . . 33 g
Prótidos . . . . 12 g
Calorías 380
Julios 1.588

194. ENSALADA DE SOJA Y CHAMPIÑONES

Ingredientes

• *250 g de soja germinada* • *250 g de champiñones* • *1 pimiento rojo asado* • *«Salsa a la vinagreta»* (ver receta n.º 397)

Preparación

1.º Preparar la salsa a la vinagreta siguiendo la receta que se cita.

2.º Limpiar bien los champiñones y cortarlos en filetes finos. Rociarlos con la salsa a la vinagreta y dejarlos adobar durante una hora removiendo de vez en cuando.

3.º Asar el pimiento (si no lo ha comprado de bote), pelarlo y cortarlo en tiras.

4.º Añadir la soja germinada y el pimiento a los champiñones, remover y servir.

Valor nutritivo (por ración)	
Glúcidos	5 g
Lípidos	29 g
Prótidos	5 g
Calorías	312
Julios	1.260

195. ENSALADA DE VEGETALES

Ingredientes

• 250 g de col lombarda • 250 g de remolacha • 200 g de champiñones • 2 ramas de apio muy tierno • 2 alcachofas pequeñas • 4 cucharadas de aceite • zumo de un limón • sal marina

Preparación

1.º Cocer las remolachas en agua con sal hasta que estén tiernas. Escurrir, dejar enfriar, pelar y cortar en dados pequeños. Aliñar con sal y limón.

2.º Limpiar bien los champiñones y cortarlos en filetes finos. Limpiar igualmente las alcachofas, quitándoles las hojas duras y cortándoles el tallo y las puntas. Dejar exclusivamente la parte más tierna y cortar en gajos muy finos. Mezclar las alchachofas con los champiñones y rociar con zumo de limón. Dejar reposar media hora para que tomen el sabor del limón.

3.º Escoger de la lombarda la parte central más tierna. Lavar bien y cortar muy menudita sobre una ensaladera.

4.º Lavar bien el apio, cortarlo en rodajitas y mezclarlo con la lombarda.

5.º Cuando se vaya a servir mezclar en la ensaladera todos los ingredientes, agregar el aceite y la sal, remover bien y servir.

Valor nutritivo (por ración)	
Glúcidos	15 g
Lípidos	15 g
Prótidos	5 g
Calorías	209
Julios	875

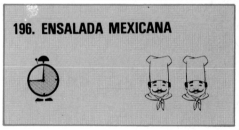

196. ENSALADA MEXICANA

Ingredientes

• 200 g de maíz • 1 pimiento rojo mediano • 1 pimiento verde mediano • 2 zanahorias • 2 tomates • 1 pepino pequeño • 3 hojas de lechuga • 100 g de guisantes • 100 g de aceitunas verdes y negras • 1 decilitro de aceite • zumo de medio limón • perejil picado • 1 cucharadita de levadura de cerveza • sal marina

Preparación

1.º Cocer el maíz en agua con sal hasta que esté tierno. (Si es congelado necesitará sólo unos cinco minutos de cocción.) Escurrir y dejar enfriar.

2.º Cocer los guisantes igualmente. Si son de bote no hay que hervirlos.

3.º Mientras tanto lavar bien todas las hortalizas, pelando las que convenga.

4.º Cortar en rebanadas o en pequeños trocitos cada hortaliza. Disponerlas sobre una fuente, mezclando bien. Verter por encima el maíz, los guisantes y las aceitunas.

5.º Preparar una salsita batiendo el aceite, el zumo de limón, el perejil, la levadura de cerveza y la sal. Rociar la ensalada con esta salsa y servir.

Valor nutritivo (por ración)	
Glúcidos	30 g
Lípidos	27 g
Prótidos	9 g
Calorías	383
Julios	1.603

197. ENSALADA MIXTA

Ingredientes

• 1 lechuga • 50 g de berros • 3 tomates • 1 zanahoria • 2 cebolletas • 1 pimiento verde • 1 pepino • 1 remolacha • 1 aguacate • 4 rábanos • 1 huevo • 150 g de aceitunas verdes y negras • 6 cucharadas de aceite • zumo de medio limón • sal marina

Preparación

1.º Lavar las remolachas y cocerlas en agua con sal, sin pelarlas, hasta que estén tiernas. Escurrir, dejar enfriar y pelar.

2.º Lavar bien el resto de hortalizas y verduras, pelando las que convenga.

3.º Cocer el huevo durante diez minutos. Enfriar bajo el chorro de agua y pelar.

4.º Trocear la lechuga y los berros. Cortar en rodajas el pepino, los tomates, la zanahoria, las cebolletas, la remolacha y los rábanos. El pimiento se corta en tiritas finas.

5.º Colocar todos los ingredientes troceados en una ensaladera y aliñarlos con la sal, el orégano, el aceite y el zumo de limón.

6.º Pelar el aguacate, deshuesarlo y cortarlo en tajaditas. Cortar también el huevo a rebanadas. Adornar la ensalada con estos ingredientes y con las aceitunas.

Valor nutritivo (por ración)	
Glúcidos	30 g
Lípidos	37 g
Prótidos	9 g
Calorías	473
Julios	1.975

198. ENSALADA ORIENTAL

Ingredientes

• 100 g de soja germinada • 100 g de champiñones • zumo de medio limón • 1 cebolleta • 1 diente de ajo • 1/2 lechuga • 100 g de arroz integral • perejil y menta • «Salsa de sésamo» (ver receta n.º 406)

Preparación

1.º Cocer el arroz siguiendo la receta del «Arroz base integral» (ver receta n.º 30).

2.º Limpiar los champiñones, cortarlos y dejarlos remojar media hora con agua y zumo de limón.

3.º Limpiar la lechuga y la cebolleta y ponerlas en una ensaladera cortadas en tiras.

4.º Añadir la soja germinada, el ajo picado, el arroz cocido, el champiñón escurrido, un poco de perejil y menta picados y sazonar con la «Salsa de sésamo».

Valor nutritivo (por ración)

Glúcidos	25 g
Lípidos	21 g
Prótidos	5 g
Calorías	308
Julios	1.285

199. ENSALADA PERFECCION

Ingredientes

• *100 g de soja blanca* • *100 g de col tierna* • *2 zanahorias* • *1 pimiento verde pequeño* • *1/2 lechuga pequeña* • *«Salsa mayonesa»* (ver receta n.º 411) • *sal marina*

Preparación

1.º Dejar en remojo la soja la noche anterior. Cocerla en abundante agua con sal hasta que esté tierna. Escurrir y dejar enfriar.

2.º Escoger la parte más tierna de la col, lavarla bien y picarla muy finamente. Pelar y lavar las zanahorias. Rallarlas y añadir a la col picada. Picar igualmente el pimiento y mezclarlo también con los ingredientes anteriores. Las hojas de lechuga se lavan bien pero se dejan enteras sobre la bandeja en que se vaya a servir la ensalada.

3.º Sazonar las hortalizas picadas, añadirles la soja cocida y remover bien. Colocar sobre las hojas de lechuga.

4.º Preprar la salsa mayonesa siguiendo la receta que se cita, pero usar sólo la mitad de la preparación, el resto se puede guardar para otra receta.

5.º Decorar la ensalada repartiendo la mayonesa con una manguera pastelera.

Valor nutritivo (por ración)

Glúcidos	16 g
Lípidos	34 g
Prótidos	11 g
Calorías	394
Julios	1.647

200. ENSALADA PRIMAVERA

Ingredientes

• *150 g de guisantes desgranados* • *400 g de judías verdes* • *1/2 kg de patatas* • *1/2 kg de tomates* • *1 zanahoria* • *1 cebolla* • *3 cucharadas de aceite de oliva* • *1 diente de ajo grande* • *perejil* • *orégano* • *sal marina*

Preparación

1.º Se hierven los guisantes y las judías limpias y troceadas y se escurren. Las patatas se lavan y se cuecen con piel, una vez cocidas se pelan y se cortan en cuadritos.

2.º Se limpian la cebolla, los tomates y la zanahoria y se pican en una ensaladera.

Se añaden los guisantes, las judías y las patatas.

3.º Se sazona con el aceite, el ajo y el perejil bien picaditos, el orégano y sal. Se mezcla bien y se sirve fría.

Valor nutritivo (por ración)

Glúcidos	42 g
Lípidos	12 g
Prótidos	9 g
Calorías	307
Julios	1.284

201. ENSALADA ROJA

Ingredientes

• 150 g de col lombarda • 250 g de remolacha roja • 100 g de rabanitos • 250 g de tomates • 250 g de zanahorias • 100 g de aceitunas negras • 4 cucharadas de aceite de oliva • sal marina

Preparación

1.º Lavar bien las hortalizas y pelar las que sea necesario.
2.º Cortar la col en tiras muy finas, los tomates y los rabanitos en rodajas y rallar la zanahoria y la remolacha en crudo.
3.º En el centro de una fuente se pone la col, alrededor, formando una corona, la remolacha y la zanahoria ralladas. Por encima se colocan los tomates, los rabanitos y las aceitunas.
4.º Espolvorear con sal y rociar con el aceite de oliva.

Valor nutritivo (por ración)

Glúcidos	17 g
Lípidos	23 g
Prótidos	4 g
Calorías	284
Julios	1.188

202. ENSALADA TROPICAL

Ingredientes

• 250 g de mango • 250 g de piña • 250 g de papaya • 2 plátanos • zumo de 2 naranjas • 100 g de avellanas tostadas

Preparación

1.º Lavar las frutas, pelarlas y trocearlas en cuadritos.

2.º Picar las avellanas y añadirlas a las frutas.

3.º Añadir el zumo de dos naranjas y servir fresco.

Valor nutritivo (por ración)

Glúcidos	40 g
Lípidos	16 g
Prótidos	6 g
Calorías	297
Julios	1.243

RECETA n.º 203

203. ENSALADA VARIADA CON AGUACATE

Ingredientes

• *2 aguacates* • *1 manojo de berros* • *1/2 kg de tomates* • *1 pepino* • *200 g de queso fresco (tipo Burgos)* • *4 cebolletas pequeñas* • *4 cucharadas de aceite* • *unas gotas de salsa de soja (tamari)* • *zumo de medio limón*

Preparación

1.º Lavar bien los berros, los tomates, el pepino y las cebolletas. Picar los berros y las cebolletas finamente. Cortar el pepino y los tomates en cuadritos, excepto medio tomate maduro que se ralla y reserva para la salsa.

2.º Pelar los aguacates, quitarles el hueso y cortarlos en cubitos. Rociarlos con el zumo de limón. Cortar el queso igualmente en cubitos y reservar aparte.

3.º Mezclar el aceite, la salsa de soja y el tomate rallado, batiendo ligeramente con un tenedor.

4. En una ensaladera se mezclan bien los berros, los tomates, el pepino y las cebolletas con la salsa que hemos preparado. Repartir la ensalada en cuatro platos individuales pero grandes. Colocar sobre la ensalada y en el centro del plato los aguacates, y disponer el queso alrededor formando corona. Servir en seguida.

Valor nutritivo (por ración)	
Glúcidos	20 g
Lípidos	33 g
Prótidos	11 g
Calorías	410
Julios	1.713

204. ENSALADILLA RUSA

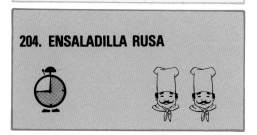

Ingredientes

- 1/2 kg de patatas • 250 g de zanahorias
- 100 g de guisantes pequeños • 100 g de

judías verdes redondas • 2 pimientos morrones asados • 100 g de aceitunas verdes sin hueso • 1 huevo • «Salsa mayonesa» (ver receta n.º 411)

Preparación

1.º Lavar las patatas y cocerlas con piel en agua con sal. Cocer también el huevo.

2.º Pelar y lavar las zanahorias, los guisantes y las judías verdes, que se ponen a cocer en agua con sal.

3.º Preparar la mayonesa siguiendo la receta que se indica.

4.º Cuando estén tiernas las verduras se escurren, se cortan las zanahorias a cuadritos, las judías verdes a trozos pequeños y se colocan en una fuente.

5.º Se pelan las patatas cocidas y se cortan a cuadritos para añadirlas a las verduras.

6.º Se añaden la mitad de las aceitunas, un pimiento morrón cortado en trocitos pequeños y la mayonesa, de la que se reserva un poco. Mezclar bien y darle un poco de forma.

7.º Recubrir con el resto de la mayonesa y adornar con tiras de pimiento morrón, rodajas de huevo duro y el resto de las aceitunas. Servir fría.

Valor nutritivo (por ración)	
Glúcidos	37 g
Lípidos	65 g
Prótidos	11 g
Calorías	787
Julios	3.290

205. ENSALADILLA RUSA DE ARROZ

Ingredientes

• 200 g de arroz integral • 100 g de judías verdes • 100 g de guisantes • 2 zanahorias (200 g) • 1 pimiento rojo asado (puede ser de bote) • 1 cebolla mediana • 1 huevo duro • 50 g de aceitunas sin hueso • 1 taza de mayonesa (ver receta n.º 411) • sal marina • 2 cucharadas de aceite de oliva

Preparación

1.º Cocer el arroz siguiendo la receta n.º 30, «Arroz base integral». Dejar enfriar.

2.º Lavar bien las verduras. Las judías verdes se cortan en trocitos pequeños. Las zanahorias se pelan y se cortan en cuadritos. El pimiento se parte a tiras largas. La cebolla se pela y se pica. El huevo cocido se parte en rodajitas.

3.º En una cazuela con agua y sal, se cuecen las judías, los guisantes y las zanahorias. Escurrir bien (guardar el caldo para alguna sopa o arroz).

4.º En una sartén pequeña, se rehoga la cebolla con el aceite y un poco de sal. Debe quedar tierna, pero no dorada.

5.º Mezclar bien el arroz con las verduras y la cebolla rehogada. Añadir la mayonesa. Remover bien y disponer sobre una fuente. Adornar con el huevo cocido, las aceitunas y unas tiras de pimiento.

Valor nutritivo (por ración)	
Glúcidos	55 g
Lípidos	70 g
Prótidos	12 g
Calorías	913
Julios	3.816

206. ERIZO DE HUEVOS

Ingredientes

• 1 docena y media de huevos de codorniz • 1 lombarda mediana • «Salsa rosa» (ver receta n.º 415)

Preparación

1.º Cocer los huevos y pelarlos.

2.º Preparar la «Salsa rosa» siguiendo las instrucciones de la receta indicada.

3.º Practicar un agujero en la parte superior de la lombarda en el que se encajará un vasito con la salsa.

4.º Pinchar cada huevo con un palillo y colocarlos adornando la lombarda en forma de erizo. Los huevos se comen untándolos en la salsa. La lombarda sólo sirve de adorno pero puede usarse después en la preparación de otra receta.

Valor nutritivo (por ración)	
Glúcidos	2 g
Lípidos	37 g
Prótidos	9 g
Calorías	384
Julios	1.606

Valor nutritivo (por ración)	
Glúcidos	29 g
Lípidos	16 g
Prótidos	6 g
Calorías	263
Julios	1.097

207. «ESCALIBADA»

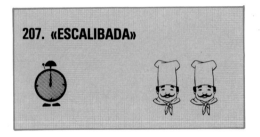

Ingredientes

• 4 berenjenas finas alargadas • 2 pimientos rojos • 2 tomates grandes y maduros • 2 cebollas • 2 dientes de ajo • perejil • sal marina • 4 cucharadas de aceite de oliva

Preparación

1.º Lavar bien todas las hortalizas.
2.º Asar a la parrilla teniendo en cuenta los tiempos de cada hortaliza. Las cebollas una hora, las berenjenas unos cuarenta y cinco minutos, los pimientos media hora y los tomates unos quince minutos.
3.º Dejar enfriar y cortar en trozos grandes. Mezclar bien en una fuente honda, sazonar a gusto, añadir el aceite y los ajos picados. Espolvorear con el perejil y servir.

208. ESCALOPES DE CHAMPIÑON

Ingredientes

• 250 g de champiñones • 50 g de almendras tostadas • 3 cucharadas de harina • 3 dientes de ajo • 1 ramita de perejil • 3 decilitros de leche • 2 huevos • pan rallado • aceite de oliva • sal marina

Preparación

1.º Limpiar y lavar los champiñones quitando, con la punta de un cuchillo o raspando, las impurezas que pudieran tener y cortarlos muy menudos.
2.º En una sartén calentar dos cucharadas de aceite y freír en él los champiñones hasta que casi hayan perdido todo el jugo.
3.º Pelar dos dientes de ajo, ponerlos en un mortero con las almendras y machacarlo todo. Unir a los champiñones y reservar.
4.º Calentar otras dos cucharadas de aceite en la sartén y freír el otro diente de ajo picado muy menudo.
5.º Cuando esté el ajo ligeramente dorado añadir la harina y tostarla un poco. A

RECETA n.º 207

continuación agregar el picado de champiñón y la leche. Mezclar bien sin que se formen grumos y sazonar con sal a gusto. Dejar cocer hasta que espese como para hacer croquetas dándole vueltas continuamente.

6.º Separar las yemas de las claras. Antes de retirar la pasta del fuego añadir las dos yemas y remover enérgicamente.

7.º Extender la pasta en una fuente plana, debe quedar del grosor de un centímetro. Dejarla enfriar. Batir las claras de los huevos y poner a calentar aceite en la sartén.

8.º Cortar la pasta en cuadros irregulares, rebozarlos en las claras batidas y el pan rallado y freírlos en el aceite caliente.

Valor nutritivo (por ración)

Glúcidos	21 g
Lípidos	31 g
Prótidos	13 g
Calorías	408
Julios	1.704

209. ESCALOPES VEGETALES ESTOFADOS

Ingredientes

• 1 bote de escalopes vegetales • 1 zanaho-ria • 1 cebolla pequeña • 1 pimiento peque-ño • 1 berenjena (opcional) • 2 dientes de ajo • 1 decilitro de zumo de manzana • una pizca de mezcla de hierbas aromáticas • sal marina • 2 cucharadas de aceite de oliva

Preparación

1.º Lavar bien las hortalizas, pelando pre-viamente la cebolla y la zanahoria. Cor-tar la zanahoria a rodajitas y el resto pi-carlo menudito.

2.º Poner las hortalizas picadas en una ca-zuela con el aceite y un poco de sal. Re-hogar a fuego medio durante dos minu-tos. Añadir entonces los escalopes vege-tales y seguir rehogando durante otros dos o tres minutos.

3.º Incorporar el zumo de manzana y las hierbas aromáticas. Añadir también un poquito de agua de forma que cubra es-casamente los escalopes.

4.º Cuando comience la ebullición rectificar de sal y agregar los ajos machacados en el mortero. Cocer a fuego medio, con la cazuela tapada, durante unos quince minutos.

Valor nutritivo (por ración)

Glúcidos	16 g
Lípidos	9 g
Prótidos	12 g
Calorías	188
Julios	786

210. ESCORZONERA REBOZADA

Ingredientes

• *1 kg de escorzoneras* • *2 huevos* • *4 cucharadas de pan rallado* • *1 limón* • *sal marina* • *aceite de oliva*

Preparación

1º Pelar las escorzoneras y lavarlas. Cocerlas en agua, un poco de sal y el zumo de medio limón. Escurrir y dejar enfriar.

2º Batir los huevos con un poco de sal. Cortar las escorzoneras en tres lonchas a lo largo, pasarlas por el huevo batido y el pan rallado.

3º Calentar el aceite en una sartén y freír las escorzoneras hasta que estén doradas por ambos lados. Apartar sobre una fuente sobre papel absorbente. Servir caliente y adornar con unas rajitas de limón.

Valor nutritivo (por ración)

Glúcidos	25 g
Lípidos	24 g
Prótidos	7 g
Calorías	346
Julios	1.447

211. ESPAGUETIS CON CEBOLLA

Ingredientes

• *250 g de espaguetis* • *1 kg de cebollas* • *1 decilitro de aceite de oliva* • *2 decilitros de caldo de verduras* • *1 decilitro de nata líquida* • *50 g de queso tierno rallado* • *sal marina* • *1 cucharada de «Salsa de tomate I»* (ver receta nº 407).

Preparación

1º Pelar, lavar y picar las cebollas finamente. Rehogarlas en una cazuela en el aceite, a fuego muy suave para que no lleguen a dorarse. Añadir de vez en cuando unas cucharadas del caldo de verduras para que se vayan cociendo sin tomar color.

2º Cuando ya esté casi deshecha la cebolla, se le agrega sal y una cucharada de salsa de tomate que nos haya sobrado de otra receta.

3º Hervir los espaguetis en abundante agua con sal hasta que estén «al dente». Escurrirlos y regarlos con la nata líquida, removiendo bien.

4º Añadirles la cebolla y el queso rallado. Mezclar y servir caliente.

Valor nutritivo (por ración)

Glúcidos	83 g
Lípidos	48 g
Prótidos	18 g
Calorías	829
Julios	3.465

212. ESPAGUETIS CON ESPINACAS

Ingredientes

• *250 g de espaguetis* • *100 g de nueces picadas* • *1/2 kg de espinacas* • *«Salsa bechamel II»* (ver receta n.º 401, sólo la mitad) • *50 g de queso manchego tierno rallado* • *1 cucharada de aceite* • *sal marina*

Preparación

1.º Preparar la «Salsa bechamel I» siguiendo las instrucciones de la receta indicada pero con la mitad de los ingredientes.

2.º Cocer los espaguetis en abundante agua con sal y un cucharada de aceite para que no se peguen. Retirarlos del fuego cuando estén «al dente» y escurrir.

3.º Limpiar y lavar bien las espinacas. Ponerlas a cocer con muy poca agua y sal durante cinco minutos. Escurrirlas y picarlas muy finas.

4.º En una fuente de servir poner los espaguetis, las espinacas, las nueces picadas y la bechamel. Mezclarlo bien y espolvorearlo con el queso rallado.

Valor nutritivo (por ración)	
Glúcidos	62 g
Lípidos	31 g
Prótidos	22 g
Calorías	611
Julios	2.554

213. ESPAGUETIS VERONA

Ingredientes

• *350 g de espaguetis* • *«Salsa de tomate II»* (ver receta n.º 408) • *100 g de queso mozzarella rallado* • *25 g de almendras picadas* • *50 g de aceitunas negras* • *1 ramita de albahaca* • *1 cucharada de aceite* • *sal marina*

Preparación

1.º Cocer los espaguetis en bastante agua hirviendo con sal y una cucharadita de aceite para que no se peguen. Dejar cocer hasta que estén «al dente» y escurrir.

2.º Preparar la salsa de tomate siguiendo la receta que se indica.

3.º Picar las aceitunas en trocitos y añadirlas a los espaguetis. Agregar también las almendras y mezclar.

4.º Colocar los espaguetis en una fuente para horno y cubrirlos con la salsa de tomate, la albahaca picada muy fina y el queso mozzarella rallado. Introducir en el horno caliente hasta fundir el queso.

Valor nutritivo (por ración)	
Glúcidos	80 g
Lípidos	35 g
Prótidos	18 g
Calorías	710
Julios	2.967

RECETA n.º 213

214. ESPARRAGOS A LA CREMA

Ingredientes

• *1,5 kg de espárragos* • *2 huevos* • *2 decilitros de nata líquida* • *70 g de queso rallado* • *una pizca de nuez moscada* • *sal marina*

Preparación

1.º Lavar bien los espárragos. Cortar las puntas, sólo la parte más tierna que no necesita pelarse. Del resto del espárrago todavía podrá aprovechar un trozo más, pelándolo, pero resérvelo para otra receta. Procurar que todas las puntas estén cortadas al mismo tamaño. Atarlas en un manojo.

2.º Poner agua en una cazuela con un poco de sal. Poner a hervir a fuego vivo. Cuando comience a hervir introducir los espárragos con las puntas hacia arriba, de forma que sobresalgan un poco del agua. Cuando recobre la ebullición reducir el fuego y cocer durante quince o veinte minutos.

3.º Mientras tanto cocer también los huevos con agua y sal durante diez minutos. Pasar por agua fría antes de pelarlos. Pelar y rallar sobre un recipiente hondo. Añadir la nata, sal a gusto, una pizca de nuez moscada y un poco de queso rallado. Mezclar bien, batiendo. Encender el horno.

1520

RECETA n.º 214

4.º Escurrir los espárragos y quitarles el hilo. En una fuente ligeramente untada con aceite, colocar la mitad de los espárragos con las puntas hacia los extremos de la fuente. Verter sobre esta capa la mitad de la salsa que hemos preparado. Colocar encima el resto de los espárragos de la misma forma que antes y cubrirlos con la otra mitad de la salsa. Espolvorear con el queso rallado.

5.º Introducir en el horno a fuego medio hasta que el queso se dore. Servir caliente.

Valor nutritivo (por ración)

Glúcidos	8 g
Lípidos	20 g
Prótidos	14 g
Calorías	259
Julios	1.083

215. ESPARRAGOS CON MAYONESA

Ingredientes

• 1/2 kg de espárragos verdes • 1 pimiento morrón asado • 3 huevos • 1 lechuga pequeña • «Salsa mayonesa» (ver receta n.º 411)

Preparación

1.º Se limpian y se cuecen los espárragos. Se lava la lechuga y se cuecen los huevos.

2.º Preparar la mayonesa siguiendo la receta que se indica.

1521

3.º Se colocan las hojas de lechuga en una fuente y se cubren ligeramente de mayonesa.

4.º Una vez cocidos los espárragos se van colocando a montoncitos sobre la lechuga. Los huevos duros se cortan por la mitad y se colocan repartidos por la fuente.

5.º Se cubre todo con mayonesa y se adorna con el pimiento morrón cortado en tiras.

Valor nutritivo (por ración)	
Glúcidos	8 g
Lípidos	64 g
Prótidos	12 g
Calorías	656
Julios	2.742

216. ESPARRAGOS GUISADOS

Ingredientes

• 1 kg de espárragos trigueros • 1 cebolla • 4 huevos • 1 cucharada de harina • 2 dientes de ajo • perejil • 1/2 cucharadita de cominos • 1/2 cucharadita de pimentón • sal marina • 3 cucharadas de aceite

Preparación

1.º Lavar y trocear los espárragos. Pelar y lavar la cebolla y los ajos. Picar la cebolla muy menudita.

2.º Calentar el aceite en una cazuela. Rehogar la cebolla picada, con un poco de sal, a fuego lento. Cuando la cebolla esté tierna añadir los espárragos y seguir rehogando.

3.º Mientras tanto machacar en un mortero

los ajos, el perejil y los cominos con un poco de sal. Cuando esté bien machacado se le agrega un poquito de agua, se remueve bien y se agrega a los espárragos. Seguir rehogando y removiendo hasta que se evapore el caldo. Agregar entonces el pimentón dulce y un cucharada de harina. Remover bien, pero con cuidado, para que no se rompan los espárragos. Añadir agua fría para que cubra escasamente los espárragos. Seguir removiendo al mismo tiempo que se añade el agua para evitar los grumos. Rectificar de sal y seguir cociendo a fuego lento durante unos veinte minutos.

4.º Verter los cuatro huevo crudos sobre los espárragos, sazonar ligeramente y seguir cociendo hasta que se cuajen las claras.

Valor nutritivo (por ración)	
Glúcidos	15 g
Lípidos	18 g
Prótidos	14 g
Calorías	275
Julios	1.149

217. ESPARRAGOS VERDES A LA ANDALUZA

Ingredientes

• 750 g de espárragos verdes • 2 rebanadas de pan integral • 1 cucharada de harina • 2 dientes de ajo • perejil • azafrán • 3 cucharadas de aceite de oliva • sal marina

Preparación

1.º Lavar bien los espárragos desechando los tallos leñosos. Cortarlos en trozos regulares y cocerlos en una cazuela con poca agua y sal.

2.º En una sartén se doran los ajos pelados y las rebanadas de pan. Machacar todo en un mortero junto con un poco de azafrán y verterlo sobre los espárragos.

3.º En el aceite que habrá quedado tostar la harina y verterla también a la cazuela. Remover bien y dejar cocer a fuego suave hasta que espese la salsa. Espolvorear con el perejil picado y servir caliente.

Valor nutritivo (por ración)

Glúcidos	18 g
Lípidos	12 g
Prótidos	6 g
Calorías	199
Julios	832

218. ESPINACAS A LA CATALANA

Ingredientes

• 1 kg de espinacas de tallo corto • 250 g de zanahoria • 1 cebolla • 2 huevos • 50 g de piñones • 50 g de pasas de Corinto • 3 cucharadas de aceite • sal marina • 100 g de queso manchego tierno rallado • «Salsa bechamel II» (ver receta n.º 401)

Preparación

1.º Limpiar y lavar bien las espinacas. Pelar y lavar las zanahorias y la cebolla. Cortar a trozos pequeños las espinacas, rallar la zanahoria y picar muy menudita la cebolla.

2.º En una cazuela que se pueda tapar se ponen las espinacas ligeramente escurridas junto con la cebolla picada, una cucharada de aceite y un poco de sal. Se deja que cuezan al vapor a fuego muy suave con la cazuela tapada.

3.º Preparar la salsa bechamel siguiendo la receta que se indica.

4.º Calentar dos cucharadas de aceite en una sartén y rehogar ligeramente la zanahoria rallada, sazonando a gusto.

5.º Cocer los dos huevos en agua y con un poco de sal. Enfriar rápidamente y pelar.

6.º Picar los huevos menuditos y añadirlos a la cazuela donde las espinacas ya estarán tiernas. Agregar también la zanahoria rehogada, las pasas y los piñones. Remover bien y verter todo sobre una fuente para horno. Cubrir con la salsa bechamel y el queso rallado.

7.º Introducir en el horno para gratinar hasta que se dore el queso.

Valor nutritivo (por ración)

Glúcidos	44 g
Lípidos	44 g
Prótidos	28 g
Calorías	666
Julios	2.784

219. ESPINACAS ESTOFADAS

Ingredientes

• 1 kg de espinacas • 1 pimiento rojo seco (o una ñora) • 4 dientes de ajo • 1 rebanada de

RECETA n.º 219

pan integral duro • *5 cucharadas de aceite de oliva* • *sal marina*

Preparación

1.º Limpiar bien las espinacas, lavarlas y cortarlas menudas.

2.º En una cazuela o sartén grande freír el pimiento rojo, dándole vueltas continuamente para que no se queme. Apartar y reservar. Freír también los ajos y apartar, así como el pan integral hasta que quede crujiente, pero no quemado.

3.º En el aceite que ha quedado se rehogan las espinacas, a fuego muy suave y tapadas. Agregar un poco de sal y remover de vez en cuando.

4.º En un mortero se machacan el pan, los ajos fritos y pelados, y el pimiento. Cuando esté todo machacado añadir un vaso de agua, remover bien y agregar a las espinacas.

5.º Dejar cocer unos diez minutos a fuego medio, removiendo de vez en cuando. Servir caliente.

Valor nutritivo (por ración)	
Glúcidos	13 g
Lípidos	20 g
Prótidos	6 g
Calorías	248
Julios	1.035

RECETA n.º 221

220. ESPINACAS REHOGADAS CON PIÑONES

Ingredientes

• *1 kg de espinacas* • *50 g de piñones* • *6 dientes de ajo* • *4 cucharadas de aceite de oliva* • *sal marina*

Preparación

1.º Lavar bien las espinacas. Trocearlas y eliminar los tallos si son duros. Pelar los ajos y picarlos finamente.

2.º Calentar el aceite en una sartén y dorar ligeramente los ajos picados con un poco de sal. Añadir los piñones y a continuación las espinacas ligeramente escurridas. Sazonar a gusto y seguir rehogando a fuego suave, tapando la sartén para que se cuezan al vapor.

Valor nutritivo (por ración)	
Glúcidos	12 g
Lípidos	21 g
Prótidos	8 g
Calorías	254
Julios	1.064

1525

221. ESTOFADO CRUJIENTE DE JUDIAS Y ARROZ

Ingredientes

• 100 g de judías pintas • 200 g de arroz integral • 1 zanahoria • 2 ramas de apio • 100 g de soja germinada • 4 cucharadas de aceite de ajo • 50 g de nueces • 50 g de almendras • 25 g de piñones • 1 cucharadita de salsa de soja (tamari) • 4 cucharadas de aceite de oliva • sal marina

Preparación

1.º Poner las judías pintas en remojo la noche anterior. Cocerlas en agua con sal y escurrirlas cuando estén tiernas.
2.º Cocer el arroz integral siguiendo las instrucciones de la receta n.º 30, «Arroz base integral».
3.º Pelar, lavar y picar la zanahoria, el apio y la cebolla.
4.º En una sartén grande con el aceite, se ponen a rehogar la cebolla, la zanahoria, el apio, el ajo picado y la soja germinada, durante unos cinco minutos.
5.º Cuando todavía estén duras las verduras se añade el arroz cocido y las judías. Se rocía todo con la salsa de soja y se remueve ligeramente.
6.º Cubrir con las nueces y las almendras picadas y los piñones enteros. Servir caliente.

Valor nutritivo (por ración)	
Glúcidos	67 g
Lípidos	33 g
Prótidos	18 g
Calorías	624
Julios	2.609

222. ESTOFADO DE ALCACHOFAS Y CASTAÑAS

Ingredientes

• 1 kg de alcachofas • 150 g de castañas • 250 g de zanahorias • 250 g de cebolla • 5 dientes de ajos • 50 g de aceitunas sin hueso • zumo de medio limón • sal marina • una ramita de romero • 4 cucharadas de aceite de oliva

Preparación

1.º Pelar bien las alcachofas eliminando las hojas más duras, el tallo y las puntas. Lavarlas y rociarlas con zumo de limón. Pelar y lavar las zanahorias, las cebollas y los ajos. Cortar las zanahorias en rodajitas y picar la cebolla y los ajos. Pelar y trocear las castañas.
2.º Calentar el aceite en una cazuela de barro. Trocear las alcachofas y rehogarlas en la cazuela junto con las zanahorias y las castañas. Sazonar a gusto. Añadir la cebolla y los ajos picados y seguir rehogando durante unos cinco minutos.
3.º Añadir un vaso de agua y cuando comience a hervir rectificar de sal y agregar las aceitunas y una ramita de romero. Seguir cociendo a fuego suave, con la cazuela tapada, durante unos quince minutos.

Valor nutritivo (por ración)	
Glúcidos	46 g
Lípidos	19 g
Prótidos	6 g
Calorías	349
Julios	1.458

223. ESTOFADO DE CEBOLLITAS Y PATATAS

Ingredientes

- 1/2 kg de patatas nuevas muy pequeñas • 300 g de cebollas pequeñas • 1 vaso de caldo de verduras • 2 hojas de laurel • 1 cucharadita de pimentón dulce • 4 cucharadas de aceite de oliva • sal marina

Preparación

1.º Pelar las patatitas y lavarlas. Deben ser lo bastante pequeñas como para dejarlas enteras. En su defecto pueden emplearse de mayor tamaño troceadas.

2.º Pelar las cebollitas.

3.º En una cazuela calentar el aceite, echar las patatas y las cebollitas enteras y rehogar unos minutos.

4.º Añadir después el laurel, el pimentón, la sal y un poco de caldo.

5.º Tapar la cazuela y dejar cocer a fuego lento hasta que esté tierno, añadiendo poco a poco algo de caldo de verduras para mantener la cocción sin que se agarre.

Valor nutritivo (por ración)	
Glúcidos	24 g
Lípidos	15 g
Prótidos	3 g
Calorías	247
Julios	1.035

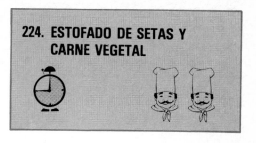

224. ESTOFADO DE SETAS Y CARNE VEGETAL

Ingredientes

- 250 g de setas de cardo • 4 filetes de carne vegetal • 250 g de patatitas nuevas • 1 cebolla • 1 tomate maduro • 2 dientes de ajo • perejil • 1 hoja de laurel • 5 cucharadas de aceite • sal marina

Preparación

1.º Limpiar bien las setas de cardo con un cuchillito. Lavarlas ligeramente con agua y trocearlas. Raspar la piel de las patatitas, que deben ser muy pequeñas. Pelar también la cebolla y lavar todas las hortalizas.

2.º En una cazuela rehogar en primer lugar las patatitas en el aceite con un poco de sal. Cuando empiecen a dorarse apartar sobre un plato y reservar.

3.º Picar la cebolla y rehogarla en el mismo aceite de la cazuela. Cuando empiece a dorarse añadir las setas y sal a gusto. Seguir rehogando unos minutos y agregar los filetes vegetales. Remover suavemente dando la vuelta a los filetes.

4.º Rallar el tomate y agregarlo a la cazuela. Pelar y picar los ajos y el perejil. Incorporarlos también a la cazuela junto con la hoja de laurel. Añadir entonces las patatas que tenemos reservadas y agua suficiente para cubrir todo el guiso escasamente.

5.º Cuando comience a hervir, rectificar de sal y dejar cocer durante unos quince minutos hasta que las patatas estén tiernas y el caldo se empiece a agotar. Servir caliente.

RECETA n.º 225

Valor nutritivo (por ración)	
Glúcidos	23 g
Lípidos	19 g
Prótidos	14 g
Calorías	318
Julios	1.328

225. FIDEOS CON JUDIAS VERDES

Ingredientes

• 250 g de fideos gruesos • 150 g de judías verdes • 1 cebolla grande • 3 tomates me- dianos maduros • 50 g de piñones • 1 cubito de caldo vegetal • 1 hoja de laurel • 4 cucharadas de aceite de oliva • sal marina

Preparación

1.º Pelar la cebolla y picarla muy menuda. Partir los tomates y rallarlos.

2.º En una cazuela calentar el aceite. Echar la cebolla picada y rehogarla. Añadir los tomates rallados y sofreír. Cuando esté sofrito añadir el cubito de caldo y un litro de agua. Dejarlo hervir diez minutos.

3.º Limpiar las judías verdes cortando las puntas y quitándoles las hebras. Lavarlas y cortarlas en trozos muy pequeños.

4.º Cuando hayan transcurrido los diez minutos de cocción del caldo, agregar las judías verdes. Sazonar con sal a gusto y echar una hoja de laurel.

5.º Machacar los piñones en el mortero y añadir a la cocción, cuando las judías es-

RECETA n.º 226

tén tiernas, junto con los fideos. Dejar cocer diez minutos más y servir.

Valor nutritivo (por ración)

Glúcidos	64 g
Lípidos	21 g
Prótidos	15 g
Calorías	497
Julios	2.080

226. FILETES DE CINCO CEREALES

Ingredientes

• 150 g de copos de cinco cereales • 1 cebolla • 250 g de champiñones • 50 g de aceitu-

1529

nas • 50 g de nueces • 2 dientes de ajo
• 3 cucharadas de pan rallado • 3 cucharadas de levadura de melaza • aceite de oliva
• sal marina

harina integral • 1 cucharada de pan rallado
• sal marina • una pizca de nuez moscada
• 2 cucharadas de aceite de oliva

Preparación

1º Remojar los copos en una taza de agua hirviendo con un poco de sal.
2º Limpiar bien las hortalizas. Pelar la cebolla y los ajos y picarlos finamente. Cortar el champiñón a trocitos pequeños. Picar también las nueces y las aceitunas muy menuditas.
3º En una sartén se calientan tres cucharadas de aceite y se rehogan juntamente la cebolla y los champiñones. Unos minutos después se añaden los ajos, las nueces y las aceitunas. Sazonar a gusto y mezclar bien con los copos ya remojados y escurridos.
4º Formar los filetes, rebožar con una mezcla de pan rallado y levadura de melaza y freír en una sartén con aceite suficiente hasta que estén dorados uniformemente.

Preparación

1º Lavar bien las judías. Trocearlas pequeñitas y cocerlas ligeramente en agua con sal. Escurrirlas bien y rehogarlas un poco en una sartén con las dos cucharadas de aceite.
2º En un recipiente hondo batir bien los huevos, añadir el queso rallado, la nuez moscada y un poco de sal. Mezclar bien la nata líquida con la cucharada de harina y añadir también a los huevos. Por último añadir las judías y remover bien todo. Encender el horno.
3º Untar ligeramente un molde hondo con aceite y espolvorearlo con pan rallado.
4º Verter la mezcla que tenemos preparada en este molde. Colocar este molde dentro de otro más grande con agua. Introducir en el horno y cocer así, al baño María, durante una hora aproximadamente.

Valor nutritivo (por ración)	
Glúcidos	43 g
Lípidos	28 g
Prótidos	11 g
Calorías	463
Julios	1.935

Valor nutritivo (por ración)	
Glúcidos	11 g
Lípidos	23 g
Prótidos	20 g
Calorías	389
Julios	1.626

227. FLAN DE JUDIAS VERDES

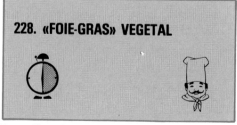

228. «FOIE-GRAS» VEGETAL

Ingredientes

• 1/2 kg de judías verdes • 100 g de queso manchego tierno rallado • 4 huevos • 1,5 decilitros de nata líquida • 1 cucharada de

Ingredientes

• 100 g de pan tostado tipo biscotes • 100 g de cebolla • 100 g de champiñones • 50 g de levadura dietética • sal marina • albahaca, *orégano, tomillo y perejil • 2 cucharadas de aceite*

Preparación

1.º Cortar el pan tostado en trozos, colocarlo en una fuente y humedecerlo con un poco de agua.
2.º Limpiar la cebolla y los champiñones y cortarlo todo muy fino.
3.º Calentar el aceite en una sartén y freír la cebolla y el champiñón a fuego lento. Cuando esté hecho añadir el pan tostado, un poco de sal marina y una pizca de cada una de las hierbas (albahaca, orégano, tomillo y perejil), removiéndolo todo durante cinco minutos.
4.º Retirarlo del fuego y pasarlo por la batidora. Luego se añade levadura y se remueve bien. Se coloca en un molde y se pone en la nevera para ir usándolo.

Valor nutritivo (por 100 g, suficiente para untar cinco rebanadas)

Glúcidos	30 g
Lípidos	11 g
Prótidos	5 g
Calorías	267
Julios	1.114

229. FRESAS CON YOGUR Y NATA

Ingredientes

• *1/2 kg de fresas* • *4 yogures naturales* • *2 decilitros de nata líquida* • *100 g de nueces picadas* • *2 cucharadas de miel*

Preparación

1.º Lavar bien todas las fresas y quitarles el rabillo. Distribuirlas en cuatro tazones para desayuno, excepto unas pocas que se añadirán al batido.
2.º Poner en el vaso de la batidora los yogures, la nata, las fresas apartadas, las nueces y la miel. Batir bien y verter sobre los tazones que contienen las fresas. Servir frío.

Valor nutritivo (por ración)

Glúcidos	29 g
Lípidos	29 g
Prótidos	13 g
Calorías	413
Julios	1.724

230. GALLETAS DE ARROZ

Ingredientes

• *200 g de arroz integral* • *100 g de avellanas molidas* • *1 huevo* • *50 g de harina (4 o 5 cucharadas)* • *2 cucharadas de aceite* • *25 g de queso tierno rallado* • *sal marina* • *4 cucharadas de pan rallado*

Preparación

1.º Cocer el arroz según la receta de «Arroz integral base» (ver receta n.º 30).
2.º Batir bien el huevo con un poco de sal. Añadir el arroz, la harina, el aceite, las avellanas y el pan rallado. Mezclar y amasar bien. Encender el horno.
3.º Estirar la masa con un rodillo hasta que quede de un grosor aproximado de unos cinco milímetros. Cortar la masa con moldes especiales para galletas o con un

RECETA n.º 230

vaso de unos cinco centímetros de diámetro. Espolvorearlas por encima con un poco de queso rallado.

4.º Untar una bandeja para horno con muy poco aceite y colocar sobre ella las galletas. Introducir en el horno caliente y hornear hasta que estén doradas por ambas caras.

5.º Cuando estén frías se pueden guardar varios días en un recipiente hermético. Se sirven para acompañar verduras o ensaladas.

Valor nutritivo (por 100 g, unas cuatro galletas)	
Glúcidos	55 g
Lípidos	26 g
Prótidos	13 g
Calorías	490
Julios	2.048

231. GALLETAS DE FRUTAPAN

Ingredientes

• 1 frutapán maduro (de 1 kg aproximadamente) • 100 g de azúcar (1/2 taza) • 2 cucharaditas de canela

Preparación

1.º Lave y pele el frutapán. Quítele el centro y córtelo en pedazos de un centíme-

tro de grosor aproximadamente y tan largos como pueda.

2.º Mezcle la canela con el azúcar y espolvoree con esta mezcla las lonchas de frutapán. Coloque los trozos así preparados en una bandeja de horno.

3.º Caliente el horno e introduzca la bandeja con frutapán hasta que tome un color dorado. Se pueden comer calientes o frías.

Valor nutritivo (por ración)	
Glúcidos	70 g
Lípidos	1 g
Prótidos	3 g
Calorías	282
Julios	1.180

232. GALLETAS DE SAN NICOLAS

Ingredientes

• 140 g de harina blanca (1 taza) • 140 g de harina integral (1 taza) • 200 g de azúcar moreno (1 taza y un tercio) • 3 huevos • 150 g de margarina vegetal • 1 cucharadita de vainilla en polvo • una pizca de sal

Preparación

1.º Poner la harina en un cuenco con la sal y la vainilla. Hacerle un hueco en el centro y verter allí dos huevos, la margarina derretida y el azúcar. Trabajar bien con las manos hasta obtener una pasta lisa. Dejar en reposo en un lugar fresco durante una o dos horas.

2.º Pasado ese tiempo encender el horno. Extender la masa con ayuda de un rodillo hasta que quede de tres o cuatro milímetros de grosor.

3.º Cortar las galletas con moldes de diversas formas, de unos cuatro a cinco centímetros de lado, o con un cuchillo afilado, pintarlas con el huevo batido y disponerlas sobre una placa ligeramente untada con aceite.

4.º Introducir en el horno caliente hasta que tomen un bonito color dorado.

Valor nutritivo (por 100 g, unas cinco galletas)	
Glúcidos	65 g
Lípidos	24 g
Prótidos	9 g
Calorías	500
Julios	2.090

233. GALLETAS INTEGRALES DE ALMENDRA

Ingredientes

• 300 g de trigo • 280 g de harina integral (2 tazas) • 100 g de harina blanca (3/4 de taza) • 80 g de almendra cruda rallada • 80 g de coco rallado • 150 g de miel de caña • 125 g de margarina vegetal • 1 decilitro de aceite • 1 cucharada de sésamo • 1 cucharadita de cominos • 1 vaso de agua

Preparación

1.º Cocer el agua con los cominos, colar y dejar enfriar un poco.

2.º Triturar el trigo con la picadora o con el molinillo.

3.º Mezclar bien todos los ingredientes, añadir el agua que todavía estará algo caliente. Amasar bien hasta que la masa quede uniforme.

4.º Sobre una mesa enharinada extender la masa con el rodillo hasta que quede de un grosor aproximado de medio centímetro. Encender el horno.

5.º Cortar las galletas con moldecitos o con ayuda de un vasito de unos cinco centímetros de diámetro.

6.º Untar una placa o bandeja para horno con muy poco aceite y disponer en ella las galletas.

7.º Introducir en el horno y cocer a fuego medio, vigilando que se doren por ambos lados. Si conviene se les puede dar la vuelta.

8.º Al sacarlas del horno, colóquelas sobre un paño limpio y cúbralas con otro hasta que se enfríen. Guárdelas en un recipiente cerrado hasta el momento de consumirlas.

Valor nutritivo (por 100 g, unas cinco galletas)	
Glúcidos	60 g
Lípidos	19 g
Prótidos	9 g
Calorías	500
Julios	2.090

234. GARBANZOS CON ACELGAS

Ingredientes

• 100 g de garbanzos • 100 g de arroz • 300 g de acelgas tiernas • 1 cucharadita de pimentón • 4 cucharadas de aceite de oliva • sal marina

Preparación

1º Poner los garbanzos en remojo, la noche anterior, en agua con sal. Cocerlos en abundante agua salada hasta que estén bien tiernos.
2º Lavar bien las acelgas (si las pencas son gordas, reservarlas para otra receta), trocearlas e incorporarlas a los garbanzos.
3º En una sartén pequeña se calienta el aceite. Cuando esté bastante caliente se retira del fuego, se añade el pimentón y rápidamente se incoporará a los garbanzos para evitar que el pimentón se queme, lo que le daría mal sabor. Dejar cocer durante diez minutos.
4º Escoger y limpiar el arroz. Añadirlo a los garbanzos y dejar cocer otros veinte minutos más, hasta que el arroz esté en su punto. Servir inmediatamente para evitar que se pase el arroz.

Valor nutritivo (por ración)	
Glúcidos	35 g
Lípidos	17 g
Prótidos	9 g
Calorías	322
Julios	1.348

235. GARBANZOS DE VERANO

Ingredientes

• *400 g de garbanzos* • *4 tomates medianos maduros (800 g)* • *1 cebolla* • *2 pimientos verdes medianos (150 g)* • *4 dientes de ajo* • *8 cucharadas de aceite* • *sal marina*

Preparación

1º Poner los garbanzos en remojo la noche anterior. Cocerlos en agua con sal y escurrirlos.
2º Limpiar los tomates y pelarlos. Pelar la cebolla y los ajos. Lavar los pimientos y trocearlo todo. Añadir el aceite y la sal que se desee y pasarlo todo por la batidora.
3º La salsa obtenida se mezcla con los garbanzos que se extienden sobre una fuente honda y se meten en el frigorífico. Servir frío.

Valor nutritivo (por ración)	
Glúcidos	73 g
Lípidos	36 g
Prótidos	26 g
Calorías	683
Julios	2.857

236. GARBANZOS GUISADOS I

Ingredientes

• *400 g de garbanzos* • *2 patatas medianas* • *1 cebolla pequeña* • *50 g de almendras ligeramente tostadas* • *1 huevo* • *1 diente de ajo* • *1 ramita de perejil* • *4 cucharadas de aceite de oliva* • *sal marina*

Preparación

1º Poner los garbanzos en remojo la noche anterior y cocerlos en agua con sal.
2º Mientras tanto cocer un huevo y pelarlo. Pelar, lavar y cortar las patatas en cuadritos.

RECETA n.º 236

3.º Pelar y picar la cebolla. Sofreírla en una sartén con el aceite.

4.º Cuando los garbanzos estén tiernos se añade el sofrito de cebolla, las patatas cortadas a cuadritos, las almendras picadas y el ajo y el perejil picados.

5.º Se corta el huevo cocido y se le saca la yema. Picar la clara en trocitos pequeños, machacar la yema y añadirlo todo a los garbanzos dejando que dé un hervor antes de servir.

Valor nutritivo (por ración)	
Glúcidos	82 g
Lípidos	29 g
Prótidos	29 g
Calorías	668
Julios	2.792

237. GARBANZOS GUISADOS II

Ingredientes

• 300 g de garbanzos • 250 g de puerros • 300 g de acelgas • 100 g de repollo • 1 zanahoria • 1 rama de apio • 100 g de judías verdes • 1 pimiento verde • 1 cebolla • 1 tomate maduro • 2 dientes de ajo • pimentón • 5 cucharadas de aceite de oliva • sal marina

Preparación

1.º Poner los garbanzos en remojo la noche anterior en agua con sal. Cocerlos en suficiente agua con sal.

RECETA n.º 238

2.º Limpiar las verduras y trocearlas (puerros, acelgas, repollo, zanahoria, apio y judías verdes). Incorporarlas a los garbanzos cuando éstos empiecen a estar tiernos.

3.º Hacer un sofrito con el aceite, la cebolla, los ajos y el pimiento picados y el tomate pelado y troceado. Cuando esté hecho, y en el momento de retirar la sartén del fuego, se le agrega media cucharadita de pimentón removiendo bien.

4.º Cuando los garbanzos y las verduras estén casi cocidos, se les añade el sofrito preparado y se deja que termine de cocer todo junto.

Valor nutritivo (por ración)	
Glúcidos	62 g
Lípidos	23 g
Prótidos	22 g
Calorías	516
Julios	2.157

238. GAZPACHO ANDALUZ

Ingredientes

• 750 g de tomates maduros y duros • 1 pimiento verde pequeño • 1 pepino • 80 g de pan duro • 2 dientes de ajo • 1/2 decilitro de aceite de oliva • 2 cucharadas de vinagre de manzana • sal marina • 1 litro de agua

Preparación

1.º Poner el pan en remojo. Lavar bien las hortalizas y trocearlas.

1537

2.º En un vaso grande de la batidora, se tritura el pan escurrido y las hortalizas con sal a gusto y el aceite.

3.º Se pasa todo por el pasapuré y al mismo tiempo se van añadiendo tres vasos de agua y el vinagre de manzana.

4.º Rectificar de sal si conviene, y añadir el resto del agua en forma de cubitos de hielo. Se toma siempre muy fresco.

Valor nutritivo (por 100 g, poco menos de medio vaso)

Glúcidos	4 g
Lípidos	3 g
Prótidos	1 g
Calorías	42
Julios	176

239. GELATINA DE AGAR-AGAR

Ingredientes

• *4 cucharadas de agar-agar seco y picado (unos 6 g)* • *1 litro de agua hirviendo*

Preparación

1.º Poner a remojar el agar-agar, en un poco de agua tibia, durante quince minutos.

2.º Escurrir el agar-agar y diluirlo en el litro de agua hirviendo.

3.º Una vez disuelto el agar-agar, es el momento de aliñarlo, mezclarlo con las frutas o verduras y ponerlo en moldes, porque se solidifica al enfriarse.

Nota aclaratoria

El agar-agar no tiene valor nutritivo apreciable en los elementos que en el recetario se contemplan. Tiene, eso sí, algunas sales minerales interesantes para el organismo.

El valor nutritivo de las recetas en las que se use el agar-agar vendrá dado por el del resto de los ingredientes.

240. GELATINA DE FRUTAS

Ingredientes

• *1 litro de «Gelatina de agar-agar» (ver receta n.º 239)* • *150 g de fresas* • *2 plátanos* • *3 naranjas* • *150 g de azúcar* • *1 limón* • *1/2 cucharadita de sal*

Preparación

1.º Preparar la gelatina de agar-agar siguiendo la receta que se indica.

2.º Cuando se diluya el agar-agar, incorporar también la sal y el azúcar para que se disuelvan bien.

3.º Exprimir el zumo de las naranjas y el limón y añadirlo a la gelatina caliente.

4.º Lavar bien las fresas, pelar los plátanos y trocear ambas frutas. Agregar a la gelatina mientras todavía está líquida y remover bien.

5.º Verter la mezcla en un molde grande de gelatina o en moldecitos individuales. Poner a refrescar en el frigorífico hasta que cuajen.

Valor nutritivo (por ración)

Glúcidos	61 g
Lípidos	—
Prótidos	2 g
Calorías	246
Julios	1.027

241. GELATINA DE PAPAYA

Ingredientes

• *1/2 litro de «Gelatina de agar-agar»* (ver receta n.º 239) • *300 g de papaya (sólo pulpa)* • *100 g de azúcar* • *1 limón* • *1 pizca de sal*

Preparación

1.º Preparar la gelatina de agar-agar, siguiendo la receta que se indica, con la mitad de las cantidades.

2.º Cuando se diluya el agar-agar, incorporar al mismo tiempo la sal y el azúcar para que se disuelva bien.

3.º Exprimir el zumo de limón y agregar también a la gelatina todavía caliente.

4.º Triturar la pulpa de la papaya con la batidora y mezclar con la gelatina mientras todavía está líquida.

5.º Verter el preparado en un molde grande de gelatina o en moldecitos individuales. Ponerlos a refrescar en el frigorífico hasta que cuajen.

6.º Puede servirse sola o acompañada de otras frutas, cuyo valor nutritivo habrá que añadir a los valores ya calculados.

Valor nutritivo (por ración)	
Glúcidos	32 g
Lípidos	—
Prótidos	—
Calorías	125
Julios	523

242. GERMINADOS AL HORNO

Ingredientes

• *4 huevos* • *1 cucharada de aceite* • *2 decilitros de leche* • *nuez moscada molida* • *sal marina* • *1 taza de soja germinada* • *1 taza de lentejas germinadas* • *1 taza de alfalfa germinada* (para los tres últimos ingredientes, véase «Los germinados», pág. 586, tomo 2.º)

Preparación

1.º Germinar con anterioridad las semillas según las indicaciones hechas en el apartado indicado.

2.º Separar las yemas de las claras de los cuatro huevos.

3.º Batir las claras a punto de nieve y reservar.

4.º Batir las yemas con la leche, una pizca de nuez moscada y un poco de sal. Añadir después la soja, las lentejas y la alfalfa germinadas y mezclar bien. Encender el horno.

5.º Unir a la mezcla anterior las claras batidas y remover bien.

6.º Untar con el aceite cuatro moldes individuales y repartir en ellos la mezcla. Introducirlos en un recipiente resistente al calor lleno de agua, y cocerlos al baño María en el horno. Probar si están cuajados clavando un cuchillo o un palillo.

Valor nutritivo (por ración)	
Glúcidos	4 g
Lípidos	12 g
Prótidos	11 g
Calorías	172
Julios	721

RECETA n.º 242

243. GLUTEN I (Obtención casera partiendo de harina fuerte)

Ingredientes

• *2 kg de harina fuerte* • *agua* • *2 litros de caldo de verduras* • *1 cucharada de aceite*

Preparación

1.º Se vierte toda la harina en un recipiente grande de amasar. Se hace un hueco en el centro y se va echando agua y mez-clando. Amasar hasta formar una masa como para pan, que se desprenda del recipiente y de las manos.

2.º Se coloca la masa en el centro del mismo recipiente y se le echa agua por los laterales hasta que toda la masa esté cubierta. Se deja reposar una hora.

3.º Pasado ese tiempo se escurre el agua y se lava la masa debajo del grifo, regando y amasando sin parar hasta que la masa se desprenda de todo el almidón y el agua del lavado quede transparente. La masa adquirirá un color amarillento y un aspecto gomoso; eso que ha quedado es el gluten.

4.º Colocar en el fuego una olla con el caldo de verduras y cuando comience a hervir se le van añadiendo porciones de gluten en forma de bolas aplastadas. Añadir una cucharada de aceite para evitar que las porciones de masa se peguen entre sí.

1540

RECETA n.º 244

5.º Cocer durante unos veinte minutos. Colar y dejar enfriar. Cortar en filetes o preparar adecuadamente según la receta que hayamos escogido. Aprovechar el caldo restante para alguna sopa. Si la harina es fuerte, quedarán como unos ochocientos gramos de gluten.

Valor nutritivo (por 100 g)	
Glúcidos	9 g
Lípidos	.2 g
Prótidos	24 g
Calorías	146
Julios	610

244. GLUTEN II (Obtención casera partiendo de gluten en polvo)

Ingredientes

- *250 g de gluten en polvo (taza y media)*
- *1 taza y media de agua* • *2 litros de caldo de verduras* • *sal marina* • *1 cucharada de aceite*

Preparación

1.º En un recipiente se vierte el gluten en polvo, se añade a continuación el agua y un poco de sal. Remover enérgicamente. Quedará una masa compacta, de aspecto gomoso y amarillento. No requiere ser lavada como en la receta anterior.

2.º Dividir la masa en varias porciones a las que se les da una forma redondeada y aplastada. Se cuecen dichas porciones en el caldo de verduras al igual que en la receta anterior.

Valor nutritivo (por 100 g)	
Glúcidos	9 g
Lípidos	2 g
Prótidos	24 g
Calorías	146
Julios	610

245. GLUTEN AL HORNO

Ingredientes

• 200 g de gluten • 2 huevos • 1 taza de «Salsa de tomate I» (ver receta n.º 407) • 1 cebolla • 1 pimiento verde • 50 g de nueces • 1 pimiento morrón • sal marina • aceite de oliva

Preparación

1.º Cortar el gluten a modo de filetes. Pasarlo por el huevo batido y freírlo en una sartén con el aceite. Apartar y colocar sobre una fuente para horno.

2.º Preparar la salsa de tomate siguiendo la receta que se indica.

3.º Lavar las hortalizas y picarlas menuditas. Picar igualmente las nueces.

4.º Con el mismo aceite de freír el gluten se

---

rehogan la cebolla y los pimientos sazonando a gusto. Verter el rehogado encima de los filetes de gluten.

5.º Espolvorear también encima del gluten las nueces picadas o trituradas. Cubrir con la salsa de tomate. Regar con un poco de agua y añadir por último el otro huevo batido.

6.º Introducir en el horno caliente y cocer durante unos veinte minutos.

Valor nutritivo (por ración)	
Glúcidos	19 g
Lípidos	23 g
Prótidos	21 g
Calorías	358
Julios	1.496

246. GLUTEN DE INVIERNO

Ingredientes

• 200 g de gluten • 1 huevo • 2 cucharadas de pan rallado • 250 g de champiñones • 50 g de ciruelas pasas • 1 cebolla • 2 dientes de ajo • 30 g de piñones • 2 tomates • 1 ramita de tomillo • 1 ramita de romero • 2 decilitros de mosto seco (zumo de uva) • aceite de oliva • sal marina

Preparación

1.º Cortar el gluten a modo de filetes. Pasarlo por el huevo batido y el pan rallado y freír en una sartén con aceite. Reservar en un plato.

2.º Lavar bien las hortalizas. Cortar los champiñones en cuatro trozos o más según su tamaño. Pelar y picar la cebolla y los ajos por separado. Los tomates partirlos por la mitad.

3.º En una cazuela de barro pondremos tres cucharadas de aceite y freiremos la cebolla y los champiñones con un poco de sal. Añadiremos los ajos, las ciruelas y las ramitas de tomillo y romero (éstas se pueden apartar después si se prefiere).

4.º Cuando los champiñones empiecen a estar tiernos añadiremos el mosto, los tomates y los piñones. Se deja cocer todo a fuego lento durante unos diez minutos y apartar del fuego.

5.º Poner por encima los filetes de gluten empanados presionándolos un poco para que se cubran con la salsa. Servir caliente.

Valor nutritivo (por ración)

Glúcidos	34 g
Lípidos	15 g
Prótidos	22 g
Calorías	340
Julios	1.420

247. GRANIZADO DE CACAO Y AVELLANAS

Ingredientes

• 2 cucharadas de avellanas molidas • 1 yema de huevo • 1/2 litro de leche de soja • 5 cucharadas de nata líquida • 2 cucharadas de cacao en polvo • 1 cucharada de miel • 1 taza de hielo picado

Preparación

1.º Mezclar todos los ingredientes en un vaso grande de la batidora y batir durante medio minuto.

Valor nutritivo (por ración)

Glúcidos	13 g
Lípidos	15 g
Prótidos	7 g
Calorías	214
Julios	896

248. GRANIZADO DE NARANJA Y PIÑA

Ingredientes

• 130 g de piña americana (ananás) natural (aproximadamente una rodaja) • 100 g de naranja (pelada) • 1/2 rodaja de limón • 1/2 litro de «Leche de chufa» (ver receta n.º 285) • 2 cucharadas de miel • 1 taza de hielo picado

Preparación

1.º Preparar la leche de chufa siguiendo la receta que se indica.

2.º Lavar las frutas y tomar sólo las cantidades que se indican.

3.º Mezclar todos los ingredientes en un vaso grande de la batidora y batir durante un minuto.

Valor nutritivo (por ración)

Glúcidos	24 g
Lípidos	4 g
Prótidos	1 g
Calorías	135
Julios	565

RECETA n.º 249

249. GRANIZADO DE PAPAYA

Ingredientes

• 1/2 kg de papaya (sin corteza y sin semi-llas) • 3 cucharadas de azúcar integral • 1 taza de hielo picado • 1 decilitro de agua

Preparación

1.º Vierta todos los ingredientes en un vaso grande de la batidora. Triture durante medio minuto y sirva.

Valor nutritivo (por ración)	
Glúcidos	17 g
Lípidos	—
Prótidos	1 g
Calorías	68
Julios	285

250. GRANOLA

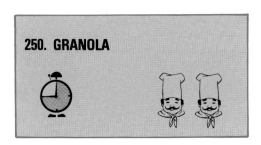

Ingredientes

• 1/2 kg de copos de avena • 160 g de azúcar moreno • 100 g de germen de trigo • 80 g de nueces molidas • 160 g de cacahuetes molidos • 2,5 decilitros de aceite • 2,5 decilitros de agua • 2 cucharadas de vainilla en polvo

Preparación

1.º Mezclar todos los ingredientes y extender sobre una fuente.
2.º Introducir en el horno a fuego suave hasta que se sequen y se tuesten removiendo de vez en cuando. Se puede guardar en tarros de cristal.

Valor nutritivo (por 100 g)	
Glúcidos	62 g
Lípidos	34 g
Prótidos	11 g
Calorías	606
Julios	2.531

251. GRANOLA CON ALMENDRAS

252. GRANOLA SIN FRUTOS SECOS

Ingredientes

• *350 g de copos de avena* • *200 g de coco rallado* • *200 g de germen de trigo* • *150 g de harina integral* • *160 g de almendras crudas* • *1 cucharadita de sal* • *2 decilitros de aceite* • *2 decilitros de agua* • *320 g de sirope de manzana*

Preparación

1º Picar las almendras.

2º Mezclar todos los ingredientes removiéndolos bien.

3º Echar la mezcla sobre una fuente o dos esparciéndola, y meterla al horno a temperatura suave durante una hora. Remover de vez en cuando.

4º Las almendras pueden sustituirse por nueces, avellanas o cacahuetes.
¡Delicioso desayuno!, si se mezcla con leche fría o caliente, proporciona un alimento rico en sustancias nutritivas, dando la energía necesaria para todo el día, especialmente para los pequeños en edad escolar.

Ingredientes

• *350 g de harina integral* • *180 g de copos de avena* • *350 g de harina de maíz* • *100 g de germen de trigo* • *2 decilitros de agua* • *360 g de sirope de manzana* • *1 cucharadita de sal*

Preparación

1º Mezclar primeramente las harinas y los copos, y a continuación todos los demás ingredientes, removiendo bien.

2º Colocar la mezcla extendida sobre una fuente e introducirla en el horno a fuego medio durante una hora. Remover de vez en cuando para que se dore sin pegarse.

3º Dos o tres cucharadas soperas en cada vaso de leche, proporciona un desayuno integral para toda la familia. Ideal en los viajes o en salidas al campo. También se puede tomar con trocitos de fruta fresca, plátano, melocotón, etc., mezclado con yogur o requesón.

Valor nutritivo (por 100 g)	
Glúcidos	57 g
Lípidos	28 g
Prótidos	10 g
Calorías	534
Julios	2.234

Valor nutritivo (por 100 g)	
Glúcidos	92 g
Lípidos	2 g
Prótidos	11 g
Calorías	425
Julios	1.776

253. GUISO DE LENTEJAS

Ingredientes

• 200 g de lentejas • 100 g de arroz integral • 2 cebollas • 1 tomate maduro • 1 pimiento verde • 50 g de aceitunas • 4 cucharadas de aceite • 1 cucharadita de orégano • sal marina

Preparación

1.º Poner en remojo por separado el arroz y las lentejas, la noche anterior.

2.º Por la mañana cocer en la misma olla y con abundante agua hasta que estén tiernos tanto el arroz como las lentejas.

3.º Mientras tanto lavar las hortalizas, pelar las cebollas y el tomate y picarlo todo muy menudito.

4.º Cuando estén cocidas las lentejas, se les añaden las hortalizas picadas, la sal, el orégano y el aceite. Dejar cocer hasta que vaya espesando.

5.º Picar las aceitunas y repartirlas por encima de cada plato al servir.

6.º También se puede añadir a la cocción una zanahoria cortada a laminillas finas.

Valor nutritivo (por ración)	
Glúcidos	62 g
Lípidos	18 g
Prótidos	16 g
Calorías	460
Julios	1.921

254. HABAS A LA CATALANA

Ingredientes

• 1 kg de habas tiernas desgranadas (con vaina, cerca de 3 kg) • 1 cebolla grande • 1,5 decilitros de agua (poco más de medio vaso) • 1/2 cucharadita de concentrado vegetal • 1 ramita de hierbabuena • 3 hojas de laurel • sal marina • 4 cucharadas de aceite

Preparación

1.º Lavar las habas ya desgranadas. Pelar y lavar la cebolla. Lavar también las hierbas.

2.º Colocar todos los ingredientes en una olla. Cocer a fuego muy suave con la olla tapada. De vez en cuando se coge la olla por las asas, sin destaparla, y se le dan pequeñas sacudidas, de forma que se vaya removiendo su contenido. Se cuece durante algo más de una hora.

3.º Servir en una legumbrera o recipiente hondo. También se puede añadir ajos tiernos cortados a trocitos, y sustituir la cebolla grande por cebollitas tiernas.

Valor nutritivo (por ración)	
Glúcidos	28 g
Lípidos	16 g
Prótidos	14 g
Calorías	312
Julios	1.302

RECETA n.º 254

255. HAMBURGUESAS

Ingredientes

- *1 bote de carne vegetal picada (300 g)*
- *100 g de pan triturado* • *40 g de avellana rallada* • *40 g de almendra rallada* • *2 huevos* • *4 dientes de ajo* • *100 g de aceitunas verdes* • *150 g de champiñones* • *2 cucharadas de harina* • *perejil* • *sal marina* • *aceite de oliva*

Preparación

1.º Lavar bien los champiñones, el perejil y los ajos pelados. Picar los champiñones en trocitos finos. El perejil y los ajos se pican también, pero muy menuditos. Picar igualmente las aceitunas.

2.º En una sartén con dos cucharadas de aceite se rehogan los champiñones con la mayor parte de ajos y un poco de sal. Se rehogan durante unos minutos y antes de que pierdan su jugo se trituran con la batidora.

3.º Mientras tanto, en un recipiente hondo se van mezclando la carne vegetal, el pan triturado, los frutos secos, los huevos batidos, el resto de los ajos, el perejil, las aceitunas y un poco de sal.

RECETA nº 255

4º A la mezcla anterior se añaden los champiñones triturados. Se amasa bien y ser forman unas doce bolas grandes que rebozaremos con un poco de harina y las aplastaremos dándoles la forma de las hamburguesas.

5º Calentar una sartén con muy poco aceite y colocar una hamburguesa. Tapar la sartén y dejar que la hamburguesa se vaya dorando a fuego muy suave. Cuando esté dorada por un lado se le da la vuelta y se procede igual hasta que quede uniformemente dorada por ambos lados.

6º Seguir cociendo todas las hamburguesas por el mismo sistema. Servir calientes, acompañadas de una buena ensalada.

Valor nutritivo (por ración)	
Glúcidos	37 g
Lípidos	32 g
Prótidos	22 g
Calorías	525
Julios	2.195

256. HAMBURGUESAS AL CURRY

Ingredientes

• 100 g de nueces picadas • 2 cebollas pequeñas • 4 cucharadas de germen de trigo • 4 cucharadas de copos de avena • 6 cucharadas de pan rallado • 2 huevos • 1 cucharadita de curry en polvo • 1/2 taza de caldo de verduras • sal marina • aceite de oliva

Preparación

1º Pelar, lavar y rallar las cebollas.
2º Mezclar bien todos los ingredientes, excepto el aceite. Amasar y dividir la masa en porciones a las que se dará forma de hamburguesa.
3º En una sartén calentar un poquito de aceite (muy poco), de forma que se extienda bien por el fondo de la misma. Colocar una hamburguesa y dorar a fuego muy suave. Dar la vuelta y proceder del mismo modo hasta que estén uniformemente doradas por ambos lados y el interior esté cocido.
4º Se pueden acompañar con alguna de nuestras salsas de tomate.
5º Colocar en una fuente y servir calientes.

Valor nutritivo (por ración)	
Glúcidos	29 g
Lípidos	30 g
Prótidos	15 g
Calorías	443
Julios	1.851

257. HAMBURGUESAS DE ARROZ INTEGRAL

Ingredientes

• 100 g de arroz integral (1/2 taza) • 50 g de nueces trituradas • 150 g de requesón • 2 huevos • 4 cucharadas de pan rallado • 3 dientes de ajo • perejil • zumo de medio limón • sal marina • aceite de oliva

Preparación

1º Cocer el arroz siguiendo la receta nº 30, «Arroz base integral».
2º Mezclar bien todos los ingredientes excepto un huevo y tres cucharadas de pan rallado para rebozar y el aceite para freír.
3º Amasar y dividir en porciones dándoles la forma de las hamburguesas.
4º En una sartén calentar una pequeña cantidad de aceite, procurando que se extienda uniformemente por el fondo de la sartén. Pasar las hamburguesas por el huevo batido y el pan rallado y dorar a fuego lento por ambos lados.
5º Servir calientes acompañadas de patatas fritas o de una guarnición de champiñones al ajillo, por ejemplo.

Valor nutritivo (por ración)	
Glúcidos	29 g
Lípidos	30 g
Prótidos	13 g
Calorías	439
Julios	1.835

258. HERVIDO DE VERDURAS

Ingredientes

• 2 zanahorias • 1 puerro • 1 cebolla • 250 g de grelos • 250 g de acelgas • 250 g de judías verdes • 250 g de coliflor • 250 g de repollo • 2 patatas • 1 ramita de apio • 4 cucharadas de aceite • sal marina

Preparación

1.º Lavar bien todas las verduras. Pelar las que convenga y trocearlas.
2.º Poner una olla grande con agua al fuego. Cuando rompa a hervir incorporar las verduras y las patatas, poco a poco y sal a gusto. Dejar cocer a fuego medio durante unos quince minutos. Las verduras deben quedar tiernas pero no demasiado blandas.
3.º Colar el caldo y reservarlo para sopas. Verter las verduras sobre una fuente de servir y aliñarlas con el aceite crudo. Si se desea también se pueden acompañar con salsa mayonesa o sustituir ésta por dos huevos duros partidos a trocitos. (No olvide el aumento del «Valor nutritivo» que esto supone.)

Valor nutritivo (por ración)	
Glúcidos	41 g
Lípidos	16 g
Prótidos	11 g
Calorías	343
Julios	1.435

259. HORCHATA DE COCO

Ingredientes (para un litro)

• 1 coco mediano (de unos 250 g neto) • 1 litro de agua y medio vaso más

Preparación

1.º Lavar el coco (después de haberlo desprendido de su corteza) y cortarlo en pedacitos. Ponerlo en remojo durante una noche con el agua indicada.
2.º Colar, reservando el agua y triturar el coco con una picadora.
3.º Mezclar nuevamente el agua del remojo con el coco triturado y dejar reposar unos veinte minutos.
4.º Pasar la mezcla por un lienzo fino y limpio, exprimiendo bien para que desprenda todo su jugo. Sevir frío.

Valor nutritivo (por 100 g, poco menos de medio vaso)	
Glúcidos	1 g
Lípidos	3 g
Prótidos	—
Calorías	30
Julios	125

260. HUEVOS AL NIDO

Ingredientes

• 4 huevos • 100 g de queso rallado • 60 g

RECETA n.º 260

de mantequilla • 1/2 kg de patatas • nuez moscada • sal marina

Preparación

1.º Pelar las patatas y cocerlas en agua con sal.
2.º Cuando estén cocidas pasarlas escurridas por el pasapuré. Inmediatamente antes de que se enfríen añadir 50 g de mantequilla y una pizca de nuez moscada. Mezclar bien.
3.º Untar cuatro moldes individuales con el resto de la mantequilla y repartir en ellos el puré.

4.º Poner en cada molde una yema de huevo. Batir las claras a punto de nieve y cubrir con ellas los moldes.
5.º Espolvorear con el queso rallado y gratinar a horno fuerte.

Valor nutritivo (por ración)	
Glúcidos	22 g
Lípidos	26 g
Prótidos	17 g
Calorías	388
Julios	1.620

RECETA n.º 261

261. HUEVOS AL REVES CON ESPARRAGOS

Ingredientes

• 6 huevos • 100 g de aceitunas negras • 3 cucharadas de «Salsa de tomate I» (ver receta n.º 407) • 2 cucharadas de «foie-gras» vegetal • 2 tomates medianos • 1 lata (250 g) de espárragos • 6 cucharadas de «Salsa mayonesa» (ver receta n.º 411) • 1 pimiento morrón asado • sal marina

Preparación

1.º Cocer los huevos en agua con sal. Dejarlos enfriar, pelarlos, cortarlos por la mitad a lo ancho y sacar las yemas.

2.º En un plato hondo poner la mitad de las yemas ralladas, las aceitunas picadas, la salsa de tomate y el «foie-gras». Mezclar bien y rellenar los huevos con esta pasta.

3.º Cortar los tomates en rodajas y el pimiento en tiritas.

4.º En el centro de una fuente se colocan los espárragos y alrededor de éstos las rodajas de tomate. Sobre cada rodaja de tomate se coloca medio huevo relleno boca abajo.

5.º Sobre cada huevo se extiende un poco de mayonesa y se adornan con tiras de pimiento morrón y el resto de las yemas ralladas.

1553

Valor nutritivo (por ración)

Glúcidos . . . .   10 g
Lípidos . . . .   44 g
Prótidos . . . .   17 g
Calorías   507
Julios 2.117

263. HUEVOS CHINOS

Ingredientes

• *4 huevos* • *4 aceitunas sin hueso* • *4 tiritas de pimiento morrón asado*

Preparación

1.º Cocer los huevos en agua con sal durante diez minutos. Enfriar rápidamente
con agua fría para evitar que la capa exterior de la yema quede azulada. Pelar
los huevos cuando estén bien fríos.

2.º Corte una tapita de clara del extremo
más estrecho del huevo. Introducir un
palillo por ese mismo extremo de forma
que sobresalga unos dos o tres centímetros. Atravesar una aceituna por el sa-
liente del palillo y poner encima la tapita de clara, que antes hemos quitado, a
modo de sombrerillo. Colocar la tirita
de pimiento por la base de la aceituna, a
modo de bufanda.

3.º Los huevos así preparados se sirven sobre
una bandeja con ensalada, ensaladilla
rusa, tomates rellenos, etc.

262. HUEVOS AL TE

Ingredientes

• *4 huevos* • *3 cucharadas de té de monte*
• *sal marina*

Preparación

1.º Poner los huevos en agua fría con sal y
dejarlos hervir durante cinco minutos.
Sacarlos del agua pero sin retirar ésta del
fuego.

2.º Añadir el té al agua y dejarlo hervir.

3.º Pasar los huevos bajo el grifo y golpear-
los suavemente para agrietarlos.

4.º Volver a ponerlos en el té y dejar cocer
cinco minutos más. Una vez cocidos y
pelados saldrán jaspeados. Este tipo de
huevos se utiliza como complemento
decorativo de ensaladas u otros platos.

Valor nutritivo (por ración)

Glúcidos . . . .   —
Lípidos . . . .   7 g
Prótidos . . . .   8 g
Calorías   93
Julios   389

Valor nutritivo (por ración)

Glúcidos . . . .   1 g
Lípidos . . . .   8 g
Prótidos . . . .   8 g
Calorías   105
Julios   438

264. HUEVOS EN GELATINA

Ingredientes

• *4 huevos* • *2,5 decilitros de «Gelatina de agar-agar»* (ver receta n.º 239) • *4 hojas de lechuga repollada* • *2 cucharadas de limón* • *sal marina*

Preparación

1.º Cocer los huevos en agua con sal y pelarlos.

2.º Preparar la gelatina siguiendo la receta que se indica pero sólo con la cuarta parte de los ingredientes. Añadir sal y limón.

3.º Poner cada huevo en un molde pequeño y llenarlos después con la gelatina tibia y todavía líquida.

4.º Meter los moldes en el frigorífico y servir, cuando la gelatina se haya endurecido, sobre hojas de lechuga.

5.º Se puede sustituir la lechuga por rebanadas de pan tostado. Para servir colocar en una fuente alargada y añadir una zanahoria rallada. (Atención al aumento de «Valor nutritivo» en este caso.)

Valor nutritivo (por ración)	
Glúcidos	1 g
Lípidos	7 g
Prótidos	8 g
Calorías	94
Julios	394

265. HUEVOS ESCALFADOS GITANOS

Ingredientes

• *4 huevos* • *12 almendras peladas* • *2 rebanadas de pan* • *2 dientes de ajo* • *5 cucharadas de aceite de oliva* • *sal marina* • *cominos* • *canela en polvo*

Preparación

1.º En una sartén con el aceite se fríen los ajos, las almendras y las rebanadas de pan.

2.º Cuando estén dorados se retiran y se machaca todo en un mortero junto con una pizca de cominos y una pizca de canela.

3.º A la pasta obtenida se le añaden dos cucharadas del aceite de la fritura, una taza de agua hirviendo y un poco de sal.

4.º Se vierte esta salsa en una cazuela de barro y se cascan los huevos encima. Se pone al fuego hasta que se cuajen los huevos, pero procurando que la yema quede blanda, y se sirve muy caliente. También se pueden cuajar al horno.

Valor nutritivo (por ración)	
Glúcidos	7 g
Lípidos	28 g
Prótidos	10 g
Calorías	323
Julios	1.351

RECETA n.º 266

266. HUEVOS FANTASIA

Ingredientes

● *5 huevos* ● *100 g de queso de oveja rallado* ● *100 g de pan triturado* ● *1 ramita de albahaca* ● *1 diente de ajo* ● *2 tazas de «Salsa de tomate I» (ver receta n.º 407)* ● *aceite de oliva* ● *sal marina*

Preparación

1.º Preparar la salsa de tomate siguiendo las instrucciones de la receta indicada.

2.º En un recipiente mezclar los huevos, el queso, el pan, unas hojas de albahaca, el ajo picado y un poco de sal. Mezclar bien y añadir un poco más de pan si la pasta resulta demasiado blanda.

3.º En una sartén con aceite caliente se van echando con una cuchara pequeña cantidades de la mezcla anterior y se dejan freír hasta que estén doradas.

4.º Colocar las bolitas obtenidas en una cazuela con la salsa de tomate y dejar hervir unos minutos.

Valor nutritivo (por ración)	
Glúcidos	24 g
Lípidos	40 g
Prótidos	19 g
Calorías	542
Julios	2.267

267. HUEVOS REBOZADOS

Ingredientes

• 5 huevos • «Salsa bechamel II» (ver receta n.º 401) • 50 g de pan rallado • nuez moscada molida • aceite de oliva • sal marina

Preparación

1.º Cocer cuatro huevos en agua con sal y pelarlos.

2.º Preparar la salsa bechamel siguiendo las instrucciones de la receta indicada.

3.º Cortar los huevos en rodajas, rebozarlos en la salsa cuidando que queden bien cubiertos y dejarlos enfriar sobre una fuente.

4.º Batir el otro huevo. Rebozar las rodajas con bechamel en el huevo batido y en el pan rallado y freír en abundante aceite caliente.

Valor nutritivo (por ración)	
Glúcidos	24 g
Lípidos	57 g
Prótidos	17 g
Calorías	686
Julios	2.866

268. HUEVOS RELLENOS A LA CUBANA

Ingredientes

• 5 huevos • 5 cucharadas de nata líquida • 25 g de miga de pan • 1 taza de caldo de verduras • 2 cucharadas de pan rallado • aceite de oliva • sal marina

Preparación

1.º Cocer cuatro huevos en agua con sal, pasarlos por agua fría y pelarlos.

2.º Cortarlos por la mitad y sacar las yemas con mucho cuidado para no romper las claras.

3.º En un cuenco mezclar la crema de leche, la miga de pan deshecha, sal y las yemas. Amasar bien hasta que quede una pasta homogénea.

4.º Con esta pasta rellenar los huecos de las claras y reservar lo que sobre. Unir las mitades de dos en dos procurando que no se separen (se pueden atar con un hilo), volviendo a formar el huevo completo.

5.º Batir el otro huevo. Rebozar en éste y en el pan rallado los huevos rellenos y freírlos en abundante aceite caliente.

6.º En una cazuela con el caldo de verduras se deslíe el relleno sobrante, se colocan los huevos ya fritos y se deja hervir todo durante unos minutos. Servir calientes.

Valor nutritivo (por ración)	
Glúcidos	14 g
Lípidos	17 g
Prótidos	13 g
Calorías	261
Julios	1.089

269. HUEVOS RELLENOS AL HORNO

Ingredientes

• 4 huevos • 100 g de champiñones • 3 cucharadas de aceite de oliva • 1 diente de ajo • 50 g de queso rallado • «Salsa bechamel I» (ver receta n.º 400) • orégano y tomillo • sal marina

Preparación

1.º Preparar la salsa bechamel según las instrucciones de la receta indicada.

2.º Cocer los huevos en agua con sal, pasarlos por agua fría y pelarlos. Lavar los champiñones y picarlos muy menudos.

3.º Cortar los huevos por la mitad y sacar las yemas con cuidado para no romper las claras.

4.º Mezclar las yemas con el champiñón, una pizca de orégano y tomillo, el ajo rallado y un poco de sal. Rehogar esta mezcla en una sartén con el aceite durante unos minutos.

5.º Rellenar las claras con esta mezcla y colocarlas en una fuente para horno. Cubrir con la salsa bechamel, espolvorear con el queso rallado y poner a gratinar antes de servir.

Valor nutritivo (por ración)	
Glúcidos	14 g
Lípidos	37 g
Prótidos	17 g
Calorías	466
Julios	1.948

270. HUEVOS RELLENOS CONDESA

Valor nutritivo (por ración)

Glúcidos	24 g
Lípidos	40 g
Prótidos	21 g
Calorías	549
Julios	2.296

Ingredientes

4 huevos • 1 yema • 50 g de «foie-gras» vegetal • 1/2 kg de espinacas • 250 g de guisantes • 3 cucharadas de aceite de oliva • «Salsa bechamel I» (ver receta n.º 400) • sal marina

Preparación

1.º Lavar las espinacas bien, trocearlas y cocerlas en una cazuela sin agua a fuego muy suave. Rehogarlas después en una sartén con el aceite y un poco de sal.

2.º Cocer los guisantes en agua con sal hasta que estén tiernos. Escurrirlos y triturarlos para reducirlos a puré.

3.º Preparar la salsa bechamel siguiendo la receta que se cita. Cuando aparte la bechamel del fuego, incorpore la yema de huevo y el puré de guisantes. Remover bien y reservar.

4.º Cocer los huevos en agua con sal durante unos diez minutos. Enfriarlos rápidamente con agua corriente. Pelarlos y cortarlos por la mitad a lo largo. Sacar las yemas con cuidado para que no se rompan las claras. Mezclar las yemas con el «foie-gras», aplastándolas con un tenedor hasta conseguir una pasta fina. Encender el horno.

5.º En una fuente de horno colocar las espinacas rehogadas en el fondo. Rellenar las mitades de los huevos con la pasta que hemos preparado y distribuirlos por encima de las espinacas. Cubrir con la bechamel preparada e introducir al horno durante unos cinco minutos.

271. HUEVOS SUFLE

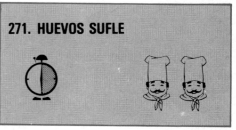

Ingredientes

• 4 huevos completos • 2 claras • 150 g de queso manchego tierno rallado • 1 cucharada de mantequilla • perejil • sal marina

Preparación

1.º Separar las yemas de las claras de los cuatro huevos procurando no romper las yemas.

2.º Batir las seis claras a punto de nieve muy fuerte, mezclar con el queso rallado y repartirlo en cuatro cazuelas de barro individuales previamente untadas con la mantequilla.

3.º Alisar con una cuchara para que cubra todo el fondo, formar un hueco en el centro y colocar una yema. Sazonar con un poco de sal y cocer en el horno durante diez minutos. Espolvorear con perejil picadito y servir en seguida.

Valor nutritivo (por ración)

Glúcidos	1 g
Lípidos	22 g
Prótidos	22 g
Calorías	279
Julios	1.165

RECETA n.º 272

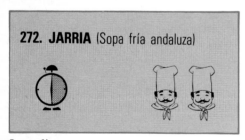

272. JARRIA (Sopa fría andaluza)

Ingredientes

• *750 g de tomates maduros y duros* • *1 pimiento verde* • *1 cebolla* • *1 pepino* • *1 huevo cocido* • *50 g de pan duro* • *1 diente de ajo* • *2 cucharadas de aceite de oliva* • *unas gotas de vinagre de manzana* • *sal marina*

Preparación

1.º Poner el pan en remojo. Lavar bien y trocear las hortalizas. Reservar para guarnición la mitad del pimiento, de la cebolla y del pepino, así como la clara del huevo; todo lo cual se picará menudito.

2.º En un vaso grande de la batidora, se tritura el pan escurrido y todos los ingredientes, excepto los que hemos reservado para guarnición.

3.º Servir frío y por separado la sopa y la guarnición, para que cada comensal se sirva a su gusto.

Valor nutritivo (por ración)	
Glúcidos	22 g
Lípidos	10 g
Prótidos	6 g
Calorías	200
Julios	834

273. JUDIAS A LA SARDA

Ingredientes

- *300 g de judías blancas* • *1 col pequeña*
- *1 bulbo de hinojo* • *1 cebolla grande*
- *1/2 taza de «Salsa de tomate I» (ver receta n.º 407)* • *2 dientes de ajo* • *1 hoja de laurel*
- *sal marina*

Preparación

1.º Poner las judías en remojo la noche anterior. Por la mañana, cocerlas en agua suficiente durante una hora.

2.º Preparar la salsa de tomate siguiendo la receta que se indica, o bien aprovechar un resto que se tenga.

3.º Limpiar, lavar y cortar a tiras la col y el hinojo. Pelar y picar la cebolla. Añadir todo a las judías junto con la hoja de laurel y dejar cocer veinte minutos más.

4.º Unos minutos antes de finalizar la cocción añadir los ajos picados, la salsa de tomate y sal a gusto.

Valor nutritivo (por ración)

Glúcidos	67 g
Lípidos	5 g
Prótidos	21 g
Calorías	359
Julios	1.499

274. JUDIAS BLANCAS ESTOFADAS

Ingredientes

• 400 g de judías blancas • 1 cabeza de ajos pequeña • 1 pimiento morrón seco • 2 hojas de laurel • 1/2 cucharadita de pimentón dulce • 3 cucharadas de aceite • sal marina

Preparación

1.º Poner las judías en remojo la noche anterior. Escurrirles el agua, lavarlas ligeramente bajo el grifo y ponerlas en una olla con agua nueva.

2.º Ponerlas a cocer con el pimiento seco entero, la cabeza de ajos quitándole las pieles exteriores y también entera, el laurel, el aceite y el pimentón, a fuego vivo. Cuando rompen a hervir se baja el fuego al mínimo y se mantiene hasta que las judías estén tiernas. Sazonarlas con sal a gusto unos minutos antes de terminar la cocción.

Valor nutritivo (por ración)

Glúcidos	67 g
Lípidos	13 g
Prótidos ....:...	22 g
Calorías	444
Julios	1.857

275. JUDIAS CON ESPINACAS

Ingredientes

• 300 g de judías blancas • 400 g de espinacas • 4 dientes de ajo grandes • 3 huevos • 5 cucharadas de aceite de oliva • sal marina

Preparación

1.º Poner las judías en remojo la noche anterior. Cambiarles el agua y ponerlas a cocer en abundante agua con sal. Cuando estén tiernas se retiran y se escurren.

2.º Limpiar, lavar y trocear pequeñas las espinacas.

3.º Cocer los huevos en agua con sal y pelarlos.

4.º En una sartén grande se rehogan en el aceite los ajos picados no muy pequeños. Antes de que se doren se añaden las espinacas crudas y se rehogan juntos durante unos minutos.

5.º Se añaden las judías y se les da unas vueltas más. Se sirven adornadas con los huevos duros cortados en gajos y unos trocitos de salchichas vegetales partidas en rodajas de un centímetro de grueso. (Recuerde que el valor nutritivo de las salchichas hay que sumarlo al de la receta.)

Valor nutritivo (por ración)	
Glúcidos	51 g
Lípidos	25 g
Prótidos	24 g
Calorías	509
Julios	2.129

276. JUDIAS VERDES CON SALSA DE TOMATE

Ingredientes

• *1 kg de judías verdes* • *1 taza de «Salsa de tomate I»* (ver receta n.º 407) • *1 huevo* • *sal marina*

Preparación

1.º Lavar bien las judías y trocearlas. Cocer con poca agua y sal. Escurrir.

2.º Preparar la salsa de tomate según la receta que se indica, o bien aprovechar parte de alguna que tengamos ya preparada, pues sólo usaremos una taza.

3.º Cocer el huevo en agua con sal durante unos diez minutos. Enfriar, pelar y picar menudito.

4.º Mezclar las judías con la salsa de tomate y el huevo picado. Servir caliente o frío.

Valor nutritivo (por ración)	
Glúcidos	19 g
Lípidos	7 g
Prótidos	8 g
Calorías	174
Julios	726

277. JUDIAS VERDES EN ENSALADA

Ingredientes

• *1 kg de judías verdes* • *1/2 kg de tomates rojos pero duros* • *2 dientes de ajo* • *2 cucharadas de aceite* • *sal marina*

Preparación

1.º Lavar bien las judías y los tomates. Trocear las judías y cocerlas con poca agua y sal. Escurrirlas.

2.º Pelar los ajos y picarlos muy menuditos.

3.º Trocear el tomate a cuadritos, sazonar a gusto y añadirle un ajo picado y una cucharada de aceite.

4.º Mezclar las judías con el otro ajo picadito y el resto del aceite.

5.º Servir las judías a un lado del plato y el tomate al otro lado.

Valor nutritivo (por ración)	
Glúcidos	18 g
Lípidos	8 g
Prótidos	7 g
Calorías	172
Julios	718

Variaciones

A esta receta se le pueden añadir algunos ingredientes más, como medio pepino, unas hojas de lechuga cortada a tiritas muy finas, dos huevos duros, unas hojas de albahaca muy picadas, y un poco de vinagre de manzana, consiguiendo un agradable sabor y bonita presentación.

RECETA n? 276

278. JUDIAS VERDES EN SALSA

Ingredientes

• *1 kg de judías verdes* • *1 cebolla* • *1 cucharada de harina* • *2 dientes de ajo* • *perejil* • *sal marina* • *2 cucharadas de aceite de oliva*

Preparación

1.º Lavar bien las judías y trocearlas. Pelar y lavar la cebolla; picarla finamente.

2.º Poner agua en una olla, la necesaria para cubrir escasamente las judías. Cuando comience a hervir se añaden las judías y un poco de sal. Cocer con la olla destapada.

3.º Calentar el aceite en una sartén y rehogar la cebolla picada. Cuando esté tierna se le añade una cucharada de harina y se remueve hasta que se dore ligeramente. Añadir entonces a las judías que seguirán cociendo.

4.º Pelar los ajos y lavarlos junto con el perejil. Machacarlos en un mortero con poca sal. Añadirlo igualmente a las judías y dejar cocer cinco minutos más.

1564

Valor nutritivo (por ración)

Glúcidos	20 g
Lípidos	8 g
Prótidos	6 g
Calorías	176
Julios	736

279. LACITOS CON GARBANZOS

Ingredientes

• 100 g de garbanzos • 200 g de lacitos • 1 cebolla • 1 zanahoria • 1 ramita de apio tierno • 1 calabacín • 2 tomates maduros • 1/2 cucharadita de hierbas aromáticas • 2 dientes de ajo • 2 cucharadas de aceite • sal marina

Preparación

1º Poner a remojo, la noche anterior, los garbanzos en agua con un poco de sal.

2º Por la mañana se lavan y se ponen en una olla con abundante agua y algo de sal. Cocer a fuego medio hasta que empiecen a estar tiernos.

3º Mientras tanto se lavan bien las hortalizas y se pelan las que convenga. Cortarlas menuditas e incorporar a los garbanzos. Seguir cociendo durante unos quince minutos más y agregar entonces el aceite y las hierbas aromáticas.

4º Incorporar los lacitos y remover de vez en cuando para que no se peguen. Seguir cociendo hasta que los lacitos estén «al dente». Poco antes de apagar el fuego rectificar de sal y agregar los dientes de ajo muy picaditos. Servir caliente.

1565

Valor nutritivo (por ración)	
Glúcidos	67 g
Lípidos	10 g
Prótidos	16 g
Calorías	397
Julios	1.657

Valor nutritivo (por ración)	
Glúcidos	58 g
Lípidos	16 g
Prótidos	11 g
Calorías	420
Julios	1.756

280. LACITOS CON NISCALOS

Ingredientes

• *300 g de lacitos* • *350 g de níscalos (Lactarius deliciosus)* • *2 dientes de ajo* • *1 ramita de perejil* • *1 ramita pequeña de albahaca* • *4 cucharadas de aceite* • *sal marina*

Preparación

1.º Cocer los lacitos en abundante agua con sal y un chorrito de aceite para que no se peguen. Cuando estén «al dente» escurrirles el agua.

2.º Limpiar los níscalos raspando o cortando con un cuchillo todas las impurezas que pudieran tener. Lavarlos bien bajo el chorro del agua y cortarlos en trozos un poco grandes.

3.º En una sartén calentar el aceite. Pelar los ajos y picarlos muy menudos. Echarlos en la sartén con las setas, el perejil y la albahaca muy picados y un poco de sal. Dejarlo cocer a fuego lento y con la sartén tapada, para que las setas no pierdan el jugo, hasta que estén tiernas.

4.º En una fuente extender los lacitos y cubrirlos con las setas y su jugo. Servir recién hecho.

281. LASAÑA AL HORNO

Ingredientes

• *20 láminas de pasta para lasaña* • *25 g de piñones* • *100 g de queso manchego tierno rallado* • *100 g de carne vegetal picada* • *«Salsa bechamel I» (ver receta n.º 400)* • *1 huevo* • *1 cebolla pequeña* • *1 ramita de albahaca* • *1 ramita de perejil* • *2 dientes de ajo* • *4 cucharadas de aceite de oliva* • *sal marina*

Preparación

1.º Cocer el huevo en agua con sal y pelarlo.

2.º Preparar la «Salsa bechamel I» siguiendo las instrucciones de la receta indicada.

3.º Preparar las pasta de lasaña según las instrucciones del paquete.

4.º Machacar los piñones en el mortero y reservar.

5.º Pelar la cebolla y rallarla. Pelar los ajos y picarlos muy menudos. En una sartén calentar el aceite y freír la cebolla y los ajos. Cuando esté blanda la cebolla añadir el perejil y la albahaca picados, los piñones machacados y la carne vegetal picada. Rehogarlo todo durante cinco minutos.

6.º Rallar el huevo duro y añadirlo a la mezcla de la carne vegetal con algo más de la mitad del queso rallado.

7º En una bandeja para horno colocar bien plana una capa de pasta de lasaña, cubrirla con una capa de la mezcla preparada y extender encima otra de bechamel. Ir colocando capas alternas sucesivamente hasta que se acaben los ingredientes. En la capa superior extender bechamel y cubrirlo con el resto del queso rallado. Introducirlo al horno caliente durante diez minutos dejándolo gratinar y servir.

Valor nutritivo (por ración)	
Glúcidos	56 g
Lípidos	46 g
Prótidos	26 g
Calorías	743
Julios	3.105

capa de patatas y sobre ésta otra de carne vegetal. Espolvorear con queso y cubrir con más nata líquida.

3º Seguir colocando capas alternas en este mismo orden hasta agotar los ingredientes y terminar con una capa de carne vegetal picada mezclada con un poco de nata.

4º Espolvorearlo todo con queso rallado e introducir al horno caliente durante treinta minutos.

Valor nutritivo (por ración)	
Glúcidos	75 g
Lípidos	29 g
Prótidos	25 g
Calorías	660
Julios	2.758

282. LASAÑA DE PATATA

283. LASAÑA DE SETAS

Ingredientes

● 1,5 kg de patatas ● 300 g de carne vegetal picada (1 bote) ● 2 decilitros de nata líquida ● 100 g de queso manchego tierno rallado ● 1 cucharadita de mantequilla ● sal marina

Preparación

1º Lavar las patatas y cocerlas con la piel en abundante agua con sal. Cuando estén blandas escurrir el agua, pelarlas y cortarlas en rodajas finas.

2º Untar el fondo de una fuente para horno con la mantequilla y extender una ligera capa de nata. Colocar encima una

Ingredientes

● «Salsa de tomate II» (ver receta nº 408) ● 20 láminas de lasaña ● 200 g de champiñones ● 200 g de setas de cardo ● 100 g de guisantes ● 2 huevos ● perejil ● 1 cebolla grande ● 2 dientes de ajo ● 50 g de queso tierno rallado ● 4 cucharadas de aceite de oliva ● sal marina

Preparación

1º Preparar la salsa de tomate siguiendo la receta que se indica.

2º Cocer las láminas de lasaña en abundante agua con sal y un chorrito de aceite.

RECETA n.º 281 (I)

Cuando estén cocidas extenderlas sobre un paño limpio de forma que no se monten unas sobre otras.

3.º Cocer los huevos durante diez minutos en agua salada. Enfriarlos inmediatamente después de cocidos. Cocer igualmente los guisantes si no son de bote.

4.º Limpiar bien las setas eliminando primero la tierra y todas las partes estropeadas con un cuchillito. Lavarlas ligeramente con agua y trocearlas.

5.º Pelar y lavar la cebolla y los ajos y picarlo todo muy menudito por separado. Lavar y picar también el perejil.

6.º En una sartén grande rehogar primeramente la cebolla en aceite con un poco de sal. Cuando empiece a estar tierna añadir las setas. Seguir rehogando durante unos diez minutos, agregar los ajos y el perejil y dejar dos minutos más. Apagar el fuego e incorporar entonces los huevos picados y los guisantes escurridos. Remover para que se mezcle bien.

7.º Encender el horno. En una bandeja de horno poner en primer lugar un poco de salsa de tomate. A continuación poner una capa de láminas de lasaña, por enci-

RECETA n.º 281 (II)

ma de ésta poner parte del rehogado de setas. Cubrir con otra capa de lasañas y poner por encima salsa de tomate. Seguir poniendo capas alternadas hasta terminar con una de lasaña y salsa de tomate. Espolvorear por encima con el queso rallado.

8.º Introducir en el horno caliente durante unos minutos, hasta que se dore la superficie.

Valor nutritivo (por ración)	
Glúcidos	64 g
Lípidos	40 g
Prótidos	22 g
Calorías	697
Julios	2.912

1569

284. LECHE DE ALMENDRAS

285. LECHE DE CHUFAS

Ingredientes (para un litro de leche)

• *250 g de almendras* • *1 litro y medio vaso de agua*

Preparación

1.º Remojar las almendras en agua hirviendo durante cinco minutos. Pelarlas y dejarlas de nuevo en remojo, esta vez en agua fría, durante toda la noche.

2.º Escurrir bien las almendras y reservar el agua. Triturar las almendras con un molinillo o con la picadora.

3.º Verter las almendras picadas en un recipiente hondo con tres vasos del agua de remojo. Si el agua de remojo no llegaba a tres vasos, completar con agua corriente. Dejar en reposo durante media hora y colar después a través de un lienzo fino. Reservar esta primera leche en una jarra.

4.º Volver a depositar las almendras en el mismo recipiente hondo con un vaso y medio de agua. Dejar en reposo otra media hora y colar, exprimiendo bien el lienzo, sobre la jarra que contiene ya parte de la leche. Remover bien y refrescar en el frigorífico.

Ingredientes (para un litro de leche)

• *160 g de chufas secas (1 taza)* • *2 trozos de corteza de limón* • *1 litro de agua y medio vaso más*

Preparación

1.º Escoger bien las chufas eliminando las estropeadas o cualquier impureza que hubiera con ellas.

2.º Lavarlas y ponerlas en remojo durante veinticuatro horas o más. Cambiar el agua dos o tres veces durante el remojo.

3.º Lavar de nuevo las chufas, pues al hincharse van desprendiendo partículas de tierra. Escurrir bien y triturar con una picadora junto con las cortezas de limón.

4.º Verter las chufas molidas en un recipiente grande con tres vasos de agua y dejar en remojo veinte minutos. Pasado ese tiempo colar a través de un lienzo fino y reservar la leche en una jarra.

5.º Verter de nuevo las chufas molidas con un vaso y medio de agua. Dejar en remojo otros veinte minutos y colar sobre la misma jarra que contiene ya parte de la leche. En esta segunda vez que colamos conviene exprimir bien el lienzo para extraer el máximo de jugo. Remover bien la jarra y poner en la nevera para que se refresque. Servir fría. Remover cada vez que se sirva.

Esta leche de chufas edulcorada, y con la eventual adición de un poquito de harina de arroz, se convierte en la popular horchata de chufas.

Valor nutritivo (por 100 g, poco menos de medio vaso)	
Glúcidos	2 g
Lípidos	6 g
Prótidos	2 g
Calorías	65
Julios	272

287. LENTEJAS ESTOFADAS

Ingredientes

• *400 g de lentejas* • *1 cebolla mediana* • *1 cabeza de ajos* • *1 tomate mediano* • *3 cucharadas de aceite de oliva* • *1/2 cucharadita de hierbas aromáticas* • *sal marina*

Preparación

1.º Escoger y lavar las lentejas. Ponerlas en remojo en agua con sal durante toda la noche.

2.º En una cazuela poner las lentejas con la misma agua del remojo. Añadir la cebolla pelada y entera, a la que se habrán practicado dos cortes en un lado, el tomate, los ajos, quitándoles las pieles exteriores, las hierbas aromáticas y el aceite. Añadir más agua fría si hace falta y ponerlas a cocer, al empezar a hervir bajar el fuego al mínimo.

3.º Cuando las lentejas estén cocidas añadir la sal a gusto y dejar hervir unos minutos más.

Se puede acompañar a estas lentejas con unos trocitos de pan frito... pero ojo con las calorías de más que nos proporcionarán.

286. LECHE DE SOJA

Ingredientes (para un litro de leche)

• *100 g de soja blanca (1/2 taza)* • *1 litro y cuarto de agua*

Preparación

1.º Lavar bien las alubias de soja. Dejarlas en remojo en medio litro de agua durante doce horas o más.

2.º Escurrir la soja y reservar el agua del remojo. Triturar la soja con la picadora.

3.º En una cazuela mezclar la soja triturada, con el agua del remojo y tres cuartos de litro más de agua. Cocer a fuego lento durante treinta minutos, removiendo de vez en cuando y procurando que no se vierta la leche al subir por la ebullición.

4.º Colar a través de un lienzo fino y dejar enfriar. Obtendrá cuatro vasos.

RECETA n.º 288

288. LENTEJAS GUISADAS

Ingredientes

- 400 g de lentejas • 2 cebollas pequeñas
- 1 zanahoria • 1 puerro • 2 dientes de ajo
- 2 hojas de laurel • 4 cucharadas de aceite
- 1/2 cucharadita de pimentón • sal marina

Preparación

1.º Escoger y lavar las lentejas. Dejarlas en remojo durante toda la noche.
2.º Pelar las cebollas. Lavar y pelar la zanahoria y el puerro.
3.º Poner a cocer las lentejas en una olla con la zanahoria, el puerro, una cebolla, los ajos, el laurel y la sal que se desee, todo ello entero. Cuando rompa a hervir bajar el fuego al mínimo y mantenerlo así durante toda la cocción.
4.º En una sartén pequeña se calienta el aceite y se fríe la otra cebolla picada muy menuda. Cuando esté empezando a dorarse se retira del fuego, se añade el pimentón y se remueve ligeramente. Aña-

RECETA n.º 289

dir este sofrito a las lentejas a mitad de
la cocción y mantenerlas en el fuego hasta que estén tiernas.

Valor nutritivo (por ración)

Glúcidos	71 g
Lípidos	16 g
Prótidos	25 g
Calorías	514
Julios	2.150

289. LIONESAS DE NATA

Ingredientes

• 2,5 decilitros de agua (1 taza) • 100 g de
mantequilla • 140 g de harina (1 taza) • 4
huevos • 300 g de nata montada

1573

Preparación

1.º Llevar a punto de ebullición el agua con la mantequilla. Agregar de un golpe la harina y cocinar hasta que se forme una bola en el centro de la olla.

2.º Enfriar parcialmente y añadir los huevos uno a uno, batiendo vigorosamente después de cada adición.

3.º Encender el horno. Untar ligeramente con un poco de aceite una placa o bandeja para horno e ir colocando sobre la misma porciones de la masa con una cuchara.

4.º Introducir en el horno a fuego fuerte y uniforme. Reducir ligeramente el fuego y cocer durante veinte o treinta minutos, hasta que la masa suba y se dore de forma regular.

5.º Cuando estén frías se cortan por la mitad y se rellenan con la nata. Se obtienen unas dos docenas.

Valor nutritivo (por 100 g, unas tres lionesas)	
Glúcidos	15 g
Lípidos	28 g
Prótidos	7 g
Calorías	331
Julios	1.382

290. LOMBARDA DE NAVIDAD

Ingredientes

• 1 kg de col lombarda • 250 g de castañas • 2 manzanas reineta • 2 dientes de ajo • 1 huevo • sal marina • 4 cucharadas de aceite

Preparación

1.º Lavar bien la col lombarda. Trocear y cocer en agua con un poco de sal hasta que quede tierna, pero no muy blanda.

2.º Practicar un corte en las castañas y escaldarlas en agua hirviendo durante unos segundos. Pelarlas, trocearlas y cocerlas en muy poca agua con sal.

3.º Pelar las manzanas y los ajos. Cortar las manzanas a trozos y los ajos picarlos menuditos.

4.º Cocer el huevo en agua con un poco de sal durante unos diez minutos. Enfriar en seguida. Pelar cuando esté bien frío.

5.º Calentar el aceite en una cazuela. Dorar ligeramente las manzanas y apartar en un plato. En el mismo aceite se doran también los ajos y a continuación se añade la lombarda y las castañas escurridas. Rehogar durante unos cinco minutos y por último añadir las manzanas. Seguir rehogando un poco más a fuego muy suave.

6.º Verter sobre una fuente de servir y adornar con rodajas de huevo duro.

Valor nutritivo (por ración)	
Glúcidos	40 g
Lípidos	18 g
Prótidos	7 g
Calorías	348
Julios	1.453

291. MACARRONES A LA JARDINERA

Ingredientes

• 250 g de macarrones • 150 g de judías verdes • 150 g de guisantes finos desgranados

• 250 g de zanahorias • 1 pimiento verde
• 2 tomates medianos maduros • «Salsa de
tomate II» (ver receta n.º 408) • 100 g de
queso manchego tierno rallado • 4 cucharadas de aceite de oliva • sal marina

Preparación

1.º Limpiar y lavar las judías verdes y las zanahorias. Cortarlas en trocitos. Hervirlas
con los guisantes en agua con sal, escurrir y reservar.

2.º Cocer los macarrones en abundante
agua hirviendo con sal y un chorrito de
aceite para que no se peguen. Se dejan
cocer hasta que estén «al dente». Escurrir
y reservar.

3.º Preparar la «Salsa de tomate II» siguiendo las instrucciones de la receta indicada.

4.º Pelar la cebolla y picarla muy fina. Lavar
el pimiento y cortarlo en trocitos pequeños. Lavar los tomates, pelarlos y triturarlos.

5.º En una sartén se pone a calentar el aceite,
se echa la cebolla y el pimiento picados y
se rehogan. Cuando empiezan a dorarse
añadir los tomates triturados y se sofríe
unos cinco minutos.

6.º Añadir al sofrito las verduras hervidas y
un poco de sal, tapar y dejar cocer a fuego lento diez minutos.

7.º Agregar las verduras con el sofrito a los
macarrones y mezclar bien. Colocarlos
sobre una fuente de servir y sacar a la mesa acompañados con la salsa de tomate en
una salsera y el queso rallado en un plati-
llo para servirse a gusto.

292. MACARRONES CON BECHAMEL

Ingredientes

• 300 g de macarrones finos • «Salsa bechamel II» (ver receta n.º 401) • 100 g de queso
tierno rallado • 15 g de mantequilla • sal
marina

Preparación

1.º Preparar la salsa bechamel siguiendo la
receta que se cita.

2.º Cocer los macarrones en abundante
agua con sal. Cuando estén «al dente»
escurrir y verter sobre una fuente para
horno.

3.º Cubrir los macarrones con la salsa preparada, poner por encima pequeños trocitos de mantequilla y espolvorear con el
queso rallado.

4.º Introducir la fuente en el horno con el
gratinador encendido y gratinar hasta
que se dore la superficie.

Valor nutritivo (por ración)	
Glúcidos	77 g
Lípidos	41 g
Prótidos	25 g
Calorías	769
Julios	3.214

Valor nutritivo (por ración)	
Glúcidos	70 g
Lípidos	27 g
Prótidos ...:....	21 g
Calorías	612
Julios	2.558

RECETA n.º 293

293. MACARRONES CON SALSA ANDALUZA

Ingredientes

• *300 g de macarrones espirales* • *«Salsa andaluza»* (ver receta n.º 398 y doblar cantidades) • *1 diente de ajo* • *perejil* • *2 cucharadas de aceite* • *sal marina*

Preparación

1.º Preparar la salsa andaluza doblando las cantidades indicadas en la receta.
2.º Hervir los macarrones en abundante agua con sal hasta que estén «al dente».
3.º Mientras tanto machacar bien el diente de ajo en un mortero, añadir un poco de sal y el aceite y remover bien.
4.º Cuando los macarrones estén en su punto escurrir y verterlos en una ensaladera, agregarles la salsita de ajo y aceite y remover bien. Cubrir con la salsa andaluza que tenemos preparada y espolvorear con el perejil picado.

1576

RECETA n.º 294

charadas de queso manchego tierno rallado
• 1 diente de ajo • 1 ramita de perejil • 2
cucharadas de aceite • sal marina

Valor nutritivo (por ración)	
Glúcidos	62 g
Lípidos	71 g
Prótidos	14 g
Calorías	964
Julios	4.030

294. MACARRONES EN TORTILLA

Ingredientes

• 100 g de macarrones • 3 huevos • 1 taza
de «Salsa de tomate II» (ver receta n.º 408)
• 50 g de aceitunas verdes sin hueso • 2 cu-

Preparación

1.º Preparar la salsa de tomate siguiendo las
instrucciones de la receta indicada, o usar
un resto que se tenga.

2.º Cocer los macarrones en bastante agua
hirviendo con sal y un chorrito de aceite
para que no se peguen. Se dejan cocer
hasta que estén «al dente» y se escurren.

3.º Batir los huevos con una pizca de sal, el
ajo rallado y el perejil muy picado.

4.º Mezclar bien los macarrones con media
taza de salsa de tomate, los huevos batidos y el queso rallado.

5.º En una sartén calentar un poco el aceite
y echar la mezcla. Cuajarlo como si se
tratase de una tortilla normal, dorándola por ambos lados y dándole la vuelta
con la ayuda de un plato o una tapadera.

6.º Servir caliente, cubierta con el resto de la salsa de tomate y las aceitunas picadas o enteras, según se prefiera.

Valor nutritivo (por ración)	
Glúcidos	24 g
Lípidos	23 g
Prótidos	13 g
Calorías	352
Julios	1.472

295. MACARRONES INTEGRALES A LA ITALIANA

Ingredientes

• *250 g de macarrones integrales* • *1 cebolla pequeña* • *150 g de carne vegetal* • *1 taza de «Salsa de tomate I» (ver receta n.º 407)* • *50 g de queso manchego tierno rallado* • *1/2 cucharadita de pimentón dulce* • *una pizca de nuez moscada molida* • *2 cucharadas de aceite de oliva* • *sal marina*

Preparación

1.º Cocer los macarrones en abundante agua hirviendo con sal y un chorrito de aceite para que no se peguen. Se dejan cocer hasta que estén «al dente» y se escurren.

2.º Preparar la salsa de tomate siguiendo las instrucciones de la receta indicada, o aprovechar algún resto que se tenga.

3.º Pelar la cebolla y picarla muy menuda. Cortar la carne vegetal en cuadritos pequeños.

4.º En una cacerola calentar el aceite y rehogar la cebolla, la carne vegetal y el pimentón. Se incorpora la salsa de tomate

y la nuez moscada y se deja cocer durante cinco minutos más.

5.º Agregar los macarrones cocidos y un poco de queso rallado. Mezclar bien y dejar cocer a fuego lento otros cinco minutos.

6.º Extender los macarrones en una fuente para horno, espolvorear con el queso rallado e introducir en el horno para gratinar.

Valor nutritivo (por ración)	
Glúcidos	57 g
Lípidos	21 g
Prótidos	17 g
Calorías	491
Julios	2.053

296. MACEDONIA CON JARABE DE ALMENDRAS

Ingredientes

Jarabe: • *2 cucharadas de almendras molidas* • *5 decilitros de agua (2 tazas)* • *1 cucharada de fécula de maíz diluida en 2 cucharadas de agua* • *4 cucharadas de azúcar moreno*
Macedonia: • *4 manzanas* • *4 melocotones* • *1 bote de piña en almíbar* • *150 g de fresas* • *250 g de litchis*

Preparación

1.º Preparar primero el jarabe de la siguiente forma: Poner las almendras, el agua, la fécula de maíz diluida y el azúcar en una cazuela, mezclar bien, llevar a ebullición removiendo continuamente, y después dejar a fuego lento durante diez minutos.

2.º Retirar del fuego y dejar enfriar, removiendo de vez en cuando para evitar que se forme una corteza.

3.º Lavar todas las frutas y pelar las que convenga. Trocearlas a cuadritos, mezclarlas bien y ponerlas sobre una ensaladera.

4.º Rociar con el jarabe y ponerlas un momento en el refrigerador antes de servir.

Valor nutritivo (por ración)	
Glúcidos	78 g
Lípidos	2 g
Prótidos	14 g
Calorías	326
Julios	1.361

297. MAGDALENAS DE MANZANA

Ingredientes

• 2 huevos • 2 decilitros de aceite • 200 g de azúcar moreno • 2 manzanas (unos 300 g sin piel ni corazón) • 280 g de harina (1 taza de harina blanca y otra de integral) • 3 cucharaditas de levadura en polvo • 1 cucharadita de canela en polvo • 50 g de piñones

Preparación

1.º Pelar las manzanas, cortarlas en trozos, quitándoles el corazón y cocerlas en agua, sin azúcar, durante diez minutos.

2.º Mientras tanto, en un recipiente grande, batir las claras a punto de nieve. Añadir las yemas y seguir batiendo.

Agregar también el aceite y el azúcar sin dejar de remover.

3.º Cuando las manzanas estén cocidas, escurrirlas y triturarlas. Agregarlas a la mezcla del recipiente. Encender el horno.

4.º Por último añadir la harina, la levadura en polvo y la canela. Remover bien, batiendo durante unos minutos para que la masa quede homogénea.

5.º Repartir la masa en moldecitos de papel, de forma que llene sólo la mitad del molde, porque al cocer aumenta bastante de tamaño. Depositar encima de la masa unos pocos piñones y colocar los moldecitos sobre la bandeja del horno.

6.º Cocer a fuego medio durante unos quince o veinte minutos, hasta que la masa haya subido y estén doraditas.

Valor nutritivo (por 100 g, unas cuatro magdalenas)	
Glúcidos	59 g
Lípidos	26 g
Prótidos	7 g
Calorías	496
Julios	2.074

298. MAIZ A LA PARRILLA

Ingredientes

• 4 mazorcas de maíz tierno • 2 cucharadas de aceite • sal marina

Preparación

1.º Pelar las mazorcas y quitarles las barbas. Ponerlas sobre la parrilla y asarlas durante unos veinticinco minutos, dándole

RECETA n.º 298

vueltas de vez en cuando con unas tenazas para que se asen uniformemente.
2.º Condimentar con un poco de aceite y sal. Servir calientes.

Valor nutritivo (por ración)	
Glúcidos	30 g
Lípidos	9 g
Prótidos	6 g
Calorías	225
Julios	942

299. MAIZ TIERNO AL HORNO

Ingredientes

• 600 g de maíz tierno desgranado • 1,25 decilitros de nata líquida (1/2 taza) • 100 g de queso tierno rallado • 1/2 cucharadita de pimentón

RECETA n.º 300

Preparación

1.º Cocer el maíz en agua y con un poco de sal. Escurrir. Encender el horno.

2.º Untar ligeramente, con aceite, un molde para horno. Extender el maíz cocido y escurrido sobre el molde, verter por encima la nata líquida y espolvorear con el queso rallado.

3.º Introducir en el horno y asar hasta que se dore el queso.

4.º Espolvorear con un poco de pimentón y servir.

Valor nutritivo (por ración)	
Glúcidos	31 g
Lípidos	15 g
Prótidos	13 g
Calorías	311
Julios	1.300

300. MAIZ TIERNO SALTEADO

Ingredientes

• *600 g de maíz tierno desgranado* • *2 pimientos verdes* • *3 cucharadas de aceite de oliva* • *sal marina*

Preparación

1.º Cocer el maíz en agua y con un poco de sal. Escurrir.

2.º Lavar los pimientos y picarlos menuditos. Rehogarlos en una sartén con el aceite y un poco de sal.

3.º Añadir el maíz cocido y escurrido y seguir rehogando durante unos diez minutos.

Valor nutritivo (por ración)	
Glúcidos	32 g
Lípidos	13 g
Prótidos	6 g
Calorías	270
Julios	1.127

301. MALANGA REHOGADA

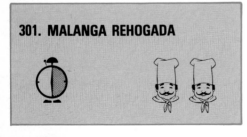

Ingredientes

• *1 kg de malanga* • *zumo de un limón* • *2 dientes de ajo* • *perejil* • *sal marina* • *3 cucharadas de aceite*

Preparación

1.º Pelar y lavar bien la malanga. Cortarla en cuadritos y cocerla en agua salada hasta que esté tierna.

2.º Pelar los ajos, lavar el perejil. Picarlos juntos muy menuditos y rehogarlos ligeramente en el aceite.

3.º Escurrir la malanga, cuando ya esté cocida, y agregarla a la sartén. Remover un poco, incorporar el zumo de limón y seguir cociendo unos cinco minutos más.

Valor nutritivo (por ración)	
Glúcidos	70 g
Lípidos	12 g
Prótidos	4 g
Calorías	404
Julios	1.687

302. MANZANAS AL HORNO

Ingredientes

• *4 manzanas reineta* • *2 cucharadas de azúcar moreno* • *3 cucharadas de pasas de Corinto* • *4 cucharadas de avellanas trituradas* • *zumo de una naranja* • *1,25 decilitros de mosto (zumo de uva) (1/2 taza)*

Preparación

1.º Lavar bien las manzanas. Vaciar el corazón y hacer un corte horizontal superficial alrededor de cada una.

2.º En un recipiente mezclar bien el azúcar con las pasas, las avellanas y el zumo de naranja. Encender el horno.

3.º Rellenar las manzanas con la mezcla que

tenemos preparada y colocarlas en una bandeja para horno. Regar con el mosto.

4.º Introducir en el horno y cocer a fuego medio durante unos veinte minutos.

Valor nutritivo (por ración)

Glúcidos	36 g
Lípidos	4 g
Prótidos	4 g
Calorías	181
Julios	757

303. MASA BASE PARA TARTA

Ingredientes

• 200 g de harina (1 taza de harina blanca y 1/2 taza de harina integral) • 50 g de germen de trigo (4 cucharadas) • 1,25 decilitros de aceite (1/2 taza) • 1,25 decilitros de agua (1/2 taza) • sal marina (sólo para las tartas saladas)

Preparación

1.º En un recipiente hondo se mezclan el aceite y el agua, con un poco de sal si va a preparar una tarta salada o pizza. Batir bien hasta que quede una crema blanquecina.

2.º Añadir entonces la harina y el germen de trigo. Mezclar con una espátula o tenedor de madera hasta formar una bola consistente pero un poco blanda, que se pueda extender bien con el rodillo, pero sin que resulte pegajosa. No se debe amasar.

Valor nutritivo (por ración)

Glúcidos	44 g
Lípidos	30 g
Prótidos	8 g
Calorías	484
Julios	2.022

304. MAYONESA DE TOMATE

Ingredientes

• 1 tomate grande de pulpa firme • 1 diente de ajo pequeño • 1,5 decilitros de aceite de girasol • unas hojitas de apio y perejil • sal marina

Preparación

1.º Lavar y pelar el tomate y limpiar el apio y el perejil.

2.º En un vaso de la batidora colocar el tomate troceado, el ajo, el apio, el perejil, el aceite y un poco de sal.

3.º Triturarlo muy bien y conservar en el frigorífico.

Valor nutritivo (por ración)

Glúcidos	3 g
Lípidos	31 g
Prótidos	1 g
Calorías	328
Julios	1.371

1584

305. MENESTRA DE VERDURAS

Ingredientes

• *250 g de judías verdes* • *1/2 kg de alca-chofas* • *250 g de zanahorias* • *100 g de ha-bas desgranadas* • *100 g de guisantes* • *1 ce-bolla* • *2 dientes de ajo* • *perejil* • *1/2 kg de patatas* • *sal marina* • *aceite de oliva*

Preparación

1.º Lavar bien todas las verduras y pelar las que convenga. Partirlas en trozos pe-queños. Las zanahorias en cuadritos. La cebolla y los ajos muy menuditos, así co-mo el perejil. Las patatas se cortan tam-bién en cuadritos.

2.º En una cazuela se calientan tres cuchara-das de aceite y se rehogan la cebolla y los ajos. Cuando empiece a estar tierno se le añaden las verduras troceadas, los gui-santes y las habas desgranadas. Se sigue rehogando durante unos cinco minutos y se le añade un vaso de agua caliente. Sazonar a gusto, añadir el perejil picado y seguir cociendo a fuego lento durante quince o veinte minutos.

3.º Mientras tanto se fríen las patatas en bastante aceite. Cuando estén doradas se apartan en una fuente sobre papel absorbente y se reservan.

4.º Cuando las verduras estén en su punto se sirven, todavía calientes, junto con las patatas fritas.

Valor nutritivo (por ración)

Glúcidos	55 g
Lípidos	24 g
Prótidos	10 g
Calorías	457
Julios	1.912

306. MEZCLA DE LEGUMBRES CON ARROZ INTEGRAL

Ingredientes

• *50 g de garbanzos* • *50 g de judías blancas* • *50 g de lentejas* • *50 g de soja verde* • *100 g de arroz integral* • *200 g de cardos (cardo amargo de alcachofa)* • *1 nabo* • *1 chirivía* • *1 tomate maduro* • *1 cebolla* • *2 dientes de ajo* • *4 cucharadas de aceite de oliva* • *1/2 cucharadita de pimentón* • *sal marina*

Preparación

1.º Poner a remojo la noche anterior, por separado, cada legumbre y el arroz.

2.º Por la mañana se lava todo bien y se deja listo para cocer. En primer lugar se ponen en la olla los garbanzos y las judías que tardan más en cocerse.

3.º Cuando empiecen a estar tiernos los garbanzos, se les van incorporando poco a poco, para que no dejen de hervir, las lentejas, el arroz y la soja verde, en este orden. Seguir cociendo hasta que todo esté tierno.

4.º Mientras tanto lavar bien las hortalizas, pelar las que convenga y picarlas en trocitos pequeños. Los cardos no deben quedar demasiado pequeños y conviene rociarlos o frotarlos con limón. La cebolla y los ajos, en cambio, se picarán más menuditos.

5.º Cocer en una cazuelita aparte los cardos en agua con sal. Cuando empiecen a estar tiernos, pero un poco duros todavía, se escurren y se añaden al potaje. El caldo de los cardos no será aprovechable, por ser muy amargo.

6.º Agregar entonces el nabo, la chirivía y el tomate que estarán ya pelados y picados. Sazonar a gusto.

7.º La cebolla y los ajos se rehogan en una sartén con el aceite. Se les añade el pimentón molido y se vierte todo en el potaje.

8.º Remover de vez en cuando con una cuchara de madera hasta que esté todo muy cocido y un poco espeso.

Valor nutritivo (por ración)

Glúcidos	58 g
Lípidos	19 g
Prótidos	18 g
Calorías	439
Julios	1.835

307. MOLDES DE ENSALADA CON MAYONESA

Ingredientes

• *100 g de carne vegetal* • *«Salsa mayonesa»* (ver receta n.º 411) • *100 g de setas* • *100 g*

de alcachofas en conserva • 50 g de guisantes • 1 zanahoria • 2 tomates • 1 pimiento
• 1 cebolla pequeña • 50 g de aceitunas verdes • 1/2 lechuga • 2 cucharadas de aceite
• nuez moscada molida • sal marina

308. NIDOS

Preparación

1.º Limpiar, lavar y cortar a trocitos la zanahoria, el pimiento y los guisantes. Ponerlos a cocer en agua con sal.
2.º Limpiar, lavar y trocear las setas. Pelar la
cebolla, picarla y rehogarla ligeramente
en el aceite con las setas.
3.º Preparar la salsa mayonesa siguiendo la
receta que se indica.
4.º Lavar y pelar un tomate, cortarlo a cuadritos, picar la carne vegetal y las alcachofas.
5.º En una fuente honda echar las hortalizas
cocidas, las setas rehogadas con la cebolla, el tomate, la carne vegetal y las alcachofas picadas.
6.º Añadir las aceitunas picadas, una pizca
de nuez moscada, la mayonesa y mezclar bien.
7.º Forrar con papel untado en aceite cuatro
moldes individuales y rellenarlos con la
mezcla. Meterlos al frigorífico dos horas.
8.º Sacar del molde y colocarlos sobre una
fuente de servicio. Adornar con hojas de
lechuga dispuestas en forma de flor y
con el otro tomate cortado en rodajas.
9.º También se puede añadir para el adorno
una remolacha roja, previamente cocida, cortada en rodajas rizadas, muy finas.

Ingredientes

• 4 panecillos redondos (de unos 70 g) • 2
berenjenas medianas • 250 g de champiñones • 2 cebollas pequeñas • 2 zanahorias • 3
huevos • 50 g de piñones • 4 lonchas de
queso (unos 60 g) • 3 dientes de ajo • 1 cucharadita de orégano • sal marina • 4 cucharadas de aceite de oliva • 15 g de mantequilla

Preparación

1.º Vaciar los panecillos cortando una pequeña rebanada por encima y sacando la
miga con cuidado.
2.º Lavar bien las hortalizas. Las berenjenas
se pelan, se cortan finamente y se dejan
en remojo con un poco de agua y sal durante una hora. Los champiñones se cortan en láminas finas. Las cebollas y las
zanahorias se pelan y se rallan. Los ajos
se pelan y se machacan en el mortero.
3.º En una sartén se calienta el aceite y se rehogan las berenjenas escurridas, el
champiñón, las cebollas, las zahanorias
y los ajos. Cuando esté todo tierno se le
añaden los piñones, el orégano y la sal.
Se remueve todo bien y se aparta del
fuego. Se baten los huevos y se añaden
mezclando bien.
4.º Con la mezcla preparada se rellenan los
panecillos. Se unta cada uno de ellos por
fuera con muy poca mantequilla.
5.º Calentar el horno e introducir los panecillos hasta que se doren. Apagar el horno y antes de sacarlos se coloca una loncha de queso sobre cada panecillo. Servir calientes.

Valor nutritivo (por ración)	
Glúcidos	22 g
Lípidos	70 g
Prótidos	10 g
Calorías	760
Julios	3.177

1588

Valor nutritivo (por ración)	
Glúcidos	46 g
Lípidos	31 g
Prótidos	20 g
Calorías	530
Julios	2.216

309. NIDOS DE PATATA

Ingredientes

- *2 patatas grandes* • *4 huevos* • *25 g de queso manchego tierno rallado* • *30 g de mantequilla* • *1/2 cucharadita de hierbas aromáticas (orégano, tomillo, perejil, romero, etc.)* • *sal marina*

Preparación

1.º Lavar las patatas y asarlas enteras en el horno caliente durante una hora aproximadamente.

2.º Una vez asadas se cortan por la mitad a lo ancho y se vacían, dejando todo alrededor una pared de un centímetro de grueso.

3.º La patata que hemos extraído en el vaciado se reduce a puré, machacándola bien con un pasapurés. Luego se le añade el queso rallado, la mantequilla y las hierbas aromáticas. Mezclar todo muy bien.

4.º Cada mitad de patata se rellena con esta mezcla y en el centro de cada una se casca un huevo.

5.º Espolvorear con una pizca de sal e introducir en el horno caliente durante cinco minutos. Servir caliente.

Valor nutritivo (por ración)

Glúcidos	29 g
Lípidos	15 g
Prótidos	42 g
Calorías	299
Julios	1.251

Valor nutritivo (por ración)

Glúcidos	4 g
Lípidos	12 g
Prótidos	2 g
Calorías	123
Julios	515

311. NISCALOS EN SU JUGO

Ingredientes

• *1 kg de níscalos* (Lactarius deliciosus) • *6 dientes de ajo* • *4 cucharadas de aceite* • *perejil* • *sal marina*

Preparación

1.º Limpiar en seco los níscalos con un cuchillo quitando todas las impurezas y partes estropeadas. Cuando estén lo más limpios posible, lavarlos brevemente con agua fría. Partir en trozos grandes.
2.º Calentar el aceite en una sartén grande y rehogar los níscalos a fuego medio durante cinco minutos.
3.º Pelar los ajos, lavar el perejil y machacar ambos ingredientes en el mortero con la sal. Agregar unas cucharadas del jugo que dejan los níscalos al mortero, remover un poco y verterlo en la sartén.
4.º Continuar rehogando durante diez o quince minutos. Si el jugo se agota muy rápidamente reducir el fuego al mínimo.
5.º Este plato ha de servirse caliente. Reduciendo las cantidades puede utilizarse como guarnición.

310. NISCALOS A LA VINAGRETA

Ingredientes

• *1/2 kg de níscalos* (Lactarius deliciosus) • *3 cucharadas de aceite* • *3 cucharadas de vinagre de manzana* • *sal marina*

Preparación

1.º Limpiar bien los níscalos en seco, eliminando la tierra y las partes estropeadas con un cuchillito. Lavar ligeramente con agua y trocear menudito.
2.º Cocer los níscalos en agua con sal durante diez minutos. Escurrir y dejar enfriar.
3.º Poner en un cuenco los níscalos, agregar el aceite y el vinagre y un poco más de sal si conviene. Remover bien y dejar reposar durante unas dos horas. Servir frío. Antes de presentarlos a la mesa, cortar muy picaditas unas hojas de perejil y espolvorear. Dejar una ramita en el centro sin trocear.

Valor nutritivo (por ración)

Glúcidos	9 g
Lípidos	16 g
Prótidos	4 g
Calorías	177
Julios	740

Valor nutritivo (por ración)

Glúcidos	57 g
Lípidos	11 g
Prótidos	10 g
Calorías	350
Julios	1.464

313. ÑAME CON TOMATE

312. ÑAME ASADO

Ingredientes

• *1 kg de ñame* • *2 decilitros de leche* • *2 huevos* • *25 g de mantequilla* • *sal marina*

Preparación

1º Pelar y lavar el ñame. Cortarlo a trozos y cocerlo en agua salada hasta que esté suave.

2º Escurrir el ñame y ponerlo en una fuente donde se irá aplastando con ayuda de un tenedor. Agregar la leche y la mantequilla y seguir trabajando. Incorporar también uno de los huevos batidos y mezclar bien. Encender el horno.

3º Untar un molde para horno con muy poco aceite o mantequilla. Poner la mezcla que hemos preparado en ese molde y cubrir con el otro huevo batido con un poco de sal.

4º Introducir en el horno, a fuego medio, hasta que se dore la superficie.

5º Apagar el horno y dejarlo en su interior unos minutos. Colocar en una fuente y servir a la mesa.

Ingredientes

• *750 g de ñame* • «*Salsa de tomate II*» (ver receta nº 408) • *3 cucharadas de aceite de oliva* • *sal marina*

Preparación

1º Pelar el ñame y lavarlo. Cortarlo en cuadritos y cocerlo en agua con sal hasta que esté tierno.

2º Preparar la salsa de tomate siguiendo la receta que se cita.

3º Escurrir el ñame, rehogarlo en una sartén en el aceite y agregarle la salsa de tomate. Dejar estofar a fuego lento durante diez minutos.

Valor nutritivo (por ración)

Glúcidos	56 g
Lípidos	29 g
Prótidos	8 g
Calorías	500
Julios	2.089

314. «OLLA CALDOSA AMB PILOTA DE PANIS» (Olla caldosa con albóndigas de maíz)

Ingredientes

Olla: • *250 g de judías blancas* • *250 g de cardos (cardo amargo de alcachofa)* • *2 nabos* • *1 cebolla pequeña* • *1 cucharadita de pimentón* • *4 cucharadas de aceite de oliva* • *sal marina*

Albóndigas: • *150 g de harina de maíz (debe ser recién molida y no demasiado fina)* • *3 cucharadas de aceite de oliva* • *1 cucharadita de pimentón* • *sal marina* • *caldo de cocción de la olla*

Preparación

1º Poner las judías en remojo toda la noche.
2º Lavar las judías y cocerlas en una olla con agua suficiente. El fuego debe ser fuerte al principio hasta que hierva bien, y luego muy suave para que se vayan cociendo lentamente.
3º Mientras tanto, lavar bien las hortalizas.

Los cardos se pelan y se parten a trozos de cinco centímetros aproximadamente. Los nabos se pelan y se cortan a trozos irregulares, más bien grandes. La cebolla se pela y se ralla.

4º Los cardos se cuecen aparte con agua salada. Cuando empiecen a estar tiernos, pero un poco tiesos todavía, se tira el caldo que será muy amargo y se vierten sobre las judías que también estarán tiernas, casi cocidas. Añadir en ese momento también los trozos de nabo y sazonar a gusto.

5º En una sartén pequeña se calienta el aceite y se sofríe la cebolla rallada. Cuando esté dorada se añade la cucharadita de pimentón, se remueve un poco y antes de que se queme se vierte todo sobre las judías. Seguir cociendo a fuego lento y rectificar de sal si es preciso.

6º En un recipiente de loza o cristal (no de plástico) poner toda la harina de maíz haciendo un hoyito en el centro a modo de volcán. Dentro del hoyito se pone la cucharadita de pimentón y sal a gusto. Se calienta el aceite en una sartén, se vierte encima del pimentón, y con una cuchara de madera se va mezclando. Se añade caldo del que está cociendo en la olla hasta que se forma una masa consistente pero no demasiado dura. Se amasa bien con las manos y se forman las albóndigas del tamaño de un limón mediano (de modo que se obtengan una o dos por comensal).

7º Sumergir las albóndigas en la olla, que seguirá cociendo a fuego muy suave. Cuando las albóndigas floten por la superficie ya están cocidas, y la olla lista para servir.

Valor nutritivo (por ración)

Glúcidos	73 g
Lípidos	29 g
Prótidos	18 g
Calorías	608
Julios	2.539

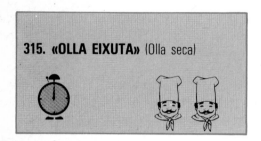

315. «OLLA EIXUTA» (Olla seca)

Ingredientes

• *100 g de judías blancas* • *350 g de arroz*
• *1 patata mediana* • *1 tomate grande maduro* • *2 nabos pequeños* • *1 cabeza de ajos*
• *1 decilitro de aceite de oliva* • *unas hebritas de azafrán molido* • *sal marina*

Preparación

1.º Poner las judías en remojo durante toda la noche. Cocer por la mañana con suficiente agua, sin sal, hasta que estén bien tiernas.

2.º Lavar bien las hortalizas. Los nabos se pelan y se parten en trozos irregulares grandecitos. Las patatas, después de peladas se parten en rodajitas finas. El tomate se parte por la mitad y se ralla. La cabeza de ajos se deja entera, quitando solamente las hojas superfluas y practicando un corte longitudinal alrededor de la misma para que los ajos no estallen al freír.

3.º En una sartén grande se calienta el aceite y se fríen las patatas con un poco de sal. Cuando estén doradas se apartan en un plato y se reservan.

4.º En la misma sartén y con el mismo aceite se sofríe la cabeza de ajos y los nabos. Cuando estén dorados se añade el tomate, se sazona a gusto y se deja rehogar hasta que empiece a consumirse el jugo del tomate. Se añade entonces el arroz, previamente escogido y limpio. Se dan unas cuantas vueltas y se vierte todo en una cazuela de barro (especial para arroz al horno) o en una bandeja o fuente de horno.

5.º Añadir a la misma cazuela las judías cocidas y escurridas y tres tazas de su caldo que se mantendrá hirviendo. Se añade el azafrán y se remueve un poco para que se distribuya bien el arroz con las judías. Poner entonces por encima las patatas fritas que teníamos reservadas. Introducir en el horno caliente y dejar cocer hasta que el arroz esté en su punto: cocido pero seco y suelto. Tardará aproximadamente media hora.

Valor nutritivo (por ración)

Glúcidos	99 g
Lípidos	24 g
Prótidos	15 g
Calorías	673
Julios	2.813

316. PAELLA DE ARROZ INTEGRAL

Ingredientes

• *300 g de arroz integral (taza y media)* • *2 alcachofas* • *1 pimiento rojo* • *3 cebollas muy pequeñas* • *250 g de champiñones* • *2 zanahorias* • *1 pimiento verde* • *200 g de judías verdes* • *100 g de coliflor* • *100 g de* guisantes (desgranados) • 1 tomate grande maduro • 2 huevos duros • 1 limón • 2 dientes de ajo • perejil • 6 almendras • azafrán • sal marina • 1 decilitro de aceite de oliva (poco menos de media taza) • 7,5 decilitros de agua o caldo de verduras (tres tazas)

Preparación

1.º Escoger el arroz y ponerlo en remojo la noche anterior, o bien una hora antes de prepararlo en agua hirviendo.

2.º Lavar bien las hortalizas. Las alcachofas se despojan de las hojas más duras, se les corta el tallo y las puntas, se parten en cuatro o seis trozos cada una y se rocían con limón. Los pimientos se cortan a tiras. Las cebollas se dejan enteras. El champiñón se corta en láminas, las zanahorias en cuadritos, las judías verdes en trozos pequeños y la coliflor en ramilletes también pequeños. Los dientes de ajo se pelan y junto con el perejil y las almendras se machacan en un mortero. El tomate se parte por la mitad y se ralla.

3.º En una paellera se calienta el aceite y se sofríen las alcachofas con dos rodajas de limón y un poco de sal. Cuando estén doradas se apartan en un plato.

4.º A continuación, con el mismo aceite se van rehogando las otras hortalizas por orden. En primer lugar el pimiento rojo, cuando esté dorado se puede apartar también con las alcachofas para el adorno. Seguidamente se rehogan las cebollitas enteras, los champiñones y las zanahorias. Unos minutos después se añade el pimiento verde, las judías, la coliflor y los guisantes. Rehogar a fuego medio, sazonando a gusto, durante cinco minutos. Añadir después el tomate y seguir rehogando hasta que se le agote el jugo.

5.º Escurrir bien el arroz. Agregarlo a la paellera y remover con cuidado para que se mezcle con todos los ingredientes. Verter las tres tazas de agua que tendremos aparte hirviendo. Dejar cocer a fuego vivo durante cinco minutos. Rectificar de sal, añadir el contenido del mortero y el azafrán. Remover un poco, reducir el fuego al mínimo, cuidando que cueza por toda la superficie. Poco antes de que se agote el caldo se incorporan las alcachofas, las tiras de pimiento y los huevos cortados a cuartos o en rodajas, adornando la paella.

6.º Cuando el arroz esté en su punto, deberá estar seco y suelto, se apaga el fuego y se deja reposar cinco minutos.

Valor nutritivo (por ración)	
Glúcidos	88 g
Lípidos	29 g
Prótidos	20 g
Calorías	678
Julios	2.836

317. PAELLA VALENCIANA VEGETARIANA

Ingredientes

• 350 g de arroz (poco más de taza y media) • 3 alcachofas pequeñas • 1 pimiento rojo pequeño • 250 g de champiñones • 100 g de garrofón (desgranado) • 150 g de judías verdes (mejor si son de dos clases) • 100 g de habas (desgranadas) • 100 g de guisantes (desgranados) • 1 tomate grande maduro • 1 limón • 2 dientes de ajo • perejil • 1 cucharadita de pimentón • azafrán • sal marina • 1 decilitro de aceite de oliva • 8 decilitros de agua (algo más de tres tazas)

Preparación

1.º Lavar bien todas las hortalizas. Las alcachofas se despojan de las hojas más duras, se les corta el tallo y las puntas, se

RECETA n.º 318

cortan en cuatro trozos y se rocían con un poco de zumo de limón. El pimiento se corta a tiras, los champiñones en láminas y las judías en trocitos pequeños. El tomate se parte por la mitad y se ralla. Los ajos se pelan y junto con el perejil se machacan en un mortero.

2.º En una paellera, o sartén grande, se calienta el aceite y se rehogan las alcachofas con dos rodajas de limón y un poco de sal. Cuando estén doradas se apartan y reservan.

3.º En el mismo aceite se van rehogando las otras hortalizas por orden. En primer lugar el pimiento, cuando se empiece a dorar se le añaden los champiñones. Remover un poco y a continuación añadir el garrofón, las judías verdes, las habas y los guisantes. Rehogar durante unos cinco minutos a fuego medio y sazonando a gusto. Añadir una cucharadita de pimentón y después el tomate. Seguir rehogando hasta que se le agote el jugo.

4.º Escoger y limpiar el arroz. Incorporarlo a

RECETA n.º 319

la paellera y rehogarlo un poco antes de añadir el agua que tendremos aparte hirviendo. Cocer a fuego vivo durante unos cinco minutos. Rectificar de sal, añadir los ajos y el perejil machacados y unas hebritas de azafrán tostado y molido. Reducir el fuego al mínimo cuidando que siga cociendo por toda la superficie. Poco antes de que se agote el caldo se le incorporan las alcachofas bien distribuidas, se rocía el arroz con zumo de limón y si se desea se puede adornar con rodajitas de limón por los extremos de la paellera.

5.º Cuando el arroz esté en su punto, cocido pero seco y suelto, se apaga el fuego y se deja reposar cinco minutos.

Valor nutritivo (por ración)

Glúcidos	90 g
Lípidos	24 g
Prótidos	16 g
Calorías	636
Julios	2.656

318. PALOMITAS DE MAIZ

Ingredientes

• *70 g de maíz seco (unas 6 cucharadas)* • *2 cucharadas de aceite de oliva* • *1/2 cucharadita de sal*

Preparación

1.º Escoger el maíz eliminando los granos rotos o estropeados. El maíz adecuado para hacer palomitas (rosetas) es el de la variedad *everta*.

2.º En una sartén grande se pone el aceite, el maíz (que cubrirá escasamente la base de la sartén), y la sal. Poner sobre fuego y remover el maíz con una cuchara de madera.

3.º Cuando empiecen a estallar los granos, tapar con una tapadera del mismo diámetro que la sartén y mover la sartén con movimientos circulares sobre el fuego para evitar que se quemen las palomitas. Mientras se oiga el ruido clásico de las palomitas que estallan se seguirá moviendo la sartén. Cuando cesen de estallar se aparta la sartén del fuego y se vierten las palomitas sobre una fuente de servir.

Valor nutritivo (por ración)	
Glúcidos	13 g
Lípidos	8 g
Prótidos	2 g
Calorías	133
Julios	554

Variaciones

Si lo desea puede hacer las palomitas dulces, sustituyendo la sal por una cucharada de azúcar moreno o miel. Se sigue el mismo procedimiento, pero hay que cuidar el fuego, porque se queman más fácilmente.

319. «PANELLETS»

Ingredientes

• *300 g de almendra cruda pelada* • *300 g de azúcar* • *150 g de patatas* • *30 g de piñones*

Preparación

1.º Pelar y lavar las patatas. Cocerlas en agua hasta que estén tiernas. Escurrir y aplastar con un tenedor cuando todavía están calientes. Dejar enfriar.

2.º Reserve diez o doce almendras para el adorno y triture el resto. Si no las tiene peladas, escáldelas con agua hirviendo durante dos o tres minutos y se pelarán fácilmente. Déjelas secar y tritúrelas después.

3.º Mezclar las almendras trituradas con el azúcar. Añadir la patata cuando esté fría. Amasar todo bien y dejar reposar una hora aproximadamente.

4.º Coger pequeñas porciones de la pasta con la mano, formar una bolita y aplastar un poco para que quede una masita redonda de unos cuatro centímetros de diámetro por dos de grosor, más o menos. También puede formar los «panellets» alargados o en forma de pequeñas rosquillas, etc. Encender el horno.

5.º Las almendras que hemos reservado para adorno se abrirán en sus dos mitades. Colocar encima de las masitas media almendra o algunos piñones, a modo de adorno. Disponer los «panellets» sobre una placa para horno con un poco de separación entre ellos porque aumentan ligeramente al cocer.

6.º Introducir en el horno a fuego medio durante unos tres minutos, sólo hasta que cojan un ligero color dorado. Si en este tiempo no consigue que se doren por encima, puede encender el gratinador un momento, así evitará que se le quemen por la parte inferior y queden blancos por la superior.

Valor nutritivo (por 100 g, unos cinco «panellets»)	
Glúcidos	54 g
Lípidos	24 g
Prótidos	10 g
Calorías	461
Julios	1.927

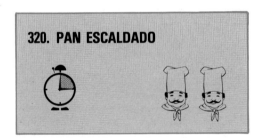

320. PAN ESCALDADO

Ingredientes

• *4 rebanadas de pan integral tostado o dextrinado* • *2 dientes de ajo* • *2 cucharadas de aceite* • *1 litro de agua* • *2 ramitas de tomillo* • *sal marina*

Preparación

1.º Poner el agua a hervir con un poco de sal. Cuando hierva agregar las dos ramitas de tomillo. También queda muy bien con romero, si desea cambiar el sabor.

2.º Restregar medio ajo en cada rebanada de pan y colocar en el plato. Rociar cada rebanada con media cucharada de aceite.

3.º Repartir el caldo sobre los platos y servir de inmediato.

Valor nutritivo (por ración)	
Glúcidos	10 g
Lípidos	8 g
Prótidos	2 g
Calorías	118
Julios	491

321. PAN INTEGRAL

Ingredientes

• *1 kg de harina integral* • *1/2 kg de harina blanca fuerte* • *1 litro de agua* • *1 cucharadita de sal marina* • *6 cucharadas de aceite* • *60 g de levadura prensada*

Preparación

1.º Deshacer bien la levadura con un poco de agua tibia.

2.º En un recipiente grande se echa toda la harina. Se hace un hueco en el centro y se añade la sal y la levadura desleída.

3.º Empezar a remover con una mano, mientras con la otra se va agregando el aceite y el agua tibia. Remover todo bien hasta que se forme una bola que se desprenda de las paredes del recipiente.

4.º Amasar bien con las dos manos. Si le resulta más cómodo puede hacerlo sobre una mesa. Trabaje la masa continuamente durante diez minutos o más.

RECETA n.º 322

5.º Colóquela de nuevo en el recipiente, tapando éste con un paño limpio. Dejar reposar en un lugar templado y resguardado de corrientes de aire, durante una hora aproximadamente, hasta que la masa suba al doble de su tamaño.

6.º Encender el horno. Untar unos moldes de horno para pan con muy poco aceite. Si se usan moldes alargados de unos veinte centímetros, se obtienen cuatro panes.

7.º Coger un trozo de la masa, amasarla de nuevo y colocarla en uno de los moldes, de forma que cubra sólo hasta la mitad de altura. Proceder así hasta terminar la masa. Se tapan todos los moldes con paños limpios y se dejan reposar de nuevo

en un lugar templado y resguardado, hasta que suba de nuevo.

8.º Introducir en el horno caliente y cocer durante una hora o más.

Valor nutritivo (por 100 g)	
Glúcidos	50 g
Lípidos	4 g
Prótidos	8 g
Calorías	265
Julios	1.108

322. PASTA AL HUEVO

Ingredientes

• *150 g de harina blanca* • *100 g de harina integral* • *2 huevos grandes* • *3 cucharadas de aceite* • *1 cucharadita de sal marina*

Preparación

1º Colocar la harina en un recipiente grande formando un montón.
2º Hacer un hueco en el centro y echar en él los huevos, el aceite y la sal. Amasar cuidadosamente con la punta de los dedos para obtener una pasta grumosa.
3º Añadir un poco de agua, lo suficiente para que la pasta sea homogénea y flexible. Colocar sobre la mesa y amasar bien con las manos durante diez minutos.
4º Formar una bola con la masa, colocarla de nuevo en el recipiente y cubrirla con un paño. Dejarla reposar una hora.
5º Transcurrido el tiempo extenderla sobre la mesa enharinada con un rodillo hasta dejarla muy fina y cortarla de la forma deseada.
6º Dejar secar durante quince minutos antes de cocerla. Para este tipo de masa basta con cinco minutos de cocción y puede utilizarse en cualquier receta de pastas o servirse escurrida con salsa de tomate y queso rallado.

Valor nutritivo (por ración)	
Glúcidos	48 g
Lípidos	15 g
Prótidos	10 g
Calorías	372
Julios	1.555

323. PASTEL DE ACELGAS

Ingredientes

• *«Masa base para tarta»* (ver receta nº 303) • *1 kg de acelgas (usar sólo la parte verde y reservar las pencas para otra receta)* • *75 g de piñones* • *2 salchichas vegetales* • *1 cebolla* • *2 dientes de ajo* • *sal marina* • *2 cucharadas de aceite*

Preparación

1º Lavar bien las verduras. Picar la parte verde de las acelgas. Pelar y picar finamente la cebolla y los ajos. Picar una de las salchichas a trocitos y cortar a rebanadas la otra.
2º Cocer las acelgas con muy poca agua (o al vapor) y un poco de sal. Escurrir.
3º Mientras tanto preparar la masa según la receta que se cita.
4º En una sartén se calienta el aceite y se rehoga la cebolla. Cuando esté tierna y ligeramente dorada se añade la sal, los piñones (excepto unos pocos que reservaremos), la salchicha picada menudita. Se rehoga durante dos minutos y se agregan las acelgas. Mezclar bien y apartar del fuego.
5º Coger la masa que tenemos preparada y estirarla con el rodillo dándole la forma del molde que vayamos a usar. Untar dicho molde con muy poco aceite y colocar la masa encima. Verter encima de la masa el relleno que tenemos preparado y adornar con la salchicha a rodajitas y los piñones restantes.
6º Introducir en el horno caliente y cocer durante unos veinte minutos a fuego medio.

Valor nutritivo (por ración)

Glúcidos . . . .   59 g
Lípidos . . . .   48 g
Prótidos . . . .   19 g
Calorías   723
Julios 3.020

324. PASTEL DE ALCACHOFAS

Ingredientes

• 1,5 kg de alcachofas • 2 huevos • zumo de un limón • 4 dientes de ajo • perejil • 3 cucharadas de pan rallado • sal marina • 1 cucharada de aceite

Preparación

1º Limpiar bien las alcachofas despojándolas de las hojas duras y cortándoles el tallo y las puntas. Si los tallos son tiernos se pueden aprovechar pelándolos. Lavarlas bien y rociarlas con un poco de limón. Cortarlas en gajos finos y cocerlas ligeramente con agua, sal, una cucharada de aceite y el resto del zumo de limón.

2º Encender el horno. Untar una bandeja para horno con muy poco aceite.

3º Pelar los ajos y lavarlos junto con el perejil. Picarlos muy menuditos.

4º Escurrir las alcachofas, agregarles el picadillo de ajos y perejil. Mezclar bien y verter sobre la fuente. Batir bien las claras con un poco de sal, añadir las yemas y seguir batiendo un poco más y agregar a las alcachofas, cubriéndolas. Espolvorear por encima el pan rallado.

5º Introducir en el horno caliente hasta que se dore la superficie.

Valor nutritivo (por ración)

Glúcidos . . . .   41 g
Lípidos . . . .   9 g
Prótidos . . . .   10 g
Calorías   230
Julios   963

325. PASTEL DE ALMENDRAS

Ingredientes

• 200 g de almendras ralladas • 50 g de avellanas ralladas • 200 g de queso fresco rallado • 50 g de queso manchego tierno rallado • 1 cebolla pequeña • 2 dientes de ajo • 1/2 lata de paté vegetal (50 g) • 2 huevos • sal marina • un poquito de mantequilla

Preparación

1º Pelar y lavar la cebolla y los ajos. Picarlos muy menuditos.

2º Mezclar bien todos los ingredientes hasta que quede una pasta uniforme.

3º Untar ligeramente un molde con un poco de mantequilla. Verter dentro la pasta que tenemos preparada e introducir en el horno caliente durante media hora.

4º Sacar del molde, partir en porciones y servir con una «Ensalada blanca», por ejemplo (ver receta n.º 172).

Valor nutritivo (por ración)

Glúcidos . . . .   15 g
Lípidos . . . .   54 g
Prótidos . . . .   26 g
Calorías   623
Julios 2.602

RECETA n.º 326

326. PASTEL DE CALABACIN

Ingredientes

- 1 kg de calabacines • 2 cebollas • 3 huevos
- 1/2 taza de soja deshidratada (carne vegetal) • 3 dientes de ajo • 50 g de pan rallado
- sal marina • 3 cucharadas de aceite de oliva

Preparación

1.º Pelar y lavar los calabacines. Cocerlos en agua con sal hasta que estén tiernos, pero no muy blandos.

2.º Remojar la soja deshidratada con media taza de agua, así obtendrá una taza de carne vegetal.

3.º Pelar y lavar las cebollas y los ajos, picarlo todo muy menudito y rehogarlo en una sartén con el aceite y un poco de sal. Cuando la cebolla esté tierna añadir la carne vegetal, seguir rehogando unos cinco minutos y apartar del fuego. Encender el horno.

4.º Cortar los calabacines a lo largo en finas lonchas. Engrasar ligeramente un molde

RECETA n.º 328

para horno con muy poco aceite. Colocar en el fondo una capa de lonchas de calabacín, verter por encima la mitad de la cebolla y la carne vegetal preparada, espolvorear con pan rallado y cubrir con un huevo batido. Colocar encima otra capa de calabacines, la otra mitad del relleno, pan rallado y otro huevo batido. Colocar de nuevo una última capa de calabacines, espolvorear con el pan rallado y verter por encima el otro huevo batido.

5.º Introducir en el horno y cocer durante unos treinta minutos a fuego medio.

Valor nutritivo (por ración)	
Glúcidos	34 g
Lípidos	17 g
Prótidos	22 g
Calorías	324
Julios	1.354

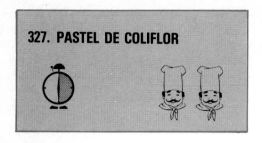

327. PASTEL DE COLIFLOR

Ingredientes

• 1 coliflor (1 kg aproximadamente) • 1 huevo • 100 g de queso tierno rallado • sal marina

Preparación

1º Lavar bien la coliflor y cortarla en ramilletes. Cocer en agua con sal hasta que esté tierna, pero no muy blanda. Escurrir y colocar sobre una fuente para horno, ligeramente untada con poco aceite. Encender el horno.

2º Batir el huevo con un poco de sal y extenderlo por encima de la coliflor. Espolvorear con el queso rallado.

3º Introducir en el horno hasta que se dore el queso.

Valor nutritivo (por ración)	
Glúcidos	13 g
Lípidos	9 g
Prótidos	14 g
Calorías	185
Julios	771

Variación

Cortar unas rebanadas de pan de molde en forma triangular y dorar en la sartén con un poco de mantequilla. En la misma fuente de servir el pastel de coliflor, colocar los triángulos de pan tostado. Se sirve caliente.

328. PASTEL DE MANZANA

Ingredientes

• 4 manzanas • 160 g de azúcar moreno (1 taza) • 140 g de harina blanca (1 taza) • 70 g de harina integral (1/2 taza) • 3 huevos • 1 decilitro de aceite (poco menos de media taza) • 1 limón • 2 cucharaditas de levadura en polvo

Preparación

1º Lavar las manzanas, pelarlas y trocearlas finamente. Rociarlas con el zumo de limón y rallar la cáscara del mismo para la masa. Encender el horno.

2º En un recipiente hondo se baten bien las claras, se añade el azúcar y se sigue batiendo. A continuación agregar las yemas, el aceite y la ralladura de limón y se sigue batiendo. Se mezclan las harinas con la levadura y se incorporan al recipiente. Se va mezclando bien hasta obtener una pasta suave y homogénea. Entonces se añaden las manzanas y se remueve un poco.

3º Untar ligeramente el molde que hayamos escogido con un poco de aceite. Verter en él la masa que tenemos preparada e introducir en el horno a fuego fuerte durante unos diez minutos. Reducir el fuego y seguir cociendo otros veinticinco minutos más. Antes de apagar el fuego comprobar que está cocido por dentro introduciendo un palito o una varilla metálica (una aguja de tejer, por ejemplo), que tienen que salir completamente limpios de pasta.

Valor nutritivo (por ración)

Glúcidos	101 g
Lípidos	29 g
Prótidos	14 g
Calorías	705
Julios	2.946

329. PASTEL DE PATATAS

Ingredientes

• 1 kg de patatas • 1 zanahoria • 1 cebolla • «Salsa de tomate I» (ver receta n.º 407) • 2 huevos • 100 g de guisantes • 150 g de aceitunas verdes • 200 g de champiñón • 2 pimientos morrones • 50 g de mantequilla • 3 cucharadas de aceite de oliva • sal marina

Preparación

1.º Pelar las patatas, las zanahorias y media cebolla. Trocearlas y ponerlas a cocer juntas en agua con sal. Cuando esté todo cocido se escurre el agua y se pasa por el pasapurés.

2.º Preparar la salsa de tomate siguiendo las instrucciones de la receta indicada.

3.º Hervir los guisantes en agua con sal, escurrir y reservar.

4.º Cocer los huevos y pelarlos.

5.º Lavar los champiñones y cortarlos en trozos pequeños.

6.º En una sartén con el aceite freír la otra mitad de la cebolla picada y el champiñón. Cuando casi se haya consumido el jugo del champiñón se retira del fuego. Añadir los guisantes, un huevo cocido picado, cien gramos de aceitunas pica-

das, tres cucharadas de salsa de tomate y un pimiento morrón picado. Mezclar bien.

7.º En una fuente un poco honda se extiende una capa de puré. Encima se coloca el relleno preparado y se cubre con otra capa de puré. Se adorna con los ingredientes que nos han quedado: un huevo duro cortado en rodajas, un pimiento morrón cortado en tiras y las aceitunas. Se sirve acompañado con la salsa de tomate.

Valor nutritivo (por ración)

Glúcidos	74 g
Lípidos	43 g
Prótidos	18 g
Calorías	764
Julios	3.194

330. PASTEL DE PATATAS Y CHAMPIÑONES

Ingredientes

• 1 kg de patatas • 2 cebollas • 300 g de champiñones • «Salsa de tomate II» (ver receta n.º 408) • 50 g de queso tierno rallado • 3 dientes de ajo • perejil • sal marina • 1 decilitro de aceite de oliva

Preparación

1.º Lavar bien las patatas y cocerlas con piel en agua salada.

2.º Preparar la salsa de tomate siguiendo la receta que se cita.

3.º Mientras tanto se lavan bien las hortalizas y se pelan las que convenga. Las cebollas se pican menuditas. Los champiñones se cortan en láminas. Los ajos y el

RECETA n.º 329

perejil se pican también muy menuditos o se machacan en el mortero.

4.º En una sartén con tres cucharadas de aceite, se rehogan en primer lugar la cebolla. Cuando empiece a estar tierna, se sazona a gusto y se le añaden los champiñones. Remover de vez en cuando y apartar del fuego cuando se empiece a consumir el caldo de los champiñones, aunque deben quedar un poco jugosos.

5.º Cuando las patatas estén cocidas, se pelan y se aplastan con un tenedor mientras todavía están calientes. Se añaden los ajos y el perejil picados, un poco de sal y tres cucharadas de aceite. Mezclar bien.

6.º Encender el horno. Untar con muy poco aceite un molde para horno.

7.º Colocar en el fondo del molde una capa del puré de patatas y extender bien. Por encima se pone una capa de cebolla y champiñón y se cubre con salsa de tomate. Extender de nuevo otra capa de patatas, otra de cebolla y champiñón, cubriendo de nuevo con salsa de tomate; y así sucesivamente, terminando con una última capa de patatas que se espolvorea con el queso rallado.

8.º Introducir en el horno caliente y dejar hasta que se dore la superficie.

Valor nutritivo (por ración)

Glúcidos	68 g
Lípidos	44 g
Prótidos	16 g
Calorías	724
Julios	3.026

331. PASTEL DE PURES

Ingredientes

- *1/2 kg de patatas* • *400 g de zanahorias*
• *400 g de guisantes desgranados* • *80 g de margarina vegetal* • *3 huevos* • *sal marina*

Preparación

1º Pelar las patatas, trocearlas y cocerlas en agua con sal.

2º Hervir los guisantes en agua con sal en otro recipiente.

3º Pelar las zanahorias, cortarlas en rodajas y cocerlas en agua con sal, también por separado.

4º Escurrir el agua de los tres ingredientes cocidos y apartar unos pocos guisantes y unas rodajas de zanahoria, que nos servirán para adornar. Reducir el resto a puré y también las patatas, manteniéndolos siempre en recipientes separados.

5.º A cada uno de los purés se le añade un huevo, veinticinco gramos de margarina y un poco de sal si se desea, removiendo bien hasta que formen una mezcla homogénea.

6.º Tomar un molde y un trozo de papel de barba y untar ambos con el resto de la margarina. Colocar el papel cubriendo el fondo del molde.

7.º Extender los purés uno encima de otro formando capas dentro del molde. Primero el de guisantes, luego el de zanahoria y por último el de patata. Introducirlo en el horno caliente durante media hora. Volcar el molde sobre una fuente de servir y adornar el pastel con los guisantes y las rodajas de zanahoria que se habían reservado anteriormente.

Valor nutritivo (por ración)	
Glúcidos	48 g
Lípidos	22 g
Prótidos	17 g
Calorías	442
Julios	1.848

332. PASTEL DE PURE Y SALCHICHAS

Ingredientes

• 1 kg de patatas • 300 g de champiñones • 1 cebolla • 3 dientes de ajo • «Salsa de tomate I» (ver receta n.º 407) • 6 salchichas ve-getales tipo Frankfurt • 50 g de mantequilla • 50 g de queso manchego tierno rallado • 3 cucharadas de aceite de oliva • sal marina

Preparación

1.º Pelar, lavar y trocear las patatas. Cocerlas en agua con sal. Cuando estén blandas se escurre el agua y se pasan por el pasapurés. Se le añade al puré la mantequilla y se mezcla bien.

2.º Preparar la salsa de tomate siguiendo las instrucciones de la receta indicada.

3.º Se limpian los champiñones raspando con un cuchillo las impurezas que pudieran tener. Se lavan con agua y se cortan en trozos pequeños.

4.º Pelar la cebolla y los ajos. Picarlos muy finos.

5.º En una sartén se calienta el aceite y se fríen los ajos, la cebolla y los champiñones picados, con una pizca de sal. Cuando se haya consumido el jugo de los champiñones se retira la sartén del fuego y se añaden cuatro cucharadas de salsa de tomate mezclándolo todo bien.

6.º En un molde o una fuente honda se extiende una capa de puré que se cubrirá completamente con los champiñones. Disponer encima de éstos otra capa formada por las salchichas cortadas en rodajas y cubrir con otra capa de puré.

7.º Extender por encima unas cucharadas de salsa de tomate, espolvorear con el queso rallado y poner a gratinar en el horno unos minutos. Se sirve acompañado con el resto de la salsa de tomate para quien lo desee.

Valor nutritivo (por ración)	
Glúcidos	71 g
Lípidos	9 g
Prótidos	19 g
Calorías	558
Julios	2.331

333. PASTEL DE QUESO

Ingredientes ·

• 1 kg de patatas • 150 g de queso fresco • 50 g de queso manchego tierno rallado • 50 g de margarina vegetal • 50 g de almendras crudas molidas • 2 decilitros de nata líquida • 2 huevos • 1 pepino • 2 dientes de ajo • 1 ramita de perejil • 1/2 cucharadita de especias (tomillo y romero) • sal marina

Preparación

1º Pelar las patatas, lavarlas, trocearlas y ponerlas a cocer en agua con sal. Cuando estén cocidas escurrir el agua y hacerlas puré.
2º En un recipiente mezclar el queso fresco y el rallado, las almendras molidas, los ajos y el perejil picados, la nata líquida, los huevos y la mantequilla. Batir con la batidora eléctrica hasta obtener una mezcla homogénea. Añadir las especias y mezclar un poco más a mano.
3º Añadir este preparado al puré de patatas y mezclarlo bien.
4º Con un poco de margarina untar el fondo de un molde en el que se extenderá el puré. Introducirlo a horno medio durante veinticinco minutos. Sacar del molde sobre una fuente de servir y adornarlo con rodajas de pepino.

Valor nutritivo (por ración)	
Glúcidos	49 g
Lípidos	40 g
Prótidos	22 g
Calorías	629
Julios	2.632

334. PASTEL DE SOJA

Ingredientes

• 200 g de soja blanca • 300 g de champiñones • 1 cebolla grande • 2 huevos • 2 dientes de ajo • perejil • 1 cucharadita de orégano • sal marina • 1 cucharada de pan rallado • un poquito de mantequilla • 2 cucharadas de aceite de oliva

Preparación

1º Poner la soja en remojo la noche anterior. Por la mañana cocerla con abundante agua y un poco de sal hasta que esté tierna.
2º Lavar bien las hortalizas. Picar los champiñones y la cebolla en trozos pequeños. El perejil y los ajos se machacan en un mortero.
3º En una sartén se calienta el aceite y se rehogan juntamente los champiñones y la cebolla. Cuando estén tiernos, se les añade el ajo y el perejil machacados, los huevos batidos, el orégano y un poco de sal. Se remueve bien y se aparta del fuego. Encender el horno.
4º Cuando la soja esté bien cocida, se escurre bien, se mezcla con los demás ingredientes y se tritura todo con la batidora.
5º Untar ligeramente un molde con muy poca mantequilla, espolvorearlo con pan rallado y verter sobre él la mezcla que tenemos triturada. Introducir en el horno caliente, a fuego medio durante unos treinta minutos.
6º Retirar del fuego y sacar del molde. Colocar en una fuente redonda y adornar con unos champiñones que se habrán dejado sin triturar para este fin.

1612

RECETA nº 336

Valor nutritivo (por ración)	
Glúcidos	28 g
Lípidos	20 g
Prótidos	25 g
Calorías	340
Julios	1.422

335. PASTEL DE TORTILLAS CON BECHAMEL

Ingredientes

• 1 «Tortilla de champiñón» (ver receta nº 476) • 1 «Tortilla de espárragos» (ver receta nº 477) • 1 «Tortilla de espinacas» (ver receta nº 478) • 1 «Tortilla de judías verdes» (ver receta nº 480) • «Salsa bechamel II» (ver receta nº 401)

Preparación

1º Preparar la salsa bechamel siguiendo la receta que se cita.

2º Preparar las tortillas según las recetas citadas, pero individuales (con la mitad de los ingredientes). Por supuesto se puede hacer el pastel con otro tipo de tortillas.

3º En una fuente redonda colocar las tortillas en forma de torre. Cubrirlas con la salsa bechamel e introducir en el horno para gratinarlas ligeramente.

Valor nutritivo (por ración)	
Glúcidos	24 g
Lípidos	49 g
Prótidos	20 g
Calorías	620
Julios	2.592

337. PATATAS A LA CREMA

Ingredientes

• 1 kg de patatas • 1 decilitro de nata líquida • 1/2 litro de leche • 30 g de mantequilla • 50 g de queso tierno rallado • 2 dientes de ajo • 1/2 cucharadita de hierbas aromáticas • sal marina

Preparación

1.º Pelar y lavar las patatas. Cortarlas en rodajas finas y sazonarlas con un poco de sal. Encender el horno.

2.º Untar una fuente de horno con muy poco aceite. Colocar una capa de rodajas de patatas y espolvorear con el ajo muy picadito y una pizca de hierbas aromáticas. Colocar una segunda capa de rodajas de patatas y proceder de igual modo hasta que se acaben. Por último regar con la nata líquida y la leche, de forma que cubran las patatas escasamente. Espolvorear el queso rallado por encima y depositar pequeños trocitos de mantequilla en la superficie.

3.º Introducir en el horno a fuego medio durante una hora. Servir caliente.

336. PASTEL DE TORTILLAS CON SALSA DE TOMATE

Ingredientes

• 1 «Tortilla de alcachofas» (ver receta n.º 473) • 1 «Tortilla de calabacín y cebolla» (ver receta n.º 474) • 1 «Tortilla española» (ver receta n.º 482) • «Salsa de tomate I» (ver receta n.º 407)

Preparación

1.º Preparar la salsa de tomate según las instrucciones de la receta indicada.

2.º Preparar las tortillas individuales (mitad de los ingredientes) siguiendo las instrucciones de las recetas correspondientes.

3.º En una fuente redonda colocar las tortillas una encima de otra y cubrir con la salsa de tomate.

Valor nutritivo (por ración)	
Glúcidos	36 g
Lípidos	44 g
Prótidos	17 g
Calorías	594
Julios	2.481

Valor nutritivo (por ración)	
Glúcidos	50 g
Lípidos	20 g
Prótidos	13 g
Calorías	427
Julios	1.784

338. PATATAS A LA HORTELANA

Ingredientes

• 1 kg de patatas • 4 alcachofas • 300 g de guisantes finos • 1 cebolla • 1 pimiento rojo • 150 g de ajos tiernos • una pizca de pimentón dulce • 4 cucharadas de aceite de oliva • sal marina

Preparación

1.º Pelar y lavar las patatas. Limpiar las alcachofas, la cebolla, el pimiento y los ajos.

2.º Cortar las patatas en cuadritos y las alcachofas en gajos de tamaño mediano. Picar muy finos la cebolla y el pimiento rojo y partir los ajos en trozos de dos centímetros aproximadamente, desechando la parte más verde.

3.º En una cazuela calentar el aceite y rehogar en él ligeramente la cebolla y el pimiento.

4.º Cuando empiece a dorarse la cebolla añadir las patatas y dar unas vueltas. Luego agregar las alcachofas y los ajos. Seguir rehogando a fuego lento durante diez minutos.

5.º Añadir después el pimentón y cubrirlo todo con agua. Cuando rompa a hervir echar los guisantes y dejar cocer a fuego lento hasta que esté todo tierno. Un poco antes de terminar la cocción sazonar con sal a gusto.

Valor nutritivo (por ración)	
Glúcidos	77 g
Lípidos	17 g
Prótidos	14 g
Calorías	484
Julios	2.023

339. PATATAS A LA PROVENZAL

Ingredientes

• 1 kg de patatas • «Salsa de tomate II» (ver receta n.º 408) • 1 huevo • 1/2 cucharadita de especias variadas (tomillo, romero, etc.)

Preparación

1.º Pelar y lavar las patatas. Cortarlas en cuadritos o en rodajas finas y reservar.

2.º Cocer el huevo y pelarlo.

3.º Preparar la salsa de tomate, siguiendo las instrucciones de la receta indicada, en una cazuela honda de barro.

4.º Cuando comience la cocción de la salsa de tomate se agregan las patatas, se tapa la cazuela y se deja cocer a fuego lento hasta que estén tiernas.

5.º Un poco antes de terminar la cocción, añadir las especias mezclando ligeramente y en el momento de servir cubrir con el huevo duro rallado. Es aconsejable que la fuente de cocción sea la misma en la que se va a servir a la mesa. Es un plato que debe tomarse bien caliente.

Valor nutritivo (por ración)	
Glúcidos	57 g
Lípidos	19 g
Prótidos	11 g
Calorías	435
Julios	1.818

RECETA nº 340

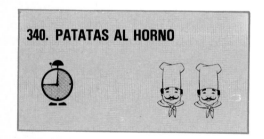

340. PATATAS AL HORNO

Ing·edientes

• 1 kg de patatas • 1 pimiento rojo • 1 cebolla • 3 decilitros de caldo de verduras • 1 hoja de laurel • 5 dientes de ajo • 1/2 cucharadita de tomillo • 2 ramitas de perejil
• 6 cucharadas de aceite de oliva • sal marina

Preparación

1º Lavar el pimiento y cortarlo en tiritas
   muy pequeñas. Pelar la cebolla y picarla
   muy fina.
2º Pelar y lavar las patatas. Cortarlas en rodajas y reservar.
3º En una fuente honda para horno se echa
   el aceite y se pone al fuego. Cuando está
   caliente se rehogan en él el pimiento y la
   cebolla picados, con el laurel.
4º Cuando esté dorado el rehogado se retira del fuego y se colocan encima las rodajas de patatas extendidas.
5º Aparte se rallan los ajos y se pica el perejil muy fino, cubriendo con ellos las patatas. Se espolvorean además con el tomillo y sal a gusto.

1616

6.º Cuando esté la fuente preparada con las patatas de esta manera, se riega con el caldo de verduras y se introduce en el horno caliente durante treinta minutos. De vez en cuando mover la fuente para evitar que se agarren las patatas.

Valor nutritivo (por ración)	
Glúcidos	51 g
Lípidos	23 g
Prótidos	6 g
Calorías	439
Julios	1.806

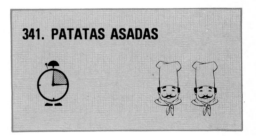

341. PATATAS ASADAS

Ingredientes

• 1 kg de patatas • 2 dientes de ajo • 6 cucharadas de aceite • sal marina

Preparación

1.º Lavar bien las patatas sin pelarlas. Cortar-

1617

las por la mitad en sentido longitudinal. En la cara del corte hacer varias incisiones superficiales con el cuchillo a modo de estrías y colocarlas boca arriba en una fuente de horno.

2.º Picar los dientes de ajo muy menuditos. Espolvorear las patatas con éstos y con sal. Rociar con un poco de aceite.

3.º Introducir las patatas a horno fuerte hasta que estén doradas. Servir calientes.

Valor nutritivo (por ración)

Glúcidos	48 g
Lípidos	23 g
Prótidos	5 g
Calorías	421
Julios	1.759

342. PATATAS BRAVAS

Ingredientes

• 1/2 kg de patatas • «Salsa mayonesa» (ver receta n.º 411) • perejil

Preparación

1.º Lavar bien las patatas y cocerlas, sin pelar, en agua con sal.

2.º Mientras tanto preparar la mayonesa siguiendo la receta que se indica pero con tres dientes de ajo.

3.º Cuando las patatas estén tiernas, se pelan y parten en cubos grandes. Se mezclan con la mayonesa picante y se colocan sobre una fuente que se adorna con perejil picado.

Valor nutritivo (por ración)

Glúcidos	24 g
Lípidos	56 g
Prótidos	5 g
Calorías	650
Julios	2.716

343. PATATAS CON ALMENDRAS

Ingredientes

• 1 kg de patatas • 50 g de almendras crudas peladas • 1 decilitro de aceite de oliva • unas hebritas de azafrán • 2 dientes de ajo • perejil abundante • sal marina

Preparación

1.º Pelar las patatas, lavarlas y cortarlas en trozos pequeños, no con el corte limpio, sino desgarrándolas, y reservar.

2.º En una cazuela se pone a calentar el aceite, echar las almendras y cuando estén doradas retirarlas a un plato, dejando la cacerola con el aceite en el fuego.

3.º Se echan las patatas y se tapa la cazuela, dejándolas rehogar removiendo de vez en cuando.

4.º En un mortero echar el azafrán, un poco de sal, los ajos y el perejil picados. Machacarlo bien, diluir con un poco de agua y echarlo a las patatas, removiendo. Echar un poco más de agua hasta cubrir las patatas y dejar cocer a fuego lento.

5.º Machacar las almendras en el mortero. Cuando la patata esté casi cocida se añaden las almendras y se deja que termine de cocer.

Valor nutritivo (por ración)	
Glúcidos	45 g
Lípidos	30 g
Prótidos	7 g
Calorías	476
Julios	1.990

Valor nutritivo (por ración)	
Glúcidos	33 g
Lípidos	28 g
Prótidos	9 g
Calorías	411
Julios	1.717

344. PATATAS CON ESPINACAS

Ingredientes

• 1/2 kg de patatitas jóvenes • 1/2 kg de espinacas • 50 g de piñones • 3 dientes de ajo • perejil • 1/2 cucharadita de hierbas aromáticas • 1 decilitro de aceite • sal marina

Preparación

1.º Lavar bien las espinacas, trocearlas y rehogarlas directamente en una sartén con tres cucharadas de aceite. Tapar la sartén para que se vayan cociendo al vapor. A media cocción añadirles un ajo muy picadito y los piñones. Sazonar a gusto y seguir cociendo unos minutos más.

2.º Lavar bien las patatitas y rasparles la piel (mejor que pelarlas).

3.º En una cazuelita se pone el resto del aceite y se echan las patatitas enteras y sal. Se van rehogando con la cazuela tapada y a fuego suave, dándoles vueltas de vez en cuando. Cuando empiecen a dorarse se les añade un picadillo con los dos ajos, el perejil y las hierbas aromáticas. Seguir rehogando hasta que estén doradas.

4.º Colocar las espinacas en el centro de la fuente de servir y rodearlas con las patatitas. Servir caliente.

345. PATATAS CON JUDIAS A LA CORINTIA

Ingredientes

• 750 g de patatas • 1/2 kg de judías verdes • 50 g de pasas de Corinto • 50 g de almendras crudas peladas • 3 dientes de ajo • 1 decilitro de aceite de oliva • sal marina

Preparación

1.º Pelar las patatas, lavarlas bien y cortarlas a cuadros. Lavar también las judías y trocearlas. Cocerlas en agua con sal por separado.

2.º En una sartén poner el aceite y rehogar los ajos picados, las almendras y las pasas.

3.º Cuando las patatas y las judías estén cocidas, se escurren bien y se añaden a la sartén. Se rehoga todo junto durante unos diez minutos y se sirve caliente.

Valor nutritivo (por ración)	
Glúcidos	48 g
Lípidos	30 g
Prótidos	9 g
Calorías	503
Julios	2.103

RECETA n.º 346

346. PATATAS EN SALSA VERDE

Ingredientes

- *1 kg de patatas* • *5 dientes de ajo* • *perejil abundante* • *4 cucharadas de aceite de oliva* • *sal marina*

Preparación

1.º Pelar y lavar las patatas. Cortarlas en rodajas grandes de un centímetro de grosor aproximadamente.

2.º Pelar y picar los ajos. Lavar y picar el perejil.

3.º En una cazuela baja calentar el aceite. Añadir las patatas y el picadillo de ajo y perejil. Rehogar durante unos minutos, removiendo con cuidado para no romper las rodajas.

4.º Añadir agua caliente hasta cubrir las patatas y sazonar con sal a gusto. Cuando comience la ebullición reducir el fuego al mínimo y dejar cocer hasta que las patatas estén tiernas.

Valor nutritivo (por ración)	
Glúcidos	43 g
Lípidos	15 g
Prótidos	5 g
Calorías	330
Julios	1.379

347. PATATAS GUISADAS CON SETAS

Ingredientes

• *1 kg de patatas* • *250 g de setas* • *1 pimiento rojo* • *1 zanahoria* • *1 cebolla pequeña* • *1 tomate maduro* • *2 dientes de ajo* • *2 hojas de laurel* • *1/2 cucharadita de pimentón dulce* • *4 cucharadas de aceite* • *sal marina*

Preparación

1º Pelar y lavar las patatas. Cortarlas en trozos de unos tres centímetros aproximadamente.

2º Limpiar bien las setas en seco raspando con un cuchillo las impurezas que pudieran tener. Lavarlas con agua y trocearlas. Pelar la zanahoria y la cebolla y picarlas muy menudas. Lavar el pimiento y cortarlo en trocitos muy finos. Pelar el tomate y rallarlo.

3º En una cazuela calentar el aceite. Cuando esté caliente echar las setas y las hortalizas preparadas, los ajos picados y el laurel. Rehogarlo a fuego vivo durante unos minutos.

4º Cuando el sofrito esté ligeramente dorado añadir las patatas troceadas y el pimentón. Dar unas vueltas y echar agua caliente hasta cubrir las patatas. Dejar cocer hasta que éstas estén tiernas. Un poco antes de terminar la cocción sazonar con la sal.

Valor nutritivo (por ración)	
Glúcidos	55 g
Lípidos	16 g
Prótidos	8 g
Calorías	382
Julios	1.597

6.º Echar sobre las patatas el triturado de ajo, perejil y almendras. Añadir agua caliente hasta cubrirlas, sazonar con sal a gusto y dejarlas cocer a fuego lento hasta que estén tiernas.

Valor nutritivo (por ración)	
Glúcidos	45 g
Lípidos	33 g
Prótidos	11 g
Calorías	523
Julios	2.184

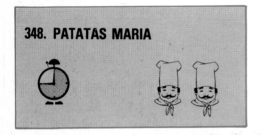

348. PATATAS MARIA

Ingredientes

• *1 kg de patatas* • *2 huevos* • *50 g de almendras tostadas* • *2 dientes de ajo* • *2 ramitas de perejil* • *1 decilitro de aceite de oliva* • *sal marina*

Preparación

1.º Pelar y lavar las patatas. Cortarlas en rodajas de medio centímetro de grueso aproximadamente y reservar.
2.º Calentar el aceite en una sartén.
3.º Batir los huevos con un poco de sal.
4.º Rebozar las rodajas de patata en el huevo batido y freírlas dorándolas por ambos lados en el aceite caliente. Según se vayan friendo se irán colocando en una cazuela baja.
5.º Pelar los ajos, lavar el perejil y trocearlos. Echarlos en un mortero junto con las almendras y machacar bien.

349. PATATAS POBRES

Ingredientes

• *1 kg de patatas* • *2 dientes de ajo* • *perejil* • *1 decilitro de aceite de oliva* • *sal marina*

Preparación

1.º Pelar y lavar las patatas. Cortarlas en rodajitas irregulares, como para tortilla, y sazonarlas con sal marina.

2.º En una sartén grande o cazuela, calentar ligeramente el aceite y rehogar las patatas a fuego muy suave y tapándolas. Remover de vez en cuando y, si se doran demasiado rápido, agregar medio vasito de agua.

3.º Picar bien los ajos y el perejil, añadir a las patatas cuando ya estén casi hechas y seguir rehogando cinco minutos más.

Valor nutritivo (por ración)

Glúcidos	43 g
Lípidos	23 g
Prótidos	5 g
Calorías	400
Julios	1.670

350. PATATAS RELLENAS

Ingredientes

• 8 patatas medianas • 350 g de nata líquida • 1 pimiento morrón • 100 g de aceitunas verdes sin hueso • 50 g de queso manchego tierno rallado • 1/2 cucharadita de nuez moscada • 1 ramita de perejil • sal marina

Preparación

1º Lavar las patatas y sin pelarlas cortarlas por la mitad. Se colocan boca arriba en una bandeja para horno y en la parte superior se les hacen unos cortes cruzados. Introducir en el horno caliente y dejarlas cocer hasta que estén blandas.

2º Lavar el pimiento, asarlo, pelarlo y cortarlo en tiras. Reservar.

3º Sacar las patatas del horno y con una cucharilla vaciarles el centro, dejando alrededor unas paredes de un centímetro de ancho.

4º En un recipiente echar la pulpa extraída del vaciado de las patatas y machacarla haciéndola puré. Añadir la nata líquida, las aceitunas picadas a trocitos muy pequeños, la nuez moscada y sal a gusto. Remover hasta que esté todo bien mezclado.

5º Rellenar las patatas con esta mezcla, cubrirlas con el queso rallado e introducirlas en el horno caliente durante quince minutos.

6º Transcurrido el tiempo, se sacan del horno, se colocan sobre una fuente de servir y se adornan con las tiras de pimiento y hojitas de perejil.

Valor nutritivo (por ración)

Glúcidos	77 g
Lípidos	27 g
Prótidos	15 g
Calorías	604
Julios	2.526

351. PATATAS SUFLE

Ingredientes

• 4 patatas grandes • 80 g de nata líquida • 50 g de queso tierno rallado • 2 huevos • sal marina • 2 cucharadas de aceite de oliva

Preparación

1º Lavar bien las patatas, secarlas y pincharlas con un tenedor.

2º Asarlas al horno, a fuego medio, durante una hora.

3º Partir cada patata por la mitad y con una cucharita extraer la pulpa con cuidado de no romper la patata. Aplastar la pulpa que hemos sacado con un tenedor, sazonar con un poco de sal, añadir la nata líquida, el aceite y las yemas de los huevos. Mezclar bien.

RECETA n.º 352

4.º Batir bien las claras de los huevos; añadir a la mezcla anterior removiendo con
   cuidado.
5.º Rellenar con esta mezcla las mitades vacías de patatas e introducir de nuevo en
   el horno hasta que se doren.

Valor nutritivo (por ración)	
Glúcidos	49 g
Lípidos	19 g
Prótidos	13 g
Calorías	415
Julios	1.734

352. PATATAS VERDES CON HUEVOS

Ingredientes

• 1 kg de patatas • 4 huevos • 1 cebolla • 4
dientes de ajo • perejil abundante • 2 hojas
de laurel • 5 cucharadas de aceite • sal marina

RECETA n.º 353

Preparación

1.º Pelar y lavar las patatas. Cortarlas en cuadros de tamaño mediano y reservar.

2.º Pelar los ajos y la cebolla. Lavar el perejil.

3.º Calentar el aceite en una cazuela y freír en él los ajos y el perejil. Retirarlos después del aceite y reservarlos.

4.º Picar la cebolla muy fina y rehogarla en el mismo aceite. Cuando está dorada se añaden las patatas cortadas y se les da unas vueltas.

5.º Añadir agua caliente hasta cubrirlas, agregar las hojas de laurel y sal a gusto. Dejarlas cocer hasta que estén tiernas.

6.º Mientras tanto se echan los ajos y el perejil que habíamos reservado en un mortero, se machacan bien y se añade a las patatas durante la cocción.

7.º Cuando esté cocido se vierte sobre una fuente para horno, se forman unos huecos entre las patatas y se cascan sobre ellos los huevos.

8.º Se sazonan los huevos con sal y se mete la fuente al horno caliente durante cuatro minutos procurando que las yemas no queden duras. Se sirve caliente.

Valor nutritivo (por ración)	
Glúcidos	48 g
Lípidos	26 g
Prótidos	14 g
Calorías	477
Julios	1.993

353. PATE CREMOSO DE AGUACATE

Ingredientes

• 1 aguacate maduro (de unos 200 g) • 40 g de queso cremoso rallado • 1 cucharada de zumo de limón • 4 aceitunas verdes picadas • 1 cucharada de perejil picado • sal marina

Preparación

1.º Pelar el aguacate, quitarle la semilla y reducirlo a puré con ayuda de un tenedor.
2.º Añadir a ese puré el queso, el zumo de limón, las aceitunas picadas, el perejil y un poco de sal. Mezclar bien y usar lo antes posible.

Valor nutritivo (por 100 g, suficiente para untar tres rebanadas)

Glúcidos	3 g
Lípidos	20 g
Prótidos	9 g
Calorías	240
Julios	1.004

354. PATE DE ACEITUNAS Y QUESO

Ingredientes

• 100 g de aceitunas sin hueso • 200 g de queso fresco (tipo Burgos) • 3 cucharadas de nata líquida • sal marina

Preparación

1.º Picar las aceitunas muy menuditas. Aplastar el queso con un tenedor para desmenuzarlo.
2.º Mezclar todos los ingredientes en el vaso de la batidora y batir hasta que quede una crema fácil de extender sobre el pan.
3.º Una vez colocado en todos los trocitos de pan, adornar con una aceituna partida por la mitad.

Valor nutritivo (por 100 g, suficiente para untar tres rebanadas)

Glúcidos	4 g
Lípidos	17 g
Prótidos	8 g
Calorías	197
Julios	823

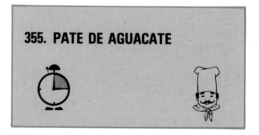

355. PATE DE AGUACATE

Ingredientes

• 1 aguacate (300 g) • una pizca de sal de cebolla • una pizca de sal de apio • 1 cucharada de zumo de limón

Preparación

1.º Pelar, trocear y triturar el aguacate.
2.º Añadir el resto de los ingredientes y mezclar bien. La mezcla resultante se unta en tostadas o en rebanadas de pan integral.

Valor nutritivo (por 100 g, suficiente para untar cuatro rebanadas)

Glúcidos	6 g
Lípidos	12 g
Prótidos	2 g
Calorías	136
Julios	568

356. PATE DE AVELLANAS

Ingredientes

• *100 g de avellanas tostadas y trituradas* • *«Crema base para patés»* (ver receta n.º 128) • *1 cucharada de miel*

Preparación

1.º Preparar la «Crema base para patés» según la receta indicada, pero con la mitad de los ingredientes.

2.º Añadir las avellanas trituradas y la miel. Seguir batiendo hasta que quede una pasta homogénea.

Valor nutritivo (por 100 g, suficiente para untar cuatro rebanadas)

Glúcidos	14 g
Lípidos	27 g
Prótidos	9 g
Calorías	328
Julios	1.371

357. PATE DE CARNE VEGETAL

Ingredientes

• *1/2 bote de carne vegetal picada (unos 150 g)* • *2 ramitas de apio picado muy menudito* • *2 cucharadas de salsa de tomate* • *3 cucharadas de mayonesa* • *sal marina*

Preparación

1.º Mezclar bien todos los ingredientes y extender sobre el pan.

Valor nutritivo (por 100 g, suficiente para untar tres rebanadas)

Glúcidos	7 g
Lípidos	23 g
Prótidos	7 g
Calorías	272
Julios	1.136

358. PATE DE HIERBAS

Ingredientes

• *1 diente de ajo* • *un puñado de alfalfa germinada* • *perejil* • *albahaca* • *«Crema base para patés»* (ver receta n.º 128) • *sal marina*

RECETA n.º 357

Preparación

1.º Preparar la «Crema base para patés» según la receta indicada, pero con la mitad de los ingredientes.

2.º Picar el ajo y las hierbas y añadirlas al vaso de la batidora donde hemos preparado la crema, agregar también un poco de sal y seguir batiendo hasta que quede una crema homogénea y fina.

Valor nutritivo (por 100 g, suficiente para untar cuatro rebanadas)

Glúcidos	5 g
Lípidos	11 g
Prótidos	7 g
Calorías	154
Julios	642

RECETA n.º 359

359. PATE DE NUECES

Ingredientes

- 8 porciones de quesitos • 40 g de nueces
- 1 diente de ajo • 30 g de margarina vegetal
- sal marina

Preparación

1.º Aplastar con un tenedor los quesitos.

Rallar las nueces y el ajo sobre los quesitos.

2.º Añadir la margarina vegetal y una pizca de sal.

3.º Mezclar bien y conservar en el frigorífico.

Valor nutritivo (por 100 g, suficiente para untar cuatro rebanadas)

Glúcidos	3 g
Lípidos	54 g
Prótidos	5 g
Calorías	511
Julios	2.138

360. PATE DE NUECES Y PASAS

Ingredientes

• 100 g de nueces • 100 g de pasas • 1,5 decilitros de nata líquida

Preparación

1º Rallar las nueces y picar las pasas.
2º Añadir la nata líquida mezclándolo todo bien. Conservar en el frigorífico y utilizar para untar en pan, bollos o tostadas.

Valor nutritivo (por 100 g, suficiente para untar cuatro rebanadas)	
Glúcidos	28 g
Lípidos	33 g
Prótidos	7 g
Calorías	426
Julios	1.779

361. PATE DE PROTEINAS

Ingredientes

• 1 cebolla pequeña • 100 g de garbanzos • 1 huevo • 5 cucharadas de mayonesa • 3 cucharadas de aceite de oliva • sal marina

Preparación

1º Se ponen los garbanzos en remojo la noche anterior, se cuecen en agua con sal, se escurren y se reservan.
2º Se limpia y se pica la cebolla, y se pone a dorar con el aceite en una cacerola tapada. Mientras tanto se bate bien el huevo.
3º Cuando la cebolla esté ligeramente dorada se le añade el huevo batido y una pizca de sal, removiendo ligeramente la mezcla hasta que cuaje.
4º Añadir los garbanzos cocidos a la mezcla anterior y pasarlo todo por la batidora. Agregar la mayonesa para ligar la mezcla y dejar refrescar en el frigorífico.

Valor nutritivo (por 100 g, suficiente para untar cinco rebanadas)	
Glúcidos	24 g
Lípidos	47 g
Prótidos	12 g
Calorías	574
Julios	2.399

362. PATE DE SETAS

Ingredientes

• 250 g de champiñones (u otra clase de setas) • 2 dientes de ajo • 2 cucharadas de aceite de oliva • 50 g de mantequilla • 20 g de pan triturado • perejil • sal marina

Preparación

1º Limpiar y picar los champiñones muy menuditos, así como los ajos y el perejil.

2.º Rehogarlo en una sartén, con el aceite y la sal, durante cinco minutos. Añadir la mantequilla y el pan triturado. Mezclar bien y apagar el fuego.

3.º Verterlo todo en un vaso de la batidora, triturar bien y dejarlo enfriar en un recipiente.

Valor nutritivo (por 100 g, suficiente para untar cuatro rebanadas)

Glúcidos	12 g
Lípidos	36 g
Prótidos	5 g
Calorías	385
Julios	1.607

363. PATE DE ZANAHORIA

Ingredientes

• «Crema base para patés» (ver receta n.º 128) • 1 zanahoria • 1 ramita de apio • 1 cebolla pequeña • 1 cucharadita de pimentón • perejil • sal marina

Preparación

1.º Preparar la crema base siguiendo la receta que se indica, pero con la mitad de los ingredientes.

2.º Lavar las hortalizas, pelar la cebolla y la zanahoria y picarlo todo muy finamente. Picar igualmente el perejil.

3.º En un recipiente adecuado (puede ser el mismo en el que hemos preparado la crema base) se mezclan todos los ingredientes hasta que quede una masa homogénea fácil de extender. Conservar en el frigorífico, pero no más de dos días.

Valor nutritivo (por 100 g, suficiente para untar cuatro rebanadas)

Glúcidos	6 g
Lípidos	7 g
Prótidos	4 g
Calorías	105
Julios	439

364. PATE DULCE

Ingredientes

• 130 g de crema de cacahuete • 120 g de mermelada de naranja • 1/2 taza de nata

Preparación

1.º Mezclar bien la crema de cacahuete y la nata hasta que esté suave.

2.º Añadir la mermelada y volver a mezclar bien antes de extenderlo.

Valor nutritivo (por 100 g suficiente para untar cuatro rebanadas)

Glúcidos	32 g
Lípidos	26 g
Prótidos	11 g
Calorías	400
Julios	1.670

RECETA n.º 365

365. PENCAS DE ACELGA AL GRATEN

Ingredientes

• *1 kg de pencas de acelgas* • *«Salsa becha-mel II»* (ver receta n.º 401) • *sal marina*

Preparación

1.º Lavar bien las pencas de las acelgas y cortarlas a tiras largas de unos diez o doce centímetros. La parte verde de la acelga se puede aprovechar para otra receta.

Cocer las pencas en agua con sal hasta que estén tiernas.

2.º Preparar la salsa bechamel siguiendo la receta que se indica.

3.º Escurrir las pencas y colocarlas en una fuente para horno. Verter por encima la bechamel e introducir al horno para gratinar hasta que se dore ligeramente.

Valor nutritivo (por ración)	
Glúcidos	21 g
Lípidos	17 g
Prótidos	10 g
Calorías	271
Julios	1.133

RECETA n.º 366

366. PEPINOS A LA CREMA

Ingredientes

• *2 kg de pepinos* • *2 decilitros de nata líquida* • *1 cebolla* • *2 dientes de ajo* • *una pizca de nuez moscada* • *perejil* • *sal marina*

Preparación

1.º Lavar y pelar los pepinos. Cortarlos en rodajitas finas, sazonarlas con sal y dejarlos macerar, sobre un colador, durante una hora.

2.º Pelar y lavar la cebolla y los ajos y picarlo todo muy menudito. Encender el horno.

3.º En un recipiente hondo mezclar bien la nata con la cebolla y los ajos, la nuez moscada y las rodajas de pepino. Untar con muy poco aceite una bandeja para horno y verter sobre ella los pepinos con toda la mezcla.

4.º Introducir en el horno a fuego medio hasta que se doren ligeramente. Servir caliente y espolvorear el perejil picado cuando se vaya a servir.

Valor nutritivo (por ración)	
Glúcidos	15 g
Lípidos	11 g
Prótidos	5 g
Calorías	161
Julios	673

1633

367. PIMIENTOS RELLENOS DE ARROZ

Ingredientes

• 4 pimientos rojos para asar, grandes • 350 g de arroz • 1/2 lata de carne vegetal picada (150 g) • 2 tomates grandes, maduros (500 g) • 3 dientes de ajo • perejil • sal marina • 1 decilitro de aceite de oliva

Preparación

1.º Lavar bien las hortalizas. A los pimientos se les practica una abertura por la parte superior, alrededor del tallo. Se vacía de semillas y partes blancas, pero se conserva el círculo con el tallo que nos servirá de tapa. Los tomates se pelan y se trituran, o bien, se rallan. Los ajos se pelan y se pican muy menuditos así como el perejil.

2.º En una sartén se calienta el aceite y se rehoga ligeramente la carne vegetal. A continuación se le añade el tomate y un poco de sal. Rehogar a fuego medio durante unos cinco minutos.

3.º Escoger y limpiar bien el arroz. Incorporarlo a la sartén. Remover y seguir rehogando otros cinco minutos. Por último añadir los ajos y el perejil. Mezclar bien y apagar el fuego.

4.º Sazonar un poco los pimientos por el interior y a continuación rellenarlos con el arroz rehogado, de forma que les falte un centímetro o algo más para estar llenos, porque el arroz crecerá. Tapar con el círculo que habíamos cortado.

5.º Encender el horno. Poner los cuatro pimientos, ya rellenados dentro de una bolsa para asar, y ésta a su vez, dentro de un molde de paredes altas, para que los pimientos queden verticales. Si conviene, para mantener los pimientos más derechos, se pueden colocar cebollas dentro de la bolsa. En la parte superior de la bolsa, una vez colocada en el molde, se practicarán pequeños orificios, con ayuda de un tenedor o punzón.

6.º Cuando el horno esté caliente introducir el molde con los pimientos y cocer a fuego medio durante una hora y cuarto aproximadamente.

7.º Sacar del horno. Cortar la parte superior de la bolsa de forma que los pimientos queden al descubierto. Comprobar que el arroz ya esté cocido. Volver a introducir en el horno durante otros diez minutos para que se doren por encima.

8. Sacar los pimientos de la bolsa y servir calientes.

Valor nutritivo (por ración)	
Glúcidos	94 g
Lípidos	28 g
Prótidos	16 g
Calorías	679
Julios	2.839

368. PIMIENTOS RELLENOS DE ARROZ INTEGRAL

Ingredientes

• 4 pimientos rojos para asar, grandes • 300 g de arroz integral (una taza y media) • 2 tomates maduros grandes • 1 cebolla • 75 g de nueces picadas • 1 huevo duro • 1/2 cucharadita de cilantro molido • sal de ajo • sal de apio • sal marina • 5 cucharadas de aceite de oliva • 6 decilitros de agua (poco más de dos tazas)

Preparación

1.º Escoger y limpiar bien el arroz. Ponerlo en remojo la noche anterior con agua tibia. O bien, una hora antes pero con agua hirviendo.

2.º Lavar bien las hortalizas. A los pimientos se les practica una abertura por la parte superior, alrededor del tallo, vaciándolos de semillas y de las partes blancas; se reservan los círculos del tallo que nos servirán de tapa. Los tomates se pelan y se trituran, o se rallan. La cebolla se pela y se pica muy menudita.

3.º En una sartén grande se calienta el aceite y se rehoga la cebolla con un poco de sal. Cuando esté tierna, se le añaden las nueces picadas, y poco después el tomate, el cilantro y un poco de sal de apio y de ajo. Rehogar todo a fuego medio durante unos cinco minutos.

4.º Escurrir el arroz y añadirlo a la sartén. Remover para que se mezcle bien y añadir el agua que tendremos aparte hirviendo. Cocer a fuego vivo durante diez minutos. Rectificar de sal y reducir el fuego al mínimo. Seguir cociendo hasta que se agote el líquido. No importa que el arroz no esté cocido por completo. Incorporar el huevo duro picado y mezclar.

5.º Sazonar un poco los pimientos por el interior y a continuación rellenarlos con el arroz. Tapar cada pimiento, con el círculo que habíamos reservado.

6.º Encender el horno. Poner los cuatro pimientos ya rellenados dentro de una bolsa para asar, y ésta, a su vez, dentro de un molde de paredes altas, para que los pimientos queden verticales. Practicar pequeños orificios en la parte superior de la bolsa, con ayuda de un tenedor o punzón.

7.º Cuando el horno esté caliente, introducir el molde con los pimientos y hornear a fuego medio durante media hora.

8.º Sacar del horno. Cortar la parte superior de la bolsa, de forma que los pimientos queden al descubierto. Volver a introducir en el horno durante unos diez minutos más para que los pimientos se doren por encima.

9.º Sacar los pimientos de la bolsa y servir calientes.

Valor nutritivo (por ración)	
Glúcidos	88 g
Lípidos	34 g
Prótidos	17 g
Calorías	696
Julios	2.907

369. PIMIENTOS RELLENOS DE MAIZ

Ingredientes

- *4 pimientos rojos (aproximadamente 1 kg)*
- *1 kg de maíz en grano (congelado o de lata)*
- *100 g de queso manchego tierno rallado*
- *albahaca* • *sal marina*

Preparación

1.º Lavar bien los pimientos, cortarlos por la mitad longitudinalmente y quitarles las semillas y partes blancas. Encender el horno.

2.º Sazonar con poca sal las mitades de pimiento y colocarlas en una fuente para horno. Introducir en el mismo durante unos diez minutos.

3.º Pasar el maíz por la batidora y mezclar con el puré resultante la mitad del queso tierno rallado, un poco de sal y la albahaca. Rellenar con esta mezcla las mitades de pimiento. Espolvorear por encima el resto del queso.

4.º Introducir de nuevo al horno y asar durante unos veinte o treinta minutos más.

RECETA n.º 370

cucharadas de levadura de melaza • 2 huevos • sal marina • aceite de oliva

Preparación

1.º Limpiar bien los champiñones en seco,
eliminando todas las impurezas. Lavarlos con agua procurando que no estén
demasiado tiempo en remojo.

2.º Cortar la carne vegetal y el pan duro en
cubitos de dos o tres centímetros. Los
champiñones se pueden dejar enteros si
son pequeños, de lo contrario córtelos
por la mitad o en cuatro trozos, para
que queden de un tamaño aproximado
a los cubitos de pan y de carne vegetal.
Sazone a gusto.

3.º Vaya introduciendo trocitos de forma al-
terna (campiñón, «carne», pan, etc.) a
través de un palillo mondadientes.

4.º Caliente el aceite en una sartén. Reboce
los pinchitos con el huevo batido y la levadura y fríalos hasta que se doren uni-

Valor nutritivo (por ración)	
Glúcidos	66 g
Lípidos	12 g
Prótidos	20 g
Calorías	421
Julios	1.759

370. PINCHITOS VEGETALES

Ingredientes

• 100 g de champiñones • 150 g de carne
vegetal • 50 g de pan duro (de dos días) • 4

formemente. Apártelos sobre una fuente con papel absorbente para que pierdan el exceso de aceite.

Valor nutritivo (por ración)	
Glúcidos	11 g
Lípidos	18 g
Prótidos	12 g
Calorías	266
Julios	1.113

Variación

También se puede preparar los pinchitos en varillas (propias para pinchitos) y asarlos a la parrilla. Rocíelos después con un poco de aceite crudo y sal de ajo.

371. PISTO HORTELANO

Ingredientes

• *2 cebollas* • *1 calabacín* • *1 berenjena* • *1 pimiento rojo* • *2 pimientos verdes* • *2 tomates maduros grandes* • *2 huevos* • *4 dientes de ajo* • *perejil* • *sal marina* • *4 cucharadas de aceite de oliva*

Preparación

1.º Lavar bien todas las hortalizas y pelarlas. Cortar todo en cuadritos, las cebollas, los ajos y el perejil, todo muy menudito; los tomates se pueden cortar también en cuadritos o bien triturarlos.
2.º Calentar el aceite en una cazuela de barro. Rehogar primeramente la cebolla y la mitad de los ajos. Antes de que empiecen a dorarse se les añade los pimientos. Sazonar y seguir rehogando dos o tres minutos. Añadir entonces el calabacín y la berenjena. Rehogar y remover de vez en cuando. Añadir por último los tomates y dejar cocer a fuego lento hasta que se agote el caldo. Añadir entonces los ajos restantes y el perejil y mezclar bien.
3.º Batir los huevos con un poco de sal y añadir al pisto. Remover un poco y dejar cocer unos minutos más hasta que cuajen los huevos.

Valor nutritivo (por ración)	
Glúcidos	28 g
Lípidos	19 g
Prótidos	12 g
Calorías	302
Julios	1.261

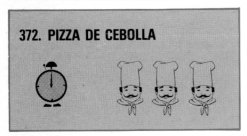

372. PIZZA DE CEBOLLA

Ingredientes

- «Masa base para tarta» (ver receta n.º 303)
- 1/2 kg de cebollas • 1 tomate grande maduro • 1 pimiento morrón asado (o de lata)
- 150 g de queso mozzarella • 1 cucharadita de albahaca • sal marina • 2 cucharadas de aceite de oliva

Preparación

1.º Lavar bien las hortalizas. Pelar y cortar las cebollas en rodajas finas. Partir el tomate en dos y rallarlo. El pimiento, si lo asamos en casa pelarlo bien y partirlo en tiras anchas. El queso se ralla o se parte en lonchitas.
2.º En una sartén se calienta el aceite y se rehoga ligeramente la cebolla con un poco de sal.
3.º Mientras tanto se prepara la masa siguiendo la receta indicada. Se estira con un rodillo y se forra el molde que vayamos a usar. Se pincha la masa con un tenedor y se introduce al horno a fuego medio hasta que la masa se cueza pero sin llegar a dorarse.
4.º Sacar del horno. Extender sobre la masa el tomate crudo rallado, la cebolla rehogada y el pimiento en tiras. Sazonar a gusto, espolvorear con la albahaca y cubrir con el queso.
5.º Introducir de nuevo en el horno bien caliente hasta que se funda el queso y se dore ligeramente.

Valor nutritivo (por ración)	
Glúcidos	58 g
Lípidos	47 g
Prótidos	14 g
Calorías	697
Julios	2.914

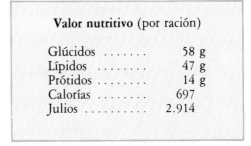

373. PIZZA DE CHAMPIÑON

Ingredientes

- «Masa base para tarta» (ver receta n.º 303)
- 2 tomates maduros • 250 g de champiño-

nes • *1 pimiento morrón asado (o de lata)* • *100 g de aceitunas negras* • *1 cucharadita de orégano* • *150 g de queso mozzarella* • *sal marina* • *2 cucharadas de aceite de oliva*

Preparación

1.º Lavar bien las hortalizas. Cortar los tomates por la mitad y rallarlos. Cortar los champiñones a láminas. Pelar el pimiento, si lo hemos asado en casa, y cortarlo a tiras anchas. Rallar el queso o cortarlo en lonchitas.

2.º En una sartén calentar el aceite y rehogar ligeramente los champiñones con un poco de sal.

3.º Mientras tanto preparar la masa según la receta que se cita. Estirarla con un rodillo y forrar el molde que vayamos a usar y que previamente habremos untado con un poco de aceite. Pinchar la masa con un tenedor e introducir en el horno a fuego medio hasta que esté cocida pero sin llegar a dorarse.

4.º Sacar del horno. Verter en primer lugar el tomate rallado y sazonar ligeramente. Poner por encima los champiñones rehogados y las tiras de pimiento. Sazonar un poco y espolvorear con el orégano. Distribuir las aceitunas por encima y cubrir con el queso.

5.º Introducir de nuevo en el horno bien caliente hasta que se funda el queso y se dore ligeramente.

6.º Este plato es aconsejable tomarlo caliente.

Valor nutritivo (por ración)	
Glúcidos	53 g
Lípidos	55 g
Prótidos	15 g
Calorías	765
Julios	3.196

374. PIZZA DE ESPINACAS

Ingredientes

• *«Masa base para tarta»* (ver receta n.º 303) • *1/2 kg de espinacas* • *250 g de champiñones* • *1 cebolla* • *1 cucharada de harina* • *4 cucharadas de leche* • *1 decilitro de aceite de oliva* • *150 g de queso mozzarella* • *sal marina*

Preparación

1.º Lavar bien las espinacas, limpiar los champiñones, pelar y lavar la cebolla.

2.º Trocear las espinacas y sin escurrir demasiado cocerlas al vapor en una cazuelita con dos cucharadas de aceite y sal. Cocer a fuego suave con la cazuelita tapada.

3.º Mientras tanto filetear los champiñones y rehogarlos con dos cucharadas de aceite y sal.

4.º Preparar la masa para la pizza siguiendo la receta que se cita. Encender el horno.

5.º Extender la masa con el rodillo y forrar un molde para pizza ligeramente untado con aceite. Pincharlo con un tenedor e introducir en el horno hasta que se cueza la masa pero sin que llegue a dorarse.

6.º Rehogar aparte la cebolla con el resto del aceite. Cuando empiece a dorarse incorporar la harina. Dorar ligeramente y añadir la leche. Remover y dejar cocer un poco. Añadir entonces las espinacas y mezclar bien. Apartar del fuego.

7.º Sacar la masa del horno cuando esté lista. Extender por encima las espinacas, sobre éstas los champiñones, y por encima de todo el queso rallado o en lonchitas finas.

8.º Introducir de nuevo en el horno hasta que se dore. Servir caliente.

RECETA n.º 373

Valor nutritivo (por ración)	
Glúcidos	59 g
Lípidos	63 g
Prótidos	18 g
Calorías	858
Julios	3.587

375. «PLUM-CAKE»

Ingredientes

• 70 g de harina blanca (1/2 taza) • 70 g de harina integral (1/2 taza) • 150 g de mante-quilla • 80 g de azúcar moreno • 140 g de almendras trituradas (2 tazas) • 100 g de fruta escarchada • 50 g de pasas de Corinto • 2 huevos • una pizca de sal • 1 cucharadita de levadura en polvo

Preparación

1.º Batir bien las yemas con el azúcar. Reblandecer la mantequilla y mezclarla igualmente con las yemas y el azúcar, batiendo bien hasta conseguir una crema.

2.º Mezclar bien las dos clases de harina con la cucharadita de levadura y añadir a la mezcla que tenemos preparada anteriormente y remover bien. Trocear la fruta escarchada y pasarla por harina, así como las pasas, agregar a la masa junto con las almendras trituradas. Encender el horno.

3.º Batir las claras a punto de nieve con una

RECETA n.º 375

pizca de sal. Añadir a la masa anterior removiendo con cuidado hasta que se mezcle bien.

4.º Untar ligeramente con muy poco aceite un molde hondo y alargado. Verter la pasta que hemos preparado y tapar el molde con papel de aluminio.

5.º Introducir en el horno a fuego fuerte durante cinco minutos. Reducir a fuego moderado y seguir cociendo durante media hora. Quitar entonces el papel de aluminio y dejar cinco minutos más para que se dore por encima. Antes de apa-

gar el horno asegúrese de que ya está cocido introduciendo un palito o una varilla metálica.

Valor nutritivo (por ración)

Glúcidos	78 g
Lípidos	54 g
Prótidos	16 g
Calorías	838
Julios	3.503

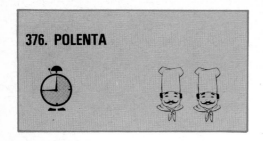

376. POLENTA

Ingredientes

• 1/2 kg de harina de maíz • 2 litros de agua • 1 cucharadita de sal

Preparación

1º En una cazuela se pone a hervir el agua con la sal.

2º Cuando comience a hervir se va echando la harina, poco a poco, mientras se va removiendo con una cuchara de madera. Cocer durante unos cuarenta y cinco minutos.

3º Verter sobre un recipiente cuadrado y plano, para que quede una capa de unos dos centímetros de grosor. Cuando esté fría se corta en forma de rectángulos o rombos. Se puede acompañar con alguna salsa de tomate, champiñones al ajillo, etc. También se puede espolvorear con un poquito de almendra molida en el momento de servir la salsa. (No olvide que en todos estos casos se añade valor nutritivo a la receta.)

Valor nutritivo (por ración)

Glúcidos	,91 g
Lípidos	4 g
Prótidos	12 g
Calorías	453
Julios	1.891

377. POLENTA CON QUESO

Ingredientes

• 150 g de harina de maíz • 1 litro de agua • 50 g de margarina vegetal • 2 decilitros de leche • 100 g de queso fresco (tipo Burgos) rallado • sal marina

Preparación

1º Mezclar bien el agua y la harina de maíz en un cazo. Añadir sal a gusto.

2º Dejar cocer a fuego lento durante media hora. Agregar la margarina y la leche a media cocción y remover a menudo para que no se pegue.

3º Servir en tazones individuales y espolvorear con el queso rallado.

Valor nutritivo (por ración)

Glúcidos	31 g
Lípidos	17 g
Prótidos	8 g
Calorías	307
Julios	1.283

378. POLVORONES

Ingredientes

• 1/2 kg de harina integral (fina) • 250 g de almendra molida (muy fina) • 150 g de azúcar lustre (glas) • 1 cucharada de vainilla (en polvo) • 1 cucharada y media de canela (en polvo) • 175 g de margarina vegetal

Preparación

1º Tostar la harina al horno o sobre una sartén limpia y seca. Remover para que se dore uniformemente.
2º Mezclar bien todos los ingredientes excepto la margarina.
3º Derretir la margarina y añadirla a la mezcla anterior.
4º Amasar y estirar la masa con un rodillo. La masa es muy quebradiza por lo que se debe trabajar con mucho cuidado.
5º Cortar la masa con moldes redondos o alargados de unos cinco o seis centímetros. El grosor del polvorón será de un centímetro aproximadamente.
6º Depositar los polvorones en una bandeja para horno, con sumo cuidado para que no se rompan. Introducir en el horno caliente durante unos tres minutos.
7º Dejar enfriar, coger de nuevo con mucho cuidado y envolver en papel fino para guardarlos.

Valor nutritivo (por 100 g, unos tres polvorones)	
Glúcidos	54 g
Lípidos	27 g
Prótidos	10 g
Calorías	488
Julios	2.039

379. POTAJE CON ESPINACAS

Ingredientes

• 250 g de garbanzos • 1/2 kg de espinacas • 1 huevo entero más una yema • 4 cuchara-

das de aceite de oliva • 3 cucharadas de harina • sal marina

Preparación

1º Poner los garbanzos en remojo la noche anterior. Cocerlos en agua con sal y escurrirlos. Cocer también el huevo.
2º Limpiar las espinacas y hervirlas diez minutos en agua caliente.
3º Escurrir las espinacas y reservar el caldo de cocerlas. Dejarlas enfriar y picarlas.
4º En una cazuela calentar el aceite, añadir la harina, tostarla ligeramente y echar el caldo de las espinacas removiendo para deshacer la harina. Sazonar con sal a gusto y dejarlo cocer cinco minutos.
5º Añadir después las espinacas picadas y la yema de huevo desleída en poca agua. Remover, agregar los garbanzos y dejar que dé un hervor todo junto.
6º Antes de servir se incorpora al potaje el huevo duro rallado.

Valor nutritivo (por ración)	
Glúcidos	47 g
Lípidos	22 g
Prótidos	21 g
Calorías	455
Julios	1.900

380. POTAJE DE JUDIAS CON MAIZ

Ingredientes

• 200 g de judías blancas • 200 g de maíz tierno • 150 g de calabaza • 1 cebolla grande • 1 pimiento verde • 1 tomate grande

RECETA n.º 380

maduro • *2 dientes de ajo* • *1 cucharadita de orégano* • *3 cucharadas de aceite* • *sal marina*

Preparación

1.º Poner en remojo las judías blancas la noche anterior. Por la mañana lavarlas bien y ponerlas a cocer en abundante agua. Cuando comiencen a hervir bajar el fuego para que se cuezan lentamente.

2.º Mientras tanto lavar bien las hortalizas, pelar las que convenga y picarlas menuditas.

3.º Cuando las judías estén tiernas se les añaden las hortalizas, el orégano, el aceite y la sal.

4.º En una cazuelita aparte se cuece ligera-

mente el maíz, tanto si es congelado como fresco. Si fuera de bote, no será necesario cocerlo previamente. Escurrirlo y agregarlo a las judías.

5.º Remover el potaje con una cuchara de madera y seguir cociendo hasta que todo esté tierno y haya espesado ligeramente.

Valor nutritivo (por ración)	
Glúcidos	51 g
Lípidos	13 g
Prótidos	14 g
Calorías	361
Julios	1.508

381. POTAJE DE SOJA

Ingredientes

• *200 g de soja verde* • *250 g de acelgas* • *1 zanahoria* • *1 cebolla* • *1 patata* • *1/2 cucharadita de concentrado vegetal* • *3 dientes de ajo* • *2 cucharadas de aceite* • *sal marina*

Preparación

1.º Escoger bien la soja, lavarla y ponerla al fuego en una cazuela con litro y medio de agua.

2.º Lavar y picar todas las verduras muy menudas. Los ajos se pelan y se parten en tres o cuatro trozos.

3.º Cuando la soja haya cocido unos quince minutos, añadir todas las verduras preparadas, el concentrado vegetal y el aceite. Cuando renueve la ebullición sazonar a gusto, reducir el fuego al mínimo y seguir cociendo unos veinte minutos más.

Valor nutritivo (por ración)	
Glúcidos	23 g
Lípidos	10 g
Prótidos	10 g
Calorías	220
Julios	918

382. POTAJE DE SOJA CON ACELGAS

Ingredientes

• *300 g de soja blanca* • *200 g de calabaza* • *250 g de acelgas* • *1 cebolla* • *1 diente de ajo* • *4 cucharadas de aceite de oliva* • *4 cucharadas de germen de trigo* • *sal marina*

Preparación

1.º Poner a remojar la soja la noche anterior. Por la mañana lavarla bien y ponerla a cocer con agua durante tres o cuatro minutos. Colar la soja y ponerla de nuevo en la olla con agua para que vuelva a cocer otros tres o cuatro minutos, repitiendo el proceso, dos o tres veces. Esta operación de cambiar el agua no es imprescindible, pero modifica el olor y el sabor de la soja haciéndolo más suave y agradable para el gusto occidental. Si además se desea quitar los pellejos, sólo tiene que frotar con las puntas de los dedos los granos de soja y éstos flotarán en el agua, pudiéndolos eliminar fácilmente al cambiar el agua. Finalmente se vuelve a poner en la olla con agua y se cuece hasta que esté tierna.

2.º Mientras tanto lavar bien la calabaza y las acelgas y picarlas en trozos pequeños. Pelar también la cebolla y el diente de ajo, lavarlos y picarlos muy menuditos.

3.º Cuando la soja esté tierna se le añade la calabaza picada y un poco de sal. Dejar cocer unos cinco minutos e incorporar las acelgas.

4.º Al mismo tiempo se rehogan el ajo y la cebolla con las cuatro cucharadas de aceite, se añade a la olla y se revuelve todo con una cuchara de madera. Rectificar de sal y dejar cocer a fuego lento hasta que espese.

5.º Servir caliente con una cucharada de germen de trigo sobre cada plato.

Valor nutritivo (por ración)	
Glúcidos	37 g
Lípidos	29 g
Prótidos	30 g
Calorías	457
Julios	1.909

383. PUDIN DE VERDURAS

Ingredientes

• *125 g de puerros* • *250 g de coliflor* • *250 g de col* • *1 zanahoria* • *1 patata* • *2 huevos* • *«Salsa de tomate II»* (ver receta n.º 408)

Preparación

1.º Lavar bien las hortalizas y pelar las que convenga. Cortarlas todas a trozos pequeños y cocerlas con agua y sal, sin dejar que se ablanden demasiado. Escurrir y reservar el caldo para alguna sopa.

2.º Preparar la salsa de tomate siguiendo la receta que se cita. Encender el horno.

3.º Batir los huevos con un poco de sal. Mezclarlos con la verdura escurrida y verterlo todo en un molde para horno ligeramente engrasado con poco aceite.

4.º Introducir en el horno a fuego medio hasta que cuaje (unos veinte minutos). Introduzca una varilla metálica o un palito de madera, para asegurarse de que está seco antes de apagar el horno.

5.º Sacar del molde sobre una fuente de servir y cubrir con la salsa de tomate.

Valor nutritivo (por ración)	
Glúcidos	35 g
Lípidos	21 g
Prótidos	13 g
Calorías	364
Julios	1.522

384. PUERROS AL HORNO

Ingredientes

- 1 kg de puerros • 4 salchichas vegetales
- «Salsa bechamel II» (ver receta n.º 401)
- 150 g de queso manchego tierno rallado
- sal marina • 1/2 cucharadita de cominos

Preparación

1.º Lavar bien los puerros, pelarlos y cortarlos en trozos de unos seis centímetros. Cocerlos en agua con sal hasta que estén tiernos, pero no muy blandos.

2.º Preparar la salsa bechamel siguiendo la receta que se indica. Encender el horno.

3.º Escurrir los puerros y colocarlos en una fuente para horno. Disponer por encima las salchichas de carne vegetal. Cubrir

con la salsa bechamel y espolvorear con el queso rallado y los cominos.

4.º Introducir en el horno hasta que se dore el queso.

Valor nutritivo (por ración)	
Glúcidos	34 g
Lípidos	33 g
Prótidos	28 g
Calorías	524
Julios	2.191

385. PUERROS CON MAYONESA

Ingredientes

- 1 kg de puerros • «Salsa mayonesa» (ver receta n.º 411) • sal marina

Preparación

1.º Pelar los puerros y lavarlos. Trocearlos en pedazos largos y cocerlos en poca agua con sal.

2.º Preparar la mayonesa según la receta que se cita.

3.º Escurrir los puerros y colocarlos en una fuente para servir. Cubrir con la mayonesa. Se pueden servir fríos o calientes.

Valor nutritivo (por ración)	
Glúcidos	16 g
Lípidos	58 g
Prótidos	8 g
Calorías	618
Julios	2.581

RECETA n.º 385

386. PURE CON BERROS

Ingredientes

- 1/2 kg de patatas • 1 manojo de berros
- 2 decilitros de leche • 1 cebolla pequeña
- 1 pastilla de caldo vegetal • 1 huevo • 4 cucharadas de aceite de oliva • sal marina

Preparación

1.º Pelar las patatas y cortarlas en trozos pequeños. Ponerlas a cocer con la cebolla troceada y aproximadamente un litro de agua, añadiendo además la pastilla de caldo vegetal y cuatro cucharadas de aceite. Cuando estén blandas pasarlo todo por el pasapuré sin escurrir el agua o batirlo con la batidora eléctrica. Reservar en una cazuela.

2.º Lavar bien los berros y picarlos finamente. Ponerlos a hervir en poca agua con sal durante unos cinco minutos.

3.º Al puré que habíamos reservado en la cazuela, agregar los berros hervidos con su agua de cocción y la leche. Ponerlo a

1648

RECETA n.º 387

hervir de nuevo y rectificar de sal si es necesario.

4.º Cuando empiece la ebullición batir el huevo y agregarlo al puré, removiendo enérgicamente.

Valor nutritivo (por ración)

Glúcidos	30 g
Lípidos	19 g
Prótidos	7 g
Calorías	317
Julios	1.325

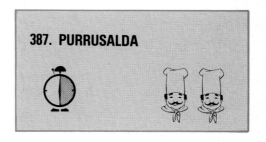

387. PURRUSALDA

Ingredientes

- 1/2 kg de patatas • 300 g de puerros • 1 zanahoria • 2 cucharadas de aceite de oliva • sal marina

1649

Preparación

1.º Pelar y lavar las patatas, los puerros y la zanahoria. Cortar las patatas en trozos irregulares del tamaño de una nuez, los puerros en tiras largas y finas y la zanahoria en rodajas finas.
2.º Poner en una cazuela estos tres ingredientes y añadir dos cucharadas de aceite, sal a gusto y agua suficiente para cubrirlo.
3.º Poner a fuego vivo hasta que comience la ebullición. Bajar el fuego y seguir cociendo hasta que todo esté tierno.

Valor nutritivo (por ración)

Glúcidos	28 g
Lípidos	8 g
Prótidos	4 g
Calorías	198
Julios	828

---

388. REFRESCO DE TAMARINDO

Ingredientes

• *250 g de tamarindos* • *1 litro de agua* • *3 cucharadas de miel*

Preparación

1.º Lave y pele los tamarindos. Mézclelos con un poco de agua y triture bien con la batidora.
2.º Añadir el resto del agua y dejar reposar cinco minutos. Colar y agregar la miel, remover bien y guardar en el frigorífico hasta el momento de servir.

Valor nutritivo (por 100 g, poco menos de medio vaso)

Glúcidos	9 g
Lípidos	—
Prótidos	—
Calorías	35
Julios	146

---

389. «RENYONS DE MASERO»

Ingredientes

• *2 kg de tomates maduros redonditos* • *50 g de piñones* • *6 dientes de ajo* • *perejil abundante* • *2 cucharaditas de pimentón* • *sal marina* • *1 decilitro de aceite de oliva*

Preparación

1.º Lavar bien los tomates y partirlos por la mitad. Pelar los ajos y lavarlos junto con el perejil y los piñones. Picar los ajos y el perejil muy menudito. Encender el horno.
2.º Colocar las mitades de tomates en una fuente grande para horno. Sazonarlos con sal a gusto, espolvorearlos con el ajo y el perejil picados, los piñones, un poquito de pimentón y un chorrito de aceite.
3.º Introducir en el horno y asar a fuego fuerte durante treinta minutos.

Valor nutritivo (por ración)

Glúcidos	24 g
Lípidos	28 g
Prótidos	10 g
Calorías	377
Julios	1.575

390. REPOLLO AL HORNO

Ingredientes

• 1 repollo (de kilo y medio aproximadamente) • 2 decilitros de nata líquida • 30 g de mantequilla • sal marina

Preparación

1.º Lavar bien el repollo. Quitarle las hojas externas más duras y estropeadas. Partirlo en cuatro trozos y cocerlo en una olla grande en agua con sal.

2.º Encender el horno. Escurrir los trozos de col y colocarlos en una fuente para horno ligeramente untada con aceite. Verter la nata líquida a cucharadas encima de los trozos de col. Colocar un trocito de mantequilla sobre cada trozo de col.

3.º Introducir en el horno a fuego medio durante unos quince minutos. Servir caliente.

Valor nutritivo (por ración)	
Glúcidos	22 g
Lípidos	17 g
Prótidos	8 g
Calorías	250
Julios	1.043

Variación

A estos mismos ingredientes se les puede añadir queso rallado en el momento de servirse, consiguiendo un sabor más fuerte y un mayor valor nutritivo... y más grasa (lípidos) y más calorías.

391. REQUESON CASERO

Ingredientes

• 1 litro de leche • zumo de dos limones

Preparación

1.º Hervir la leche en un recipiente hondo, a fuego medio, cuidando que no rebose.

2.º Cuando comience a subir, se le añade el zumo de los limones y se apaga el fuego. Remover un poco con una cuchara de madera para que la leche se mezcle bien con el limón y se corte antes.

3.º Dejar en reposo hasta que se enfríe. Pasar por un colador fino o por un paño limpio de algodón. Escurrir bien. Obtendrá aproximadamente un cuarto de kilo de requesón.

Valor nutritivo (por 100 g)	
Glúcidos	5 g
Lípidos	12 g
Prótidos	9 g
Calorías	160
Julios	669

392. REVOLTIJO DE SETAS

Ingredientes

• 200 g de níscalos • 200 g de setas de cardo • 200 g de champiñón • 200 g de guisantes

RECETA n.º 392

• *3 huevos* • *3 dientes de ajo* • *perejil* • *5 cucharadas de aceite de oliva* • *sal marina*

Preparación

1.º Limpiar bien las setas eliminando primeramente con un cuchillito todas las partes estropeadas. Lavar después ligeramente con agua y trocear.

2.º Cocer los guisantes con agua y sal, si no son de bote. Pelar los ajos y picarlos finamente.

3.º Rehogar las setas en una sartén con el aceite y sal. Cuando empiecen a perder su jugo añadir los guisantes, cocidos y escurridos, y los ajos picados y remover suavemente.

4.º Batir los huevos con un poco de sal y añadirlos a la sartén. Remover un poco hasta que cuaje el huevo. Depositar el revoltijo sobre una bandeja de servir y adornar con perejil picado. Servir caliente.

Valor nutritivo (por ración)	
Glúcidos	14 g
Lípidos	24 g
Prótidos	13 g
Calorías	316
Julios	1.321

RECETA n.º 393

393. ROLLITOS DE COL CON ARROZ

Ingredientes

• *12 hojas grandes de col* • *200 g de arroz integral* • *1/2 lata de carne vegetal picada (150 g)* • *1 cebolla* • *1 diente de ajo* • *4 cucharadas de nueces picadas* • *4 cucharadas de queso tierno rallado* • *2 huevos* • *3 cucharadas de aceite de oliva* • *sal marina* • *«Salsa de tomate I»* (ver receta n.º 407)

Preparación

1.º Cocer el arroz siguiendo la receta n.º 30, de «Arroz base integral».

2.º Lavar bien las hojas de col y ablandarlas dejándolas en remojo con agua hirviendo.

3.º Mientras se cuece el arroz, preparar la salsa según la receta citada.

4.º Pelar la cebolla y el ajo y picarlos muy menuditos.

5.º En una sartén grande calentar el aceite y rehogar ligeramente la cebolla y el ajo. Añadir la carne vegetal y las nueces. Remover y seguir rehogando durante unos dos minutos. Mezclar entonces con el arroz cocido, los huevos batidos y el queso rallado.

6.º Rellenar con esta mezcla las hojas de col

y enrollarlas. Si conviene, asegurar con un palillo para que no se deshagan los rollitos.

7.º Verter sobre una cazuela la salsa de tomate, acomodar en ella los doce rollitos y dejar estofar durante unos diez minutos. Servir caliente.

Valor nutritivo (por ración)

Glúcidos	65 g
Lípidos	42 g
Prótidos	22 g
Calorías	732
Julios	3.060

fuente para horno. Cubrir con la bechamel y espolvorear con el queso rallado.

5.º Encender el gratinador del horno. Introducir la fuente para gratinar hasta que se dore el queso.

Valor nutritivo (por ración)

Glúcidos	18 g
Lípidos	34 g
Prótidos	18 g
Calorías	452
Julios	1.890

394. ROLLITOS DE ESPARRAGOS

395. ROMBOS DE ARROZ

Ingredientes

• *1 kg de espárragos* • *4 huevos* • *«Salsa bechamel II»* (ver receta n.º 401) • *50 g de queso tierno rallado* • *sal marina* • *2 cucharadas de aceite*

Preparación

1.º Lavar bien los espárragos y cortar sólo la parte más tierna de la punta. Reservar el resto para otra receta. Cocer las puntas de los espárragos en agua con sal.

2.º Preparar la salsa bechamel según la receta que se indica.

3.º Batir bien los huevos con un poco de sal y hacer ocho tortillas pequeñas, planas y redondas, a modo de crepes.

4.º Colocar tres o cuatro puntas de espárragos encima de cada tortilla, enrollar y disponer los ocho rollitos sobre una

Ingredientes

• *«Arroz base integral»* (ver receta n.º 30) • *50 g de nueces del Brasil* • *2 huevos* • *2 cebollas* • *1 tomate* • *2 cucharadas de salsa de soja (tamari)* • *2 cucharadas de aceite de oliva* • *sal marina* • *«Salsa de tomate I»* (ver receta n.º 407)

Preparación

1.º Cocer el arroz siguiendo la receta que se indica.

2.º Mientras se cuece el arroz preparar la salsa de tomate según la receta que se cita.

3.º Tostar las nueces del Brasil y triturarlas. Lavar las cebollas y el tomate y picarlos por separado muy finamente.

4.º En una sartén se calienta el aceite y se rehoga la cebolla. Cuando esté dorada, verter los huevos batidos. Remover un poco y añadir el tomate y las nueces. Sazonar a gusto y agregar las dos cucharadas de tamari. Añadir el arroz cocido y mezclar bien.

5º. Extender la masa en una fuente para horno. Introducir en el horno caliente y hornear durante unos veinte minutos.

6º Sacar del molde, cortar en rombos y servir junto con la salsa de tomate.

Valor nutritivo (por ración)	
Glúcidos	105 g
Lípidos	36 g
Prótidos	20 g
Calorías	829
Julios	3.464

396. ROSQUILLAS

Ingredientes

• 1/2 kg de harina blanca • 250 g de harina integral • 100 g de azúcar (1/2 taza) • 6 huevos • 2,5 decilitros de aceite (1 taza) • 1 cucharada de semillas de anís • 1 cucharada de levadura en polvo • una pizca de sal • aceite de oliva para freírlas • 1 cáscara de naranja

Preparación

1º Calentar en una sartén la taza de aceite y freír una cáscara de naranja. Dejar enfriar y apartar la cáscara.

2º Mezclar las dos clases de harina con la levadura.

3º En un recipiente hondo se baten las yemas con el azúcar. Añadir el aceite cuando esté frío y seguir batiendo. Agregar también las semillas de anís.

4º Aparte batir las claras a punto de nieve con una pizca de sal e incorporar a las yemas, removiendo poco a poco. Por último ir agregando la harina y remover sin parar hasta que la masa quede firme y se despegue del recipiente y de las manos.

5º Coger pequeñas cantidades de masa y formar las rosquillas.

6º En una sartén grande o freidora, con bastante aceite, se van friendo las rosquillas. Cuando estén doradas se apartan con una espumadera y se van colocando en una fuente cubierta con servilletas de papel, para que absorban el aceite sobrante. Obtendrá kilo y medio de rosquillas aproximadamente.

Valor nutritivo (por cada cien gramos, unas tres rosquillas)	
Glúcidos	46 g
Lípidos	33 g
Prótidos	9 g
Calorías	519
Julios	2.169

397. SALSA A LA VINAGRETA
(sin vinagre)

Ingredientes

• 1,25 decilitros de aceite de oliva (1/2 taza) • 1/2 cebolla pequeña • 1 diente de ajo • 2 cucharadas de zumo de limón • 1 ramita de menta • sal marina

RECETA n.º 394

Preparación

1.º Pelar la cebolla y el ajo. Lavarlos bien. Lavar igualmente la ramita de menta.
2.º Mezclar todos los ingredientes en un vaso de batidora y batir hasta que quede una salsa fina y homogénea.
3.º Dejar reposar una hora antes de servir.

Valor nutritivo (por ración)	
Glúcidos	1 g
Lípidos	28 g
Prótidos	—
Calorías	265
Julios	1.107

398. SALSA ANDALUZA

Ingredientes

• *1/2 taza de «Salsa mayonesa»* (ver receta n.º 411) • *1 tomate maduro* • *1 pimiento morrón* • *50 g de aceitunas verdes sin hueso*

Preparación

1.º Lavar bien el tomate y el pimiento. Rallar el tomate y picar el pimiento muy

RECETA n.º 399

menudito. Picar igualmente las aceitunas.

2.º Mezclar bien todos los ingredientes (puede aprovecharse un resto de salsa mayonesa) y obtendrá una excelente salsa que podrá usar para acompañar alguna ensalada, macarrones, o bien para extender sobre rebanadas a modo de canapés.

Valor nutritivo (por ración)	
Glúcidos	4 g
Lípidos	31 g
Prótidos	2 g
Calorías	313
Julios	1.309

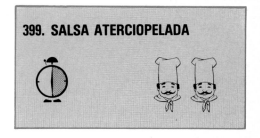

399. SALSA ATERCIOPELADA

Ingredientes

• 25 g de harina (2,5 cucharadas) • 2,5 decilitros de caldo de verduras (1 taza) • 2 cucharadas de aceite de oliva • 1 zanahoria • 1 cebollita • 1 ramita de apio • un buen puñado de perejil • una pizca de tomillo • media hoja de laurel • sal marina • 15 g de mantequilla

Preparación

1º Lavar bien las hierbas y hortalizas. Picarlo todo menudito.
2º Calentar el aceite en una sartén y dorar la harina. Agregar el caldo de verduras, que debe estar frío, y remover batiendo para que no se formen grumos. Cocer a fuego medio unos dos minutos.
3º Añadir las hortalizas y las hierbas aromáticas. Reducir el fuego al mínimo y cocer, tapando la sartén, durante veinte minutos o un poco más.
4º Pasar la salsa por el pasapuré y añadirle la mantequilla. Esta salsa es apropiada para acompañar huevos o carne vegetal.

Valor nutritivo (por ración)	
Glúcidos	10 g
Lípidos	11 g
Prótidos	1 g
Calorías	141
Julios	588

400. SALSA BECHAMEL I

Ingredientes

• 30 g de harina (3 cucharadas) • 5 decilitros de leche (2 tazas) • 3 cucharadas de aceite de oliva • una pizca de nuez moscada • sal marina

Preparación

1º Calentar el aceite en una sartén. Dorar la harina y añadir la leche fría poco a poco removiendo al mismo tiempo con una cuchara de madera.

2º Sazonar con la sal y la nuez moscada y cocer a fuego lento durante unos diez minutos sin dejar de remover.

Valor nutritivo (por ración)	
Glúcidos	12 g
Lípidos	16 g
Prótidos	5 g
Calorías	216
Julios	903

401. SALSA BECHAMEL II

Ingredientes

• 30 g de harina (3 cucharadas) • 5 decilitros de leche (dos tazas) • 1 cebolla pequeña • 3 cucharadas de aceite de oliva • sal marina

Preparación

1º Pelar y lavar la cebolla. Rallarla o picarla muy finamente.
2º Calentar el aceite en una sartén y rehogar la cebolla a fuego lento.
3º Cuando empiece a dorarse la cebolla añadir la harina y seguir rehogando unos dos minutos. Sazonar y verter la leche fría al tiempo que se va removiendo con una cuchara de madera para que no se formen grumos.
4º Aumentar un poco el fuego y cuando comience la ebullición reducir nuevamente a fuego suave. Remover sin cesar durante unos diez minutos y la salsa estará en su punto

Valor nutritivo (por ración)

Glúcidos	14 g
Lípidos	16 g
Prótidos	5 g
Calorías	225
Julios	943

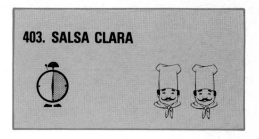

403. SALSA CLARA

Ingredientes

- *1 cebolla pequeña* • *1 pimiento pequeño*
- *1 diente de ajo* • *perejil* • *1 cucharada de harina* • *3,5 decilitros de agua* • *sal marina*
- *2 cucharadas de aceite de oliva*

402. SALSA BLANCA

Ingredientes

- *1 cebolla grande* • *2 cucharadas de harina*
- *2,5 decilitros de caldo de verduras (1 taza)*
- *2 cucharadas de nata líquida* • *2 cucharadas de aceite* • *una pizca de nuez moscada*
- *sal marina*

Preparación

1º Pelar y lavar la cebolla. Cocerla en agua con sal. Escurrirla y triturarla.

2º Calentar el aceite en la sartén y dorar la harina. Añadir el caldo frío dando vueltas al mismo tiempo con una cuchara de madera para evitar la formación de grumos.

3º Añadir el puré de cebolla, la nata, la nuez moscada y un poco de sal. Cocer a fuego lento y sin dejar de remover durante unos diez minutos

Preparación

1º Lavar bien las hortalizas. Pelar y picar la cebolla y el ajo. Picar igualmente el pimiento y el perejil.

2º Calentar el aceite en una sartén y rehogar el picadillo que tenemos preparado. Cuando empiece a estar tierno se le añade la harina y se sigue rehogando unos dos minutos. Añadir la sal y el agua al tiempo que se va removiendo para evitar que se formen grumos.

3º Cocer a fuego lento durante unos diez minutos. Pasar por el pasapuré.
Dispuesta ya para servir, se coloca en una salsera. También se le puede añadir un poco de huevo duro partido muy menudito... sin olvidar que todos los añadidos aumentan el valor nutritivo.

Valor nutritivo (por ración)

Glúcidos	11 g
Lípidos	9 g
Prótidos	2 g
Calorías	131
Julios	548

Valor nutritivo (por ración)

Glúcidos	5 g
Lípidos	8 g
Prótidos	1 g
Calorías	90
Julios	374

RECETA n.º 404

**404. SALSA CREMOSA
DE ALMENDRAS**

que se va removiendo para que no se formen grumos.

2.º Cocer a fuego lento durante unos diez minutos, sin dejar de remover. Sazonar a gusto y añadir las almendras ralladas un poco antes de apartar del fuego.

Ingredientes

• *2 cucharadas de almendras ralladas • 2 cucharadas de harina • 4 decilitros de leche • 2 cucharadas de aceite de oliva • sal marina*

Preparación

1.º Calentar el aceite en una sartén y dorar la harina. Añadir la leche fría al tiempo

Valor nutritivo (por ración)	
Glúcidos	10 g
Lípidos	13 g
Prótidos	5 g
Calorías	171
Julios	715

RECETA n.º 405

405. SALSA CRUDA DE TOMATE

Preparación

1º Lavar las hortalizas, pelarlas y picarlas.
2º Mezclar todos los ingredientes en un vaso de batidora y batir hasta obtener una salsa homogénea.

Valor nutritivo (por ración)	
Glúcidos	4 g
Lípidos	4 g
Prótidos	1 g
Calorías	55
Julios	229

Ingredientes

• 1 tomate maduro • 1 cebolla pequeña • 3 dientes de ajo • perejil • zumo de medio limón • sal marina • 1 decilitros de aceite

406. SALSA DE SESAMO

Ingredientes

• *5 cucharadas de aceite* • *1 limón* • *una pizca de jengibre en polvo* • *1 cucharadita de salvia seca molida* • *1 cucharada de semillas de sésamo*

Preparación

1º Exprimir el limón y en una salsera mezclarlo bien con el resto de los ingredientes.
2º Dejar reposar media hora. Batir bien antes de servir.

Valor nutritivo (por ración)	
Glúcidos	1 g
Lípidos	20 g
Prótidos	1 g
Calorías	191
Julios	796

407. SALSA DE TOMATE I

Ingredientes

• *1 kg de tomates maduros* • *1 zanahoria* • *1 cebolla* • *1 ramita de apio* • *4 cucharadas de aceite de oliva* • *sal marina*

Preparación

1º Lavar bien las hortalizas. Trocear no demasiado fino.
2º Calentar el aceite en una cazuela y rehogar primeramente la cebolla y la zanahoria con un poco de sal. Antes de que empiece a dorar se añade el apio y después los tomates. Cocer a fuego medio durante unos veinte minutos, removiendo de vez en cuando con una cuchara de madera.
3º Pasar por el pasapuré antes de servir. Si no la usa toda se conserva muy bien en un recipiente hermético en el frigorífico.

Valor nutritivo (por ración)	
Glúcidos	16 g
Lípidos	16 g
Prótidos	4 g
Calorías	215
Julios	899

408. SALSA DE TOMATE II

Ingredientes

• *1 kg de tomates maduros* • *1 cebolla pequeña* • *1 zanahoria* • *2 cucharadas de almendras ralladas* • *3 dientes de ajo* • *albahaca* • *perejil* • *sal marina* • *4 cucharadas de aceite de oliva*

Preparación

1º Lavar bien y pelar las hortalizas. Picar los tomates y los ajos menuditos. La cebolla y la zanahoria se rallan. Las hierbas se pican también menuditas.

2.º Calentar el aceite en una cacerola y rehogar en primer lugar la cebolla y la zanahoria. Cuando empiece a estar tierno se le añaden las almendras. Se sigue rehogando unos dos minutos y se le añaden los tomates, las hierbas y sal a gusto.

3.º Cocer a fuego suave, removiendo de vez en cuando. Añadir los ajos cinco minutos antes de terminar la cocción.

Valor nutritivo (por ración)	
Glúcidos	14 g
Lípidos	17 g
Prótidos	4 g
Calorías	221
Julios	924

409. SALSA FRANCESA

Ingredientes

• *1 decilitro de aceite* • *zumo de un limón* • *1/2 cucharadita de pimentón dulce* • *sal marina*

Preparación

1.º Mezclar bien todos los ingredientes y batir con un tenedor o con la batidora.

Valor nutritivo (por ración)	
Glúcidos	1 g
Lípidos	22 g
Prótidos	—
Calorías	211
Julios	880

410. SALSA HOLANDESA

Ingredientes

• *«Salsa bechamel II»* (ver receta n.º 401) • *2 yemas de huevo* • *25 g de mantequilla*

Preparación

1.º Preparar la salsa bechamel siguiendo la receta que se indica.

2.º Antes de apartar del fuego incorporar las dos yemas y batir bien.

3.º Apartar del fuego y añadir la mantequilla cruda. Remover bien.

Valor nutritivo (por ración)	
Glúcidos	15 g
Lípidos	25 g
Prótidos	8 g
Calorías	318
Julios	1.329

411. SALSA MAYONESA

Ingredientes

• *1 huevo* • *zumo de medio limón* • *1 diente de ajo* • *sal marina* • *2,5 decilitros de aceite de girasol (1 taza)*

RECETA n.º 412

Preparación

1.º Pelar y picar el ajo. Ponerlo junto con todos los ingredientes en el vaso de la batidora.

2.º Introducir la batidora y apoyarla en el fondo del vaso. Batir con la velocidad mínima (si es de varias velocidades) hasta que se vea subir la crema a la superficie del aceite.

3.º Batir entonces a mayor velocidad al mismo tiempo que se va subiendo y bajando la batidora, hasta que no se vea el aceite sino una salsa espesa y cremosa.

Valor nutritivo (por ración)	
Glúcidos	—
Lípidos	58 g
Prótidos	2 g
Calorías	543
Julios	2.272

412. SALSA MAYONESA VEGETAL
(sin huevo)

Ingredientes

• 1 patata • 2 zanahorias • 1 diente de ajo • perejil • zumo de medio limón • sal marina • 4 cucharadas de aceite

Preparación

1.º Lavar bien la patata y las zanahorias. Pelarlas, trocearlas y cocerlas en agua con sal.

2.º Escurrir y poner en un vaso de batidora junto con los demás ingredientes.

RECETA n.º 415

3.º Introducir la batidora y triturarlo todo hasta que quede una crema homogénea de aspecto semejante a la mayonesa corriente.

Valor nutritivo (por ración)

Glúcidos	14 g
Lípidos	15 g
Prótidos	2 g
Calorías	201
Julios	841

413. SALSA MAYONESA VERDE

Ingredientes

• *1 huevo* • *1 puerro tierno* • *3 hojas de espinaca* • *un diente de ajo* • *zumo de medio limón* • *2 decilitros de aceite* • *perejil* • *sal marina*

1665

Preparación

1.º Lavar bien el puerro, las hojas de espinaca y el perejil. Picarlo todo menudito y ponerlo en el vaso de la batidora.

2.º Añadir al vaso el huevo, el diente de ajo, el zumo de limón, un poco de aceite y sal. Batir hasta conseguir una crema homogénea

3.º Añadir el resto del aceite poco a poco mientras se sigue batiendo.

Valor nutritivo (por ración)

Glúcidos	2 g
Lípidos	46 g
Prótidos	3 g
Calorías	449
Julios	1.876

414. SALSA MORNAY

Ingredientes

• «*Salsa bechamel I*» (ver receta n.º 400) • *50 g de queso tierno rallado*

Preparación

1.º Preparar la salsa bechamel según la receta que se indica.

2.º Cuando aparte la salsa del fuego incorpore el queso rallado al mismo tiempo que sigue removiendo sin cesar de forma que la salsa quede homogénea.

Valor nutritivo (por ración)

Glúcidos	12 g
Lípidos	20 g
Prótidos	8 g
Calorías	262
Julios	1.094

415. SALSA ROSA

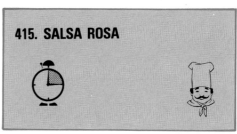

Ingredientes

• *1/2 taza de «Salsa mayonesa»* (ver receta n.º 411) • *2 cucharadas de «Salsa de tomate I»* (ver receta n.º 407) • *1 diente de ajo*

Preparación

1.º Preparar las salsas siguiendo las recetas indicadas, o bien aprovechar algún resto que se tenga, ya que se usa muy poca cantidad.

2.º Pelar el ajo y machacarlo en el mortero.

3.º Mezclar bien todos los ingredientes batiendo si es necesario para que quede una crema homogénea y rosada.

Valor nutritivo (por ración)

Glúcidos	1 g
Lípidos	30 g
Prótidos	1 g
Calorías	282
Julios	1.178

416. SALSA VERDE I

Ingredientes

- 1/2 cebolla pequeña • 1 diente de ajo
- 1 cucharada de harina • perejil abundante
- sal marina • 1 cucharada de aceite de oliva
- 2,5 decilitros de agua (1 taza)

Preparación

1.º Pelar y lavar la media cebolla y el ajo. Lavar igualmente el perejil. Picar la cebolla muy menudita. El ajo y el perejil machacarlos en el mortero.

2.º Calentar el aceite en una sartén y rehogar la cebolla. Cuando esté tierna se le añade la harina y se sigue rehogando un poco.

3.º Añadir la taza de agua al mortero, remover bien con el triturado de ajo y perejil y agregar a la sartén. Mezclar y dejar cocer a fuego lento durante unos diez minutos removiendo de vez en cuando. La salsa debe quedar clara.
Se le puede añadir alguna hierba aromática, perifollo, cebollino, etc., variando así su sabor, y, en algunos casos, su valor nutritivo.

Valor nutritivo (por ración)

Glúcidos	3 g
Lípidos	4 g
Prótidos	1 g
Calorías	48
Julios	202

417. SALSA VERDE II

Ingredientes

- 1 cebollita • 1 rebanada de pan • perejil abundante • sal marina • 4 cucharadas de aceite

Preparación

1.º Pelar, lavar y picar la cebollita. Lavar y picar igualmente el perejil.

2.º Remojar en agua la rebanada de pan. Escurrirla y ponerla en un mortero junto con la cebolla, el perejil y un poco de sal. Machacarlo todo bien.

3.º Ir agregando poco a poco el aceite removiendo sin parar hasta formar una salsa semilíquida. Esta salsa se usa principalmente para acompañar verduras.

Valor nutritivo (por 100 g)

Glúcidos	5 g
Lípidos	15 g
Prótidos	1 g
Calorías	161
Julios	674

418. «SANDWICH» VEGETAL

Ingredientes

- 4 hojas de lechuga • 1 huevo duro • 1 tomate • 1 cebolla pequeña • 4 lonchas de

RECETA nº 418

queso (unos 100 g) • 50 g de mayonesa (ver receta nº 411) • 8 rebanadas de pan integral de molde

Preparación

1º Lavar bien la lechuga, el tomate y la cebolla.
2º Cortar las hojas de lechuga en dos o tres trozos. El tomate, la cebolla y el huevo se corta en lonchas finas.
3º Untar una rebanada de pan con mayonesa, colocar encima una loncha de queso, dos o tres trocitos de lechuga, una rebanada o dos de tomate, una de cebolla y dos de huevo. Cubrir con otra rebanada de pan untada igualmente con mayonesa. Preparar del mismo modo el resto de los emparedados.

Valor nutritivo (por ración)	
Glúcidos	7 g
Lípidos	19 g
Prótidos	12 g
Calorías	245
Julios	1.026

1668

419. SANGRIA DE MELOCOTON

Preparación

1.º Lavar, pelar y cortar en trozos pequeños los melocotones.
2.º Mezclar todos los ingredientes y dejar enfriar en el frigorífico hasta el momento de tomarlo. Obtendrá aproximadamente ocho vasos.

Ingredientes

• 1/2 kg de melocotones • 1 litro de zumo de manzana • 50 g de azúcar moreno • zumo de una naranja • zumo de un limón • 1/2 litro de agua de soda

Valor nutritivo (por 100 g)	
Glúcidos	12 g
Lípidos	—
Prótidos	1 g
Calorías	45
Julios	187

420. SETAS A LA PLANCHA

Ingredientes

• *1 kg de setas* • *4 dientes de ajo* • *3 ramitas de perejil* • *4 cucharadas de aceite* • *sal marina*

Preparación

1.º Limpiar bien las setas, raspando con un cuchillo las impurezas que pudieran tener y cortando las partes estropeadas. Aclararlas después ligeramente en agua fría. Quitarles el pie (tronquito), que se reservará para otra receta y conservar enteros los sombrerillos.

2.º Pelar los ajos, lavar el perejil y picarlos muy menudos.

3.º Colocar las setas boca abajo sobre una sartén o plancha de asar a fuego fuerte, espolvorearlas con el picadillo de ajo y perejil, sazonar con sal y rociar con el aceite. Mantenerlas en el fuego durante unos diez minutos hasta que estén tiernas.

4.º Colocar en una fuente alargada y adornar con unas ramitas de perejil. Se toman calientes.

Valor nutritivo (por ración)	
Glúcidos	7 g
Lípidos	15 g
Prótidos	4 g
Calorías	171
Julios	713

421. SETAS A LOS CESARES

Ingredientes

• *100 g de níscalos* (Lactarius deliciosus) • *100 g de champiñones* • *100 g de boleto comestible* (Boletus edulis) • *100 de setas de cardo* (Pleurotus erygii) • *200 g de oronjas* (Amanita caesarea) • *100 g de lengua de buey* (Hydnum repandum) • *6 dientes de ajo* • *5 cucharadas de aceite de oliva* • *sal marina*

Preparación

1.º Limpiar bien las setas quitando con un cuchillo todas las impurezas y partes estropeadas. Aclararlas ligeramente en agua fría y partirlas en trozos grandes.

2.º Pelar los ajos y picarlos muy finos.

3.º Poner una sartén al fuego con el aceite. Cuando esté caliente rehogar la mitad de los ajos picados. Luego añadir las setas y rehogarlas hasta que se consuma su jugo.

4.º Cuando empiecen a dorarse añadir el resto de los ajos y un poco de sal, dar unas vueltas más y retirar del fuego.

Valor nutritivo (por ración)	
Glúcidos	6 g
Lípidos	19 g
Prótidos	3 g
Calorías	201
Julios	842

422. SETAS CON ARROZ

Ingredientes

• 300 g de arroz (1 taza y media) • 1/2 kg de setas • 3 tazas de agua • 1 cucharada de concentrado vegetal • 1 cebolla pequeña • 2 dientes de ajo • 3 cucharadas de aceite de oliva • sal marina

Preparación

1º Limpiar bien las setas, quitando con un cuchillo todas las impurezas y partes estropeadas. Aclararlas ligeramente en agua fría y cortarlas en trozos pequeños.

2º Pelar la cebolla y los ajos. Picarlos muy menudos.

3º En una cazuela poner a calentar el aceite. Añadir la cebolla y los ajos picados y rehogarlos. Cuando empiece a dorarse la cebolla, incorporar las setas y seguir rehogando unos diez minutos a fuego suave.

4º Añadir después el arroz y remover. Agregar el caldo de verduras preparado con el agua y el concentrado vegetal. Llevar a ebullición y dejar cocer a fuego lento quince minutos. Apagar el fuego y dejar en reposo unos cinco minutos.

Valor nutritivo (por ración)	
Glúcidos	64 g
Lípidos	13 g
Prótidos	9 g
Calorías	410
Julios	1.714

423. «SETAS» DULCES

Ingredientes

• 4 medios melocotones en almíbar • 4 plátanos pequeños • 3 claras de huevo • 3 cucharadas de azúcar • 1 cucharadita de canela en polvo

Preparación

1º Batir las claras a punto de nieve. Añadir el azúcar y seguir batiendo hasta que queden bien duras. Encender el horno.

2º Con ayuda de una manga pastelera y con boquilla ancha y rizada se llenan cuatro moldes individuales para horno, con el merengue preparado.

3º Introducirlos en el horno y dejarlos sólo hasta que se doren muy ligeramente.

4º Adornar cada platito poniendo en el centro y de pie la parte central de un plátano (unos seis o siete centímetros) y encima de éste el medio melocotón a modo de seta. Espolvorear con un poco de canela y servir frío. También se puede espolvorear con un poco de avellana molida, teniendo en cuenta su alto contenido en lípidos (grasa) y calorías...

Valor nutritivo (por ración)	
Glúcidos	42 g
Lípidos	1 g
Prótidos	4 g
Calorías	182
Julios	761

424. SETAS EN FILETES CON GUARNICION

Ingredientes

• *1/2 kg de setas grandes* • *1/2 kg de cebollas* • *1/2 kg de manzanas reinetas* • *2 huevos* • *50 g de pan rallado* • *aceite de oliva* • *sal marina*

Preparación

1.º Limpiar bien las setas quitando con un cuchillo todas las impurezas y partes estropeadas. Aclararlas ligeramente en agua fría. Utilizar sólo el sombrerillo o cabeza, que se dejará entero, reservando el pie (tronquito) para otra receta.

2.º En una sartén poner a calentar bastante aceite. Batir los huevos con un poco de sal.

3.º Rebozar las setas en el huevo batido, en el pan rallado y freír en el aceite. Colocarlas en el centro de una fuente alargada.

4.º A continuación pelar las cebollas y cortarlas en rodajas finas, sazonarlas con sal y dorarlas ligeramente en una sartén con dos cucharadas de aceite y dos de agua hasta que estén tiernas. Una vez doradas colocarlas en la fuente a un lado de las setas.

5.º Lavar las manzanas y sin pelarlas cortarlas en rodajas. Freírlas por ambos lados en una sartén con un poco de aceite dorándolas por ambos lados. Según se sa-

can de la sartén se colocan en un plato cubierto con una servilleta de papel para que absorba el aceite sobrante. Después colocarlas en la fuente al otro lado de las setas y servir caliente.

Valor nutritivo (por ración)	
Glúcidos	37 g
Lípidos	22 g
Prótidos	9 g
Calorías	362
Julios	1.513

425. SETAS EN SALSA

Ingredientes

• 1/2 kg de setas • 250 g de guisantes • 1 cebolla pequeña • 1 pimiento morrón de lata • 1 cucharada de harina • 4 cucharadas de aceite de oliva • sal marina

Preparación

1º Limpiar bien las setas quitando con un cuchillo todas las impurezas y partes estropeadas. Aclararlas ligeramente en agua fría y trocearlas.

2º Calentar en una sartén dos cucharadas de aceite y rehogar en él las setas hasta que casi se les haya consumido el jugo y reservar.

3º Hervir los guisantes en agua con sal. Reservar una taza del caldo.

4º Pelar la cebolla y picarla muy fina. Volver a calentar otras dos cucharadas de aceite y rehogar en él la cebolla. Cuando esté dorada añadir la harina y tostarla un poco.

5º Después agregar las setas, los guisantes y una taza del caldo de haberlos cocido. Sazonar con sal a gusto, mezclar bien y añadir el pimiento cortado en trozos pequeños. Dejar cocer a fuego muy suave durante diez minutos removiendo de vez en cuando.

Valor nutritivo (por ración)

Glúcidos	21 g
Lípidos	16 g
Prótidos	7 g
Calorías	242
Julios	1.013

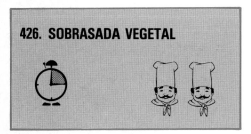

426. SOBRASADA VEGETAL

Ingredientes

• *150 g de carne vegetal* • *4 porciones de quesitos* • *1 cucharada de aceite* • *65 g de margarina vegetal* • *1 diente de ajo grande* • *3 cucharaditas de pimentón dulce* • *orégano* • *nuez moscada*

Preparación

1º Aplastar los quesitos con un tenedor. Agregar la carne vegetal rallada y el ajo picado muy fino.

2º Añadir el aceite, la margarina vegetal, el pimentón, un poco de orégano y una pizca de nuez moscada en polvo.

3º Mezclar muy bien y conservar en el frigorífico en un recipiente tapado.

Valor nutritivo (por 100 g, suficiente para untar cuatro rebanadas)

Glúcidos	5 g
Lípidos	41 g
Prótidos	7 g
Calorías	413
Julios	1.728

427. SOJA VERDE

Ingredientes

• *300 g de soja verde* • *1 pimiento verde* • *1 cebolla* • *1 cucharada de harina* • *1 tomate* • *1/2 cucharadita de pimentón* • *3 cucharadas de aceite* • *sal marina*

Preparación

1º Escoger bien la soja, eliminando cualquier impureza que pudiera tener. Lavarla bien con agua fría.

2º Cocerla con bastante agua y mientras tanto lavar las hortalizas y picarlas muy menudas.

3º En una sartén se calienta el aceite y se hace un sofrito con la cebolla picada, el pimiento picado y el tomate rallado.

Cuando estén empezando a dorarse añadir la harina y dejarla tostar un poco. Retirar la sartén del fuego y agregar el pimentón removiendo ligeramente.

4º Incorporar este sofrito a la soja hacia la mitad de la cocción y dejarlo cocer todo junto unos quince minutos más.

Valor nutritivo (por ración)

Glúcidos	17 g
Lípidos	15 g
Prótidos	12 g
Calorías	249
Julios	1.039

Valor nutritivo (por ración)

Glúcidos	23 g
Lípidos	12 g
Prótidos	4 g
Calorías	213
Julios	890

428. SOPA CREMOSA DE TOMATE

429. SOPA CRIOLLA

Ingredientes

• 300 g de patatas • 750 g de tomates maduros • 1 cebolla • 3 cucharadas de aceite de oliva • sal marina

Preparación

1º Pelar y lavar las patatas y la cebolla y cortarlas a trozos. Los tomates se pelan y se escurren ligeramente para eliminar las simientes y se cortan en varios trozos.

2º Poner a cocer todos los ingredientes en una olla con agua y sal. Cuando comience a hervir añadir el aceite y dejar cocer a fuego medio durante unos veinte minutos.

3º Pasar la batidora y reducir a puré. Si queda muy espeso se puede añadir un poco de agua o caldo de verduras. Rectificar de sal y dejar cocer dos minutos más. Servir caliente.

Ingredientes

• 2 pimientos verdes pequeños • 1 pimiento morrón pequeño • 1/2 kg de tomates maduros • 1 cucharada de harina • 200 g de maíz en grano tierno • 1 litro de caldo de verduras • 2 dientes de ajo • perejil • sal marina • 3 cucharadas de aceite de oliva

Preparación

1º Lavar bien las hortalizas. Picar los pimientos menuditos. Partir los tomates por la mitad y rallarlos.

2º En una cazuela se calienta el aceite y se rehogan los pimientos con un poco de sal. Añadir la harina y seguir rehogando hasta que se dore ligeramente. Verter el caldo poco a poco mientras se sigue removiendo, a continuación añadir el tomate rallado. Cocer a fuego lento durante unos veinte minutos.

3º Pasar el caldo por el pasapuré. Añadir el maíz tierno y seguir cociendo unos cinco minutos más.

4º Pelar los ajos y lavarlos junto con el perejil. Machacarlos en el mortero y añadirlo a la sopa poco antes de servir.

RECETA n.º 430

<table>
<tr><td colspan="2" align="center">Valor nutritivo (por ración)</td></tr>
<tr><td>Glúcidos ....</td><td>12 g</td></tr>
<tr><td>Lípidos ....</td><td>12 g</td></tr>
<tr><td>Prótidos ....</td><td>4 g</td></tr>
<tr><td>Calorías ....</td><td>197</td></tr>
<tr><td>Julios ....</td><td>823</td></tr>
</table>

430. SOPA DE AGUACATE

Ingredientes

- *2 aguacates medianos* • *1 lechuga pequeña*
- *200 g de cebolletas* • *2 cucharadas de aceite*

de oliva • 1 ramita de menta fresca • 1 litro de caldo vegetal • sal marina • 4 rebanadas de pan integral tostado o dextrinado

Preparación

1.º Lavar bien las hortalizas. Picar las cebolletas y la lechuga. Pelar también los aguacates, quitarles la semilla y trocear.
2.º En una cazuela con las dos cucharadas de aceite, se rehogan las cebolletas y la lechuga, con un poco de sal. Se añaden los aguacates troceados. Remover un poco y añadir el cado de verduras. Cocer a fuego medio durante unos diez minutos.
3.º Triturar con la batidora. Lavar la menta, trocearla y añadirla a la sopa. Dejar enfriar y meter en el frigorífico para servirla bien fría.
4.º Colocar una rebanada de pan en cada plato y repartir la sopa vertiendo sobre el pan.

RECETA nº 431

Valor nutritivo (por ración)

Glúcidos	25 g
Lípidos	18 g
Prótidos	4 g
Calorías	279
Julios	1.165

431. SOPA DE AJO

Ingredientes

• *1 cabeza de ajos* • *150 g de pan integral duro (de días anteriores)* • *4 huevos* • *5 cu-* *charadas de aceite de oliva* • *1/2 cucharadita de pimentón molido* • *1 litro y cuarto de caldo vegetal* • *sal marina*

Preparación

1.º Pelar la cabeza de ajos de las capas superfluas. Desgranar los ajos, pero sin pelarlos. Practicar un cortecito en cada uno o machacarlos ligeramente con un golpe seco. Rebanar el pan en láminas finitas.

2.º En una cazuela rehogar los ajos en el aceite, cuando empiecen a dorarse añadir el pan y rehogarlo también ligeramente. Agregar el pimentón y apartar del fuego para evitar que se queme y verter inmediatamente el caldo de verduras.

3.º Remover de vez en cuando y rectificar de sal. Cuando comience la ebullición cascar los cuatro huevos y verterlos con cuidado para que no se rompan. Cuando la clara esté cuajada, pero la yema todavía blanda, estará la sopa lista para servir.

432. SOPA DE ALCACHOFAS

Ingredientes

• 1 kg de alcachofas • 1 limón (o dos, si tienen poco zumo) • sal marina • 2 cucharadas de aceite de oliva

Preparación

1.º Limpiar bien las alcachofas. Quitarles todas las hojas duras, cortarles el tallo y las puntas. Debe quedar solamente el centro y las hojas más tiernas. Si los tallos son tiernos, también se pueden pelar y añadir. Rociar todas las alcachofas con el zumo de medio limón y restregarlas un poco con la pulpa del mismo para que queden blancas.

2.º Poner una cazuela al fuego con un litro de agua y un poco de sal.

3.º Partir todas las alcachofas en gajitos muy finos, quitándoles la pelusa si la tienen. Rociar de nuevo con el zumo de otro medio limón y verterlo todo en el agua cuando empiece a hervir. Añadir el aceite y dejar cocer de diez a quince minutos. Servir caliente.

433. SOPA DE ALMENDRAS

Ingredientes

• 100 g de almendras crudas peladas • 75 g de arroz integral • 1 calabacín (150 g aproximadamente) • 1 cebolla • 2 hojas de laurel • 1 litro de caldo de verduras • 1/2 cucharadita de pimentón • 1 huevo cocido • 3 cucharadas de aceite de oliva

Preparación

1.º Triturar las almendras y el arroz por separado. Pelar y lavar el calabacín y la cebolla y cortarlos a cuadritos.

2.º Calentar el aceite en una cazuela y rehogar la cebolla y el calabacín con un poco de sal. Cuando estén ligeramente dorados se les añade el laurel y el pimentón. Se remueve un poco y a continuación se agrega el caldo de verduras.

3.º Cuando comience a hervir se le añade el arroz triturado. Cocer unos diez minutos y añadir las almendras. Seguir cociendo otros cinco o diez minutos más.

4.º Pelar el huevo cocido y rallarlo. Añadirlo a la sopa en el momento de servir.

Valor nutritivo (por ración)

Glúcidos	21 g
Lípidos	27 g
Prótidos	11 g
Calorías	373
Julios	1.559

434. SOPA DE AVENA

Ingredientes

• *100 g de copos de avena* • *50 g de avellanas* • *2 dientes de ajo* • *1 litro y cuarto de agua* • *sal marina* • *3 cucharadas de aceite de oliva*

Preparación

1º Limpiar los copos de avena quitando las posibles cáscaras, u otras impurezas que puedan tener.
2º Triturar las avellanas no muy finamente. Pelar los ajos y picarlos muy menuditos.
3º Calentar el aceite en una cazuela y rehogar la avena y los ajos. Cuando esté dorado se añaden las avellanas. Agregar el agua y sal a gusto. Cocer durante quince minutos y servir.

Valor nutritivo (por ración)

Glúcidos	23 g
Lípidos	19 g
Prótidos	4 g
Calorías	274
Julios	1.143

435. SOPA DE BERZA

Ingredientes

• *1/2 kg de berza* • *1 cebolla* • *100 g de arroz integral* • *1 litro de caldo de verduras* • *3 cucharadas de aceite de oliva* • *1/2 cucharada de pimentón* • *sal marina*

Preparación

1º Lavar bien la berza y trocearla. Pelar y lavar la cebolla y picarla muy menudita. Triturar el arroz integral.
2º Calentar el aceite en una cazuela y rehogar la cebolla. Agregar la berza y un poco de sal y seguir rehogando dos o tres minutos.
3º Añadir el arroz triturado, remover un poco e incorporar el pimentón. A continuación verter el caldo de verduras, removiendo sin cesar para evitar los grumos, y cocer a fuego medio durante unos veinte minutos.
4º Se puede servir con trocitos de huevo duro, o también con cuadraditos de pan frito... que, según la cantidad, pueden aumentar mucho las calorías del plato.

Valor nutritivo (por ración)

Glúcidos	27 g
Lípidos	12 g
Prótidos	5 g
Calorías	235
Julios	982

RECETA n.º 436

436. SOPA DE CEBOLLA

Ingredientes

• *750 g de cebollas* • *3 cucharadas de «Salsa de tomate I»* (ver receta n.º 407) • *1 huevo* • *sal marina* • *2 cucharadas de aceite*

Preparación

1.º Pelar y lavar las cebollas. Cocerlas en agua, con sal y aceite.

2.º Cocer el huevo en agua con sal durante unos diez minutos. Enfriarlo rápidamente con agua fría. Pelarlo y rallarlo.

3.º La salsa de tomate, lógicamente, se tomará de la que tengamos reservada de otra receta, por necesitar tan poca cantidad. Si no tuviera la salsa ya hecha, se puede sustituir por un poco de tomate crudo rallado.

4.º Cuando la cebolla esté blanda, se tritura, pasando la batidora, hasta que quede como una crema. Se le añade la salsa

1680

RECETA n.º 437

de tomate y el huevo rallado y se deja cocer cinco minutos más. Si quedara muy espesa, puede añadirse un poco de agua.

Valor nutritivo (por ración)

Glúcidos	31 g
Lípidos	25 g
Prótidos	8 g
Calorías	374
Julios	1.564

437. SOPA DE CEREALES

Ingredientes

• *150 g de copos de cinco cereales* • *1 zanahoria* • *1 cebolla* • *1 puerro* • *1 tomate pe-*

1681

queño • 1 ramita de albahaca • 1 litro y medio de caldo de verduras • 2 cucharadas de
aceite • 100 g de queso fresco rallado • sal
marina

Preparación

1º Lavar y pelar las hortalizas. Cortar en rodajitas pequeñas la zanahoria, la cebolla
y el puerro. El tomate rallarlo o triturarlo.

2º El caldo de verduras no es necesario prepararlo a propósito. Cada vez que se
cuecen verduras conviene reservar el caldo. Bien tapado en un bote hermético y
guardado en el frigorífico se conserva
perfectamente un par de días o más.
También puede preparar un caldo de
verduras rápido con agua y concentrado
de verduras, pero siempre es mucho más
interesante el caldo natural.

3º Poner el caldo en una olla al fuego.
Cuando empiece a hervir se le añaden
las hortalizas limpias y cortadas, así como el aceite y la albahaca.

4º Limpiar bien los copos separando las posibles pajas o impurezas. Añadirlos a la
sopa y cocer durante unos quince minutos. Rectificar de sal.

5º En el momento de servir añadir un poco
de queso fresco rallado en cada plato.

Valor nutritivo (por ración)	
Glúcidos	39 g
Lípidos	12 g
Prótidos	8 g
Calorías	292
Julios	1.221

Variación

A esta sopa se le puede añadir una yema
de huevo para cada comensal, que se servirá
en cada plato.

438. SOPA DE CHAMPIÑON

Ingredientes

• 1/2 kg de champiñones • 100 g de copos de
trigo • 3 dientes de ajo • perejil • 1 ramita
de apio • sal marina • 3 cucharadas de aceite de oliva

Preparación

1º Limpiar bien los champiñones eliminando
cualquier impureza. Lavarlos ligeramente con agua, escurrir y trocear.

2º Pelar los ajos. Lavar el apio y el perejil.
Machacar los ajos y el perejil en el mortero. Picar el apio muy menudito.

3º Calentar el aceite en una cazuela y rehogar los champiñones con los ajos y el perejil. Sazonar a gusto y añadir un litro de
agua.

4º Cuando hayan cocido unos diez minutos,
pasar la batidora y triturar sin que se
deshagan por completo.

5º Añadir a la cazuela el apio picado. Limpiar los copos, apartando cualquier paja
o impureza que pudiera tener. Añadirlos también a la cazuela. Cocer otros
diez minutos y servir caliente.

Valor nutritivo (por ración)	
Glúcidos	23 g
Lípidos	12 g
Prótidos	7 g
Calorías	223
Julios	934

439. SOPA DE FIDEOS CON ESPARRAGOS

Valor nutritivo (por ración)

Glúcidos	43 g
Lípidos	10 g
Prótidos	11 g
Calorías	306
Julios	1.280

Ingredientes

• 200 g de fideos gruesos • 1/2 kg de espárragos • 1 tomate grande maduro • 1 litro de caldo de verduras • 1 huevo • 2 cucharadas de aceite • 1 diente de ajo • perejil • una pizca de tomillo • sal marina

Preparación

1.º Lavar bien los espárragos y el tomate. Para esta receta se pueden aprovechar los tallos tiernos de los espárragos que se hayan reservado de alguna receta en la que se requerían sólo las puntas. Cortar el tomate en cuatro trozos.

2.º Poner una cazuela al fuego con medio litro de agua y un poco de sal. Cuando empiece a hervir agregar los espárragos y el tomate. Cocer a fuego medio hasta que los espárragos estén blandos. Escurrir y reservar el caldo.

3.º Triturar los espárragos y el tomate y pasarlos por un pasapuré.

4.º Poner al fuego el caldo de verduras junto con el caldo que hemos reservado de los espárragos. Cuando comience a hervir poner los fideos y remover para evitar que se peguen. Añadir una pizca de tomillo y el puré de espárragos y tomate. Cuando los fideos estén «al dente» apagar el fuego.

5.º Batir el huevo y mezclarlo con el ajo y el perejil machacados. Agregar a los fideos, remover bien y servir caliente.

También pueden reservarse unos espárragos antes de triturar el resto y, una vez partidos a trocitos, añadirlos a la sopa en el momento de servirla.

440. SOPA DE PATATAS Y CEBOLLA

Ingredientes

• 750 g de patatas • 2 cebollas • 250 g de queso fresco • sal marina

Preparación

1.º Pelar y lavar bien las patatas y las cebollas. Cortar las patatas en rodajas finas (de medio centímetro aproximadamente). Las cebollas se cortan también en rodajas, pero más finas todavía.

2.º Poner en una olla las patatas y por encima de ellas las cebollas. Cubrir con agua y añadir sal a gusto. Poner a fuego vivo hasta que empiece a hervir y reducir a fuego muy suave para que siga cociendo lentamente.

3.º Mientras tanto se ralla el queso.

4.º Cuando las patatas estén bien tiernas apagar el fuego. Servir bien caliente y cubrir cada plato con una parte del queso rallado.

Valor nutritivo (por ración)

Glúcidos	44 g
Lípidos	10 g
Prótidos	13 g
Calorías	306
Julios	1.277

RECETA n.º 441

441. SOPA DE TOMATE

Ingredientes

• 1/2 kg de tomates • 1 cebolla pequeña • 1 pimiento verde • 4 dientes de ajo • 2 cucharadas de harina integral • una pizca de tomillo • perejil • sal marina • 3 cucharadas de aceite de oliva

Preparación

1.º Lavar bien las hortalizas y pelar las que convenga. Trocearlo todo y rehogar en una cazuela con un poco de sal.

2.º Añadir un litro de agua y el tomillo. Cocer durante diez minutos. Desleír la harina con un poco de agua y añadir a la sopa. Seguir cociendo otros diez o quince minutos.

3.º Pasar toda la sopa por el pasapuré. Espolvorear con perejil picado y servir caliente.

Valor nutritivo (por ración)	
Glúcidos	15 g
Lípidos	12 g
Prótidos	3 g
Calorías	177
Julios	738

442. SOPA DE VERDURAS

Ingredientes

• *250 g de judías verdes* • *250 g de zanahorias* • *1 puerro* • *1 tomate maduro* • *300 g de patatas* • *1 ramita de apio* • *1 nabo* • *1 pimiento verde* • *2 dientes de ajo* • *1 huevo* • *sal marina* • *3 cucharadas de aceite de oliva*

Preparación

1.º Lavar bien todas las verduras y pelar las que convenga. Cortar en trocitos pequeños y en rodajas las verduras que se puedan. El tomate se ralla y los ajos se pican muy menuditos.

2.º Poner una cazuela con litro y medio de agua. Cuando comience la ebullición se le añaden todas las verduras troceadas excepto el tomate y los ajos. Sazonar a gusto y cocer durante unos diez minutos.

3.º Mientras tanto se cuece el huevo en agua con sal durante diez minutos.

4.º Preparar también el tomate, rehogándolo junto con los ajos en una sartén, con las tres cucharadas de aceite. Añadirlo después a la cazuela.

5.º Cuando el huevo esté cocido, enfriar bien, pelarlo y trocearlo menudito. Añadirlo también a la cazuela. Rectificar de sal y seguir cociendo un poco más hasta que las verduras estén en su punto.

Valor nutritivo (por ración)

Glúcidos	27 g
Lípidos	14 g
Prótidos	7 g
Calorías	256
Julios	1.070

443. SOPA DE WASHINGTON

Ingredientes

• 400 g de patatas • 1 cebolla • 300 g de tomate • 200 g de maíz en grano fresco • 3 cucharadas de nata líquida • 1/2 litro de leche • perejil • sal marina • 1 cucharada de aceite

Preparación

1.º Pelar y lavar las patatas y la cebolla. Cortar en rodajas. Lavar también los tomates y rallarlos.
2.º Poner una cazuela con medio litro de agua, las patatas y la cebolla, y cocerlas a fuego medio hasta que empiecen a estar tiernas. Añadir los tomates rallados, la sal y el aceite. Cuando recobre la ebullición añadir también el maíz y dejar cocer unos diez minutos.
3.º Apartar del fuego y añadir la nata líquida. Calentar la leche e incorporarla también. Remover bien.

4.º Por último lavar y picar el perejil y añadirlo a la sopa poco antes de servir.

Valor nutritivo (por ración)

Glúcidos	129 g
Lípidos	12 g
Prótidos	10 g
Calorías	304
Julios	1.269

444. SOPA DE ZANAHORIA

Ingredientes

• 1/2 kg de zanahorias • 1/2 kg de patatas • 1 puerro • 1 diente de ajo • sal marina • 2 cucharadas de aceite

Preparación

1.º Pelar y lavar bien las hortalizas. Cortar a trozos las zanahorias y las patatas. El puerro se corta en rodajas, la parte blanca, y el resto en tiras finas que se reservarán para el final.
2.º En una cazuela con un litro de agua, se cuecen las patatas, las zanahorias y las rodajas de puerro. Cuando esté tierno, se sazona a gusto, se le añade el ajo picadito y el aceite. Dejar cocer unos cinco minutos más.
3.º Triturar después todo con la batidora hasta que quede una crema suave y homogénea. Si está muy espesa, se añade un poco de agua. Añadir entonces las tiras verdes del puerro. Cocer dos o tres minutos más y servir.

Valor nutritivo (por ración)

Glúcidos	33 g
Lípidos	8 g
Prótidos	4 g
Calorías	217
Julios	909

445. SOPA ROJA DE PATATAS

Ingredientes

• 750 g de patatas • 250 g de cebollas • 1/2 taza de «Salsa de tomate II» (ver receta n.º 408) • 50 g de queso manchego tierno rallado • sal marina

Preparación

1.º Pelar y lavar las patatas y las cebollas. Ponerlas en una cazuela, con agua suficiente para que las cubra y un poco de sal. Cocerlas a fuego medio hasta que estén tiernas.

2.º Triturarlas con la batidora hasta que quede una crema suave y homogénea. Añadir la salsa de tomate (que habremos reservado de otra receta) y cocer unos dos minutos más. Si queda muy espesa, añadir un poco de agua.

3.º Añadir el queso rallado y servir caliente.

Valor nutritivo (por ración)

Glúcidos	41 g
Lípidos	7 g
Prótidos	9 g
Calorías	259
Julios	1.083

446. SUFLE DE COLIFLOR

Ingredientes

• 1 coliflor (1 kg aproximadamente) • 4 huevos • 50 g de queso tierno rallado • «Salsa blanca» (ver receta n.º 402) • sal marina • 1/2 cucharadita de hierbas aromáticas

Preparación

1.º Lavar bien la coliflor y trocearla. Cocerla en agua con sal hasta que esté tierna.

2.º Preparar la salsa blanca siguiendo la receta que se cita.

3.º Escurrir la coliflor y aplastarla con un tenedor. Añadir el queso rallado, la salsa blanca, las cuatro yemas batidas y las hierbas aromáticas. Encender el horno.

4.º Se baten las cuatro claras a punto de nieve y se agregan, removiendo con cuidado, a la mezcla anterior. Se vierte todo en un molde para horno ligeramente untado con aceite.

5.º Colocar el molde dentro de otro mayor con agua, introducir en el horno y cocer al baño María, a fuego fuerte, durante diez minutos. Servir caliente.

Valor nutritivo (por ración)

Glúcidos	24 g
Lípidos	20 g
Prótidos	19 g
Calorías	340
Julios	1.420

RECETA n.º 445

447. SUFLE DE PATATAS

Ingredientes

• *1/2 kg de patatas* • *50 g de mantequilla* • *4 decilitros de nata líquida* • *2 huevos* • *sal marina*

Preparación

1.º Pelar, lavar y trocear las patatas. Cocerlas en agua con sal. Cuando estén blandas escurrirles el agua y pasarlas por el pasapurés.

2.º Añadir al puré la nata líquida, la mantequilla y un poco de sal. Remover hasta que todo esté bien mezclado y dejar enfriar completamente.

3.º Separar las yemas de los huevos de las claras y batir éstas a punto de nieve.

4.º Cuando la mezcla anterior esté fría, añadir las yemas y remover. Luego agregar las claras batidas mezclando con cuidado.

5.º Untar con un poco de mantequilla un molde de suflé, verter en él la mezcla y antes de servir introducirlo al horno hasta que la superficie se dore.

Valor nutritivo (por ración)

Glúcidos	26 g
Lípidos	34 g
Prótidos	9 g
Calorías	423
Julios	1.822

448. SUFLE DE PUERROS

Ingredientes

• *250 g de puerros* • *4 huevos* • *4 cucharadas de aceite de oliva* • *sal marina*

Preparación

1º Lavar bien los puerros y trocearlos en tiras finas. Rehogarlos en una sartén con el aceite y un poco de sal, a fuego muy suave, hasta que estén blandos. Encender el horno.

2º Separar las yemas de las claras y batir estas últimas a punto de nieve.

3º Mezclar la mitad de los puerros con las yemas. Batir ligeramente e incorporar las claras a punto de nieve, mezclando con suavidad para que no disminuya el volumen.

4.º Verter en un molde redondo e introducir en el horno hasta que cuaje.

5.º Sacar del horno y poner por encima el resto de los puerros e introducir de nuevo pero con el gratinador encendido sólo durante un minuto.

Valor nutritivo (por ración)

Glúcidos	4 g
Lípidos	22 g
Prótidos	10 g
Calorías	250
Julios	1.046

449. SUFLE DE REQUESON Y GLUTEN

Ingredientes

• 250 g de gluten picado • 250 g de requesón • 2 huevos • 4 cucharadas de pan triturado • 1 cucharadita de ajo molido • una pizca de nuez moscada • sal marina • un poquito de mantequilla

Preparación

1.º Mezclar bien todos los ingredientes, excepto las claras de huevo y la mantequilla. Remover bien hasta conseguir una pasta homogénea.

2.º Batir las claras a punto de nieve e incorporarlas a la pasta anteriormente preparada. Mezclar poco a poco procurando que quede esponjoso.

3.º Untar un molde con un poquito de mantequilla. Verter en él la mezcla que

tenemos preparada e introducir en el horno, a fuego medio, durante unos cuarenta y cinco minutos.

Valor nutritivo (por ración)

Glúcidos	10 g
Lípidos	12 g
Prótidos	25 g
Calorías	238
Julios	995

450. TABULE (receta típica del Líbano)

Ingredientes

• 100 g de trigo triturado (Burgol) • 1 cebolla (de unos 200 g) • 1 tomate maduro pero duro (de unos 200 g) • 1/2 lechuga • un manojo grande de perejil • 30 g de hierbabuena fresca • 3 limones • 3 cucharadas de aceite de oliva • sal marina

Preparación

1.º Poner en remojo el trigo durante un tiempo muy breve. Lavarlo bien y escurrirlo a través de un lienzo apretándolo un poco para que suelte bien el agua.

2.º Lavar bien la cebolla, el tomate, la lechuga, el perejil y la hierbabuena. Con un cuchillo de buen corte picar estos ingredientes, excepto la lechuga, muy finamente y por separado.

3.º En un recipiente hondo se pone en primer lugar el trigo triturado, y se le van incorporando las hortalizas picadas en el siguiente orden: el perejil, la hierbabuena, la cebolla y el tomate. Añadir el aceite de oliva mezclando bien.

4.º Exprimir los tres limones y agregar el zumo a la mezcla anterior. Rectificar de sal y dejar en reposo en el frigorífico de media a una hora hasta el momento de servir.

5.º Esta ensalada se sirve colocando pequeñas porciones de la mezcla sobre las hojas de lechuga enteras.

Valor nutritivo (por ración)	
Glúcidos	30 g
Lípidos	12 g
Prótidos	5 g
Calorías	246
Julios	1.028

451. TALLARINES AL GRATEN

Ingredientes

• *250 g de tallarines al gluten* • *150 g de carne vegetal picada* • *1 taza de «Salsa de tomate I»* (ver receta n.º 407) • *«Salsa bechamel II»* (ver receta n.º 401) • *50 g de queso manchego tierno rallado* • *1/2 cucharadita de pimentón dulce* • *1 cebolla* • *3 cucharadas de aceite* • *sal marina*

Preparación

1.º Cocer los tallarines en abundante agua hirviendo con sal y un chorrito de aceite para que no se peguen. Se dejan cocer hasta que estén «al dente», se escurren y se pasan por el chorro de agua fría.

2.º Preparar la salsa de tomate siguiendo las instrucciones de la receta indicada, de la que se usará sólo una taza.

3.º Preparar la salsa bechamel siguiendo las instrucciones de la receta indicada.

4.º Pelar la cebolla y picarla muy fina. Calentar el aceite en una sartén y sofreír la cebolla. Cuando empiece a dorarse añadir la taza de salsa de tomate, la carne vegetal picada, el pimentón y rectificar la sal si es necesario. Dejar cocer diez minutos a fuego lento.

5.º Añadir esta salsa a los tallarines y mezclar bien. Extenderlo en una fuente para horno, cubrir con la salsa bechamel y espolvorear con el queso rallado. Poner en el horno a gratinar.

Valor nutritivo (por ración)	
Glúcidos	74 g
Lípidos	41 g
Prótidos	23 g
Calorías	761
Julios	3.180

452. TALLARINES CON REQUESON

Ingredientes

• *250 g de tallarines* • *250 g de champiñones* • *100 g de requesón* • *1 diente de ajo* • *perejil* • *4 cucharadas de aceite de oliva* • *sal marina*

Preparación

1.º Limpiar bien los champiñones, lavarlos ligeramente y cortarlos en filetes finos. Picar muy menudito el ajo y el perejil.

2.º En una cazuela rehogar los champiñones en el aceite a fuego medio. A los cinco minutos agregarles el picadito de ajo y

RECETA n.º 452

perejil y una parte del requesón desmenuzado. Seguir rehogando y removiendo de vez en cuando y sazonar a gusto. Transcurridos cinco minutos más apagar el fuego.

3.º En una olla con abundante agua y un poco de sal, cocer los tallarines, removiendo de vez en cuando para que no se peguen. Cuando estén «al dente» escurrir y mezclar con los champiñones. Encender el horno.

4.º Verter los tallarines y los champiñones en una fuente para horno. Cubrir con el resto del requesón desmenuzado e introducir en el horno durante unos quince minutos.

Valor nutritivo (por ración)	
Glúcidos	49 g
Lípidos	19 g
Prótidos	12 g
Calorías	414
Julios	1.728

453. TARTA DE ALMENDRAS A LA NARANJA

Preparación

1º Mezclar las almendras ralladas con el azúcar y la ralladura de las naranjas. Encender el horno.

2º Batir las tres claras de huevo a punto de nieve. Añadir las yemas y remover con cuidado. Añadir igualmente la mezcla de las almendras y el azúcar y remover bien.

3º Untar un molde con poco aceite y verter en él la pasta que hemos preparado.

4º Introducir el molde en el horno caliente y cocer durante unos veinte minutos. Antes de apagar el horno comprobar que esté cocido por dentro con el sistema de la varilla o del palito.

Ingredientes

• 150 g de almendras crudas ralladas (2 tazas) • 160 g de azúcar moreno (1 taza) • 3 huevos • 2 naranjas

5.º Sacar del molde sobre una bandeja y regar la tarta con el zumo de las dos naranjas.

Valor nutritivo (por ración)	
Glúcidos	48 g
Lípidos	25 g
Prótidos	14 g
Calorías	467
Julios	1.953

454. TARTA DE CALABACIN A LA MENTA

Ingredientes

• «Masa base para tarta» (ver receta n.º 303) • 1 kg de calabacines • 1 cebolla • 1 yogur natural • 3 huevos • 3 dientes de ajo • 10 hojas de menta • 100 g de queso manchego tierno rallado • sal marina • 3 cucharadas de aceite de oliva

Preparación

1.º Lavar bien las hortalizas. Pelar los calabacines y trocearlos finamente. Pelar la cebolla y los ajos y picarlos menuditos. Trocear las hojas de menta.
2.º En una sartén calentar el aceite y freír el calabacín y la cebolla juntamente. Cuando se evapore el agua, añadir los ajos y la sal y seguir rehogando unos cinco minutos más. Apartar del fuego y dejar enfriar. Encender el horno.
3.º Preparar la masa según la receta que se cita. Estirar con el rodillo dando la forma del molde que hayamos escogido.

Untar el molde con muy poco aceite y forrarlo con la masa. Pinchar la masa con un tenedor e introducir en el horno a fuego medio hasta que la masa esté cocida pero sin que se dore.
4.º Mientras tanto batir fuertemente los tres huevos con el yogur y un poco de sal.
5.º Sacar el molde del horno. Espolvorear con las hojas de menta troceadas. Verter encima el calabacín y extenderlo. Cubrir con la mezcla de huevos y yogur y espolvorear por encima el queso rallado.
6.º Introducir de nuevo en el horno y cocer durante media hora aproximadamente, hasta que los huevos estén cuajados y el queso se haya dorado.

Valor nutritivo (por ración)	
Glúcidos	69 g
Lípidos	55 g
Prótidos	34 g
Calorías	849
Julios	3.547

455. TARTA DE CEBOLLA

Ingredientes

• «Masa base para tarta» (ver receta n.º 303) • 1/2 kg de cebollas • 2 cucharadas de harina • 2,5 decilitros de caldo vegetal (una taza) • 2 yemas de huevo • 100 g de queso manchego tierno rallado • sal marina • 3 cucharadas de aceite de oliva

Preparación

1.º Pelar, lavar y picar las cebollas.
2.º En una sartén se calienta el aceite y se re-

hoga la cebolla. Cuando esté tierna se le añade la sal y la harina. Se remueve un poco y cuando empiece a dorarse se le añade el caldo vegetal. Remover bien para que se forme una salsa ligera y sin grumos. Apagar el fuego y añadir el queso rallado y las dos yemas. Mezclar bien.

3.º Mientras se rehoga la cebolla, encender el horno y preparar la masa según la receta que se cita. Extenderla con el rodillo dándole la forma del molde que hayamos escogido. Untar ligeramente el molde con muy poco aceite y forrarlo con la masa. Pinchar la masa con el tenedor e introducir en el horno a fuego medio hasta que esté cocida pero sin que llegue a dorarse.

4.º Sacar del horno. Verter sobre la masa la crema de cebolla y extenderla bien.

5.º Introducir de nuevo en el horno bien caliente y cocer durante unos veinte minutos hasta que se dore por encima.

Valor nutritivo (por ración)	
Glúcidos	59 g
Lípidos	54 g
Prótidos	21 g
Calorías	796
Julios	3.327

456. TARTA DE ESPARRAGOS

Ingredientes

• «Masa base para tartas» (ver receta n.º 303) • 1/2 kg de espárragos • 100 g de queso tierno rallado • 50 g de nata líquida • sal marina

Preparación

1.º Preparar la masa para la tarta, siguiendo la receta que se cita. Encender el horno.

2.º Extender la masa con un rodillo. Untar un molde para tarta con muy poco aceite. Forrarlo con la masa y pincharla con un tenedor. Introducir en el horno para que se cueza, pero sin que llegue a dorarse.

3.º Mientras tanto, preparar los espárragos. Lavarlos bien, desechar las partes más duras, pelar las partes medias y cocerlos en agua con sal.

4.º Escurrir los espárragos cuando estén cocidos. Ponerlos sobre la masa que ya estará cocida. Espolvorearlos con el queso rallado y regarlos con la nata líquida.

5.º Introducir de nuevo en el horno con el gratinador encendido hasta que se dore la superficie. Servir caliente.

Valor nutritivo (por ración)	
Glúcidos	49 g
Lípidos	40 g
Prótidos	16 g
Calorías	619
Julios	2.588

457. TARTA DE LIMON

Ingredientes

• «Masa base para tarta» (ver receta n.º 303) • 70 g de fécula de maíz (1/2 taza) • 120 g de azúcar moreno (3/4 taza) • 3 huevos • 1 limón • una pizca de sal • 15 g de mantequilla • 8 decilitros de agua (poco más de tres tazas)

RECETA n.º 457

Preparación

1.º Preparar una crema de limón de la siguiente manera: Mezclar la fécula de maíz con el azúcar en una cazuelita, añadir dos tazas de agua y disolver bien; poner sobre fuego moderado y remover de vez en cuando. Batir bien las tres yemas con una pizca de sal y añadir el resto del agua. Disolver bien y agregar a la cazuelita cuando ésta empiece a cocer. Remover continuamente para evitar la formación de grumos. Cuando haya cocido un poco y se haya espesado la crema apartar del fuego. Añadir entonces la ralladura del limón y el zumo del mismo, así como la mantequilla. Remover bien y dejar enfriar. Encender el horno.

2.º Preparar la masa para tarta siguiendo la receta que se indica, pero sustituyendo la sal por un poco de azúcar. Cuando esté forrado el molde que se vaya a utilizar, pinchar la masa con un tenedor e introducirla en el horno a fuego medio durante seis o siete minutos, hasta que quede seca pero no muy dorada.

3.º Preparar el merengue batiendo las tres claras a punto de nieve y añadiendo el resto del azúcar con una pizca de sal.

4.º Sobre la masa que ya estará cocida y todavía en su molde, verter la crema de limón preparada. Adornar por encima

1696

RECETA nº 459

con el merengue que ya está igualmente preparado, con ayuda de una manga pastelera para darle la forma que se desee.

5.º Introducir de nuevo en el horno bien caliente pero sólo durante tres minutos hasta que el merengue se dore ligeramente. Apagar el horno, retirar la tarta y dejar enfriar.

Valor nutritivo (por ración)	
Glúcidos	89 g
Lípidos	38 g
Prótidos	15 g
Calorías	760
Julios	3.175

458. TARTA DE MANGO Y YOGUR

Ingredientes

• 150 g de mango (sólo la pulpa) • 1 yogur natural • 200 g de harina (1 taza de harina blanca y media de integral) • 100 g de azúcar moreno • 1 decilitro de aceite • 3 huevos • 1 cucharada de levadura en polvo • una pizca de sal

1697

Preparación

1.º Encender el horno. En un vaso grande de la batidora, triturar primeramente la pulpa del mango. A continuación incorporar el resto de los ingredientes y batir bien durante unos minutos hasta que quede una crema homogénea.

2.º Untar ligeramente un molde para tarta con muy poco aceite. Verter en él la crema que hemos preparado e introducirlo en el horno.

3.º El horno debe estar fuerte al principio, y cuando haya subido la masa se reducirá un poco. Cocer durante media hora y antes de sacar del horno pinchar con una varilla o con un palito para asegurarse de que está cocido por dentro.

Valor nutritivo (por ración)	
Glúcidos	69 g
Lípidos	29 g
Prótidos	13 g
Calorías	589
Julios	2.461

459. TARTA DE MANZANA

Ingredientes

Masa: • *140 g de harina (1 taza)* • *75 g de mantequilla* • *1 huevo pequeño* • *25 g de azúcar (2 cucharadas)*
Relleno: • *2,5 decilitros de leche de soja (1 taza)* • *50 g de azúcar moreno* • *30 g de harina (3 cucharadas)* • *30 g de pasas de Corinto* • *1 huevo y una yema* • *3 manzanas reineta (unos 400 g)* • *1 cucharadita de vainilla en polvo* • *una pizca de sal*

Preparación

Masa:

1.º Poner la harina en un recipiente hondo. Hacer un hueco en el centro y poner allí la mantequilla reblandecida, el azúcar y el huevo. Mezclar y amasar hasta formar una masa compacta y homogénea.

2.º Estirar la masa con el rodillo y forrar el molde que hayamos escogido, después de haberlo untado ligeramente con aceite. La masa debe subir por los bordes del molde.

Relleno y acabado:

3.º Póngase a calentar en un cazo la taza de leche, menos tres cucharadas.

4.º Mientras tanto, mezclar en un recipiente el huevo y la yema bien batida, con el azúcar, la harina y la vainilla. Añadir las tres cucharadas de leche y disolver bien. Verter esta mezcla a la leche que tenemos en el fuego, cuando empiece a hervir. Remover enérgicamente para evitar que se formen grumos. Añadir una pizca de sal y las pasas de Corinto y dejar cocer unos dos minutos removiendo de vez en cuando. Apagar el fuego.

5.º Lavar bien las manzanas. Cocer una de ellas al vapor. Pelarla, quitarle el centro y triturarla. Añadir este puré a la crema que acabamos de preparar y mezclar bien. Encender el horno.

6.º Pelar las otras dos manzanas, quitarles el centro y partirlas en gajos finos.

7.º Sobre el molde que tenemos forrado con la masa se vierte la crema que hemos mezclado con el puré de manzana. Se extiende bien y se van colocando por encima los gajos de manzana, montando ligeramente unos sobre otros.

8.º Introducir en el horno caliente y dejar cocer durante unos veinte minutos o algo más, hasta que la masa y las manzanas estén doraditas.

9.º Sacar del horno y dejar enfriar. Servir en una bandeja.

Valor nutritivo (por ración)

Glúcidos	73 g
Lípidos	23 g
Prótidos	12 g
Calorías	538
Julios	2.250

5.º Cuando esté frío sacar del molde sobre una fuente para servir. Si no se despega bien, calentar un poco sobre el fuego.

Valor nutritivo (por ración)

Glúcidos	74 g
Lípidos	20 g
Prótidos	8 g
Calorías	496
Julios	2.073

460. TARTA DE PIÑA

Ingredientes

• *140 g de harina (1 taza)* • *80 g de mantequilla* • *80 g de azúcar moreno (1/2 taza)* • *2 huevos* • *4 rodajas de piña americana (unos 200 g)* • *1 decilitro de almíbar de la piña (poco menos de media taza)* • *2 cucharaditas de levadura en polvo* • *4 cucharadas de azúcar blanco*

Preparación

1.º Batir las claras a punto de nieve, añadir las yemas y seguir batiendo. Mezclar bien la mantequilla y el azúcar moreno y agregar a los huevos. Mezclar la harina con la levadura y añadir poco a poco a la mezcla anterior sin dejar de remover. Encender el horno.

2.º En un cacito pequeño dorar las cuatro cucharadas de azúcar hasta obtener el caramelo líquido que se vierte sobre el molde que se vaya a utilizar. Colocar encima las cuatro rodajas de piña y sobre éstas la masa preparada.

3.º Introducir en el horno caliente y cocer durante unos veinticinco minutos.

4.º Sacar del horno, rociar con el almíbar de la piña e introducir de nuevo en el horno durante unos diez minutos más.

461. TARTA DE PUERROS

Ingredientes

• *«Masa base para tarta» (ver receta n.º 303)* • *1/2 kg de puerros* • *1 cebolla* • *1 cucharada de harina* • *2 dientes de ajo* • *100 g de queso manchego tierno rallado* • *una pizca de nuez moscada* • *1 cucharadita de orégano* • *sal marina* • *3 cucharadas de aceite*

Preparación

1.º Pelar y lavar las hortalizas. Cortar los puerros en tiras. La cebolla y los ajos picarlos finamente.

2.º Cocer los puerros en un poco de agua y sal. Encender el horno.

3.º Mientras se cuecen los puerros preparar la masa siguiendo la receta que se cita. Extenderla con el rodillo dándole la forma del molde que se vaya a usar. Untar el molde con muy poco aceite y forrarlo con la masa. Pinchar con un tenedor e introducir en el horno a fuego medio hasta que la masa esté cocida pero sin llegar a dorarse.

RECETA n.º 460

4.º Calentar el aceite en una sartén y rehogar la cebolla hasta que esté tierna. Escurrir los puerros y añadirlos a la sartén. Añadir igualmente los ajos y seguir rehogando unos dos minutos. Agregar entonces la harina y remover un poco. Cuando empiece a dorarse se añade medio vaso del caldo de cocer los puerros. Remover bien hasta que quede una salsa sin grumos. Sazonar a gusto y espolvorear con la nuez moscada, el orégano y la mitad del queso. Remover y apagar el fuego.

5.º Mientras se rehoga la cebolla vigilar la masa y sacarla del horno sin dejar que tome color. Cuando tenga lista la crema

de puerros extenderla sobre la masa. Espolvorear encima el resto del queso.

6.º Introducir de nuevo en el horno y dejar cocer durante unos veinte minutos hasta que el queso esté dorado.

Valor nutritivo (por ración)	
Glúcidos	59 g
Lípidos	50 g
Prótidos	20 g
Calorías	753
Julios	3.148

1700

RECETA n.º 462

462. TARTA DE VERDURAS

Ingredientes

• *3 huevos* • *1 decilitro de aceite* • *2 decilitros de leche* • *100 g de harina* • *50 g de queso rallado* • *1 cucharadita de levadura en polvo* • *1 cebolla* • *1 pimiento verde* • *50 g de aceitunas verdes* • *150 g de carne vegetal picada* • *50 g de nueces picadas* • *4 cucharadas de aceite* • *sal marina*

Preparación

1.º Cocer uno de los huevos en agua con sal durante diez minutos. Enfriar, pelar y picar menudito.

2.º Lavar la cebolla y el pimiento. Picarlos menuditos y rehogarlos en una sartén con las cuatro cucharadas de aceite. Cuando empiece a dorarse añadir las aceitunas picadas, la carne vegetal, las nueces y sal a gusto. Remover bien y apagar el fuego. Añadir finalmente el huevo cocido y picado.

3.º En un vaso grande de la batidora, mezclar los dos huevos restantes, el decilitro de aceite, la leche, la harina, el queso, la levadura y la sal. Batirlo hasta que quede una pasta ligera y homogénea. Encender el horno.

1701

4.º Untar un molde grande para tarta o cuatro pequeños individuales. Mezclar la pasta con el relleno que tenemos preparado y verterlo en los moldes.

5.º Introducirlo en el horno, a fuego medio, hasta que esté cocido.

Valor nutritivo (por ración)	
Glúcidos	34 g
Lípidos	60 g
Prótidos	21 g
Calorías	770
Julios	3.218

463. TARTA DE ZANAHORIA

Ingredientes

• *«Masa base para tartas»* (ver receta n.º 303) • *400 g de zanahorias* • *250 g de requesón* • *50 g de queso tierno rallado* • *2 huevos* • *una pizca de hierbas aromáticas* • *sal marina*

Preparación

1.º Preparar la masa para la tarta siguiendo la receta que se cita. Encender el horno.

2.º Extender la masa con un rodillo. Untar un molde para tarta con muy poco aceite. Forrarlo con la masa y pinchar ésta con un tenedor. Introducirlo en el horno para que se cueza, pero sin que llegue a dorarse.

3.º Mientras tanto pelar y lavar las zanahorias. Cocerlas en poca agua con sal.

4.º En un recipiente hondo poner las zanahorias escurridas cuando estén cocidas.

Triturarlas y mezclarlas bien con el requesón y los huevos batidos y una pizca de hierbas aromáticas.

5.º Verter este relleno por encima de la masa cocida, extender bien y espolvorear con el queso rallado. Introducir de nuevo en el horno para que se gratine. Servir caliente.

Valor nutritivo (por ración)	
Glúcidos	56 g
Lípidos	45 g
Prótidos	22 g
Calorías	705
Julios	2.945

464. TIMBAL DE ARROZ

Ingredientes

• *300 g de arroz integral* • *1/2 kg de champiñones* • *100 g de carne vegetal picada* • *1 cebolla pequeña* • *1 decilitro de nata líquida (poco menos de media taza)* • *1 decilitro de caldo de verduras* • *1 decilitro de aceite de oliva* • *2 dientes de ajo* • *perejil* • *sal marina*

Preparación

1.º Cocer el arroz siguiendo la receta n.º 30, de «Arroz base integral».

2.º Lavar bien la cebolla, los champiñones, los ajos y el perejil. Picar muy menudito y por separado la cebolla, los ajos y el perejil. Cortar los champiñones en láminas finas.

3.º En una sartén calentar la mitad del aceite y rehogar la mitad del champiñón y la carne vegetal. Sazonar a gusto y añadir la nata y el caldo de verduras. Dejar cocer hasta obtener una salsa algo espesa.

4º En otra sartén calentar la otra mitad del aceite y rehogar la cebolla y los ajos con un poco de sal. Cuando la cebolla esté tierna se le añade el resto de los champiñones y se sigue rehogando durante unos cinco minutos. Añadir entonces el arroz cocido y mezclar bien.

5º Untar un molde de flan con un poquito de aceite. Rellenarlo con el arroz, apretándolo un poco para que tome bien la forma.

6º Vaciar el molde sobre una fuente de servir. Acompañar con la salsa preparada y espolvorear por encima con el perejil picado.

Valor nutritivo (por ración)	
Glúcidos	68 g
Lípidos	31 g
Prótidos	14 g
Calorías	613
Julios	2.563

465. TOMATES RELLENOS DE ARROZ I

Ingredientes

• *200 g de arroz integral (1 taza)* • *8 tomates* • *1 cebolla* • *150 g de carne vegetal picada* • *2 dientes de ajo* • *perejil* • *4 cucharadas de aceite de oliva* • *sal marina*

Preparación

1º Escoger y limpiar bien el arroz. Ponerlo en remojo la noche anterior con agua tibia, o bien, una hora antes en agua hirviendo.

2º Lavar bien los tomates, la cebolla, los ajos y el perejil. Cortar una tapita a cada tomate por la parte superior y vaciarlos, cuidando que no se rompan, y sazonarlos por dentro con un poco de sal. Picar muy menudito la cebolla, los ajos y el perejil.

3º En una sartén se calienta el aceite y se rehogan la cebolla y los ajos con un poco de sal. Cuando esté tierna la cebolla, se le añade la carne vegetal, se remueve un poco y a continuación se le agrega la pulpa que se ha extraído a los tomates. Rehogar durante unos cinco minutos.

4º Escurrir el arroz y añadirlo a la sartén. Remover mezclándolo bien y sazonar a gusto. Cocer a fuego medio o suave hasta que se agote el caldo.

5º Añadir al arroz (que todavía no estará cocido) el ajo y el perejil picados y rellenar los tomates. Taparlos con su tapita y colocarlos en una bandeja para hornear. Introducir en el horno a fuego medio y cocer durante treinta minutos aproximadamente. Apagar el honor y dejar todavía los tomates reposando durante unos diez minutos más. Servir caliente.

Valor nutritivo (por ración)	
Glúcidos	77 g
Lípidos	20 g
Prótidos	9 g
Calorías	406
Julios	1.697

466. TOMATES RELLENOS DE ARROZ II

Ingredientes

• *150 g de arroz* • *4 tomates grandes* • *1 manzana grande* • *«Salsa mayonesa»* (ver re-

RECETA n.º 466

ceta n.º 411) • *1/2 lechuga (unos 200 g)* • *1 pimiento morrón asado* • *2 zanahorias* • *50 g de aceitunas negras* • *sal marina*

Preparación

1.º Cocer el arroz siguiendo la receta n.º 29, de «Arroz base».
2.º Preparar la salsa mayonesa.
3.º Lavar bien la fruta y las hortalizas. Cor-

tar una tapa a los tomates por la parte superior y vaciarlos con cuidado para que no se rompan. Pelar y rallar la manzana. Trocear la lechuga. Cortar el pimiento en tiras. Pelar las zanahorias y cortarlas en rodajitas.
4.º Mezclar bien el arroz (cuando ya esté cocido y frío) con la manzana rallada y la mayonesa, reservando un poco de esta salsa para el adorno.

1704

RECETA n.º 467

5.º Sazonar los tomates por dentro con un poco de sal y rellenarlos con el arroz.

6.º Colocar los tomates sobre una fuente de servir y adornar con la lechuga y el resto de los ingredientes. Servir frío.

Valor nutritivo (por ración)	
Glúcidos	51 g
Lípidos	62 g
Prótidos	9 g
Calorías	813
Julios	3.400

467. TOMATES RELLENOS EN CRUDO

Ingredientes

• 4 tomates medianos • 100 g de guisantes • 1 lechuga • 1 pepino pequeño • 1 cebolla pequeña • 50 g de aceitunas verdes • 4 cucharadas de «Salsa mayonesa» (ver receta n.º 411) • *2 cucharadas de aceite* • *1 cucha-rada de zumo de limón* • *sal marina*

Preparación

1.º Hervir los guisantes en un poco de agua con sal.
2.º Lavar los tomates y la lechuga. Pelar el pepino y la cebolla.
3.º Preparar la salsa mayonesa siguiendo la receta que se indica o aprovechar algún resto que se tenga.
4. Cortar la parte superior del tomate y sa-car la pulpa con una cucharilla.
5.º Picar la parte carnosa que se ha sacado de los tomates y mezclarla en un reci-piente con los guisantes, la cebolla y las aceitunas, estas dos últimas muy pica-das.
6.º Picar las hojas blancas del centro de la lechuga y añadirlas a la mezcla anterior con la mayonesa. Mezclar bien y rellenar los tomates.
7.º En la fuente de servir se ponen las hojas de lechuga sazonadas con el aceite, el li-món y la sal y encima se colocan los to-mates.

Valor nutritivo (por ración)

Glúcidos	19 g
Lípidos	28 g
Prótidos	7 g
Calorías	363
Julios	1.519

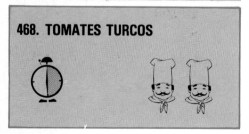

468. TOMATES TURCOS

Ingredientes

• *4 tomates grandes* • *150 g de requesón* • *150 g de nata líquida* • *50 g de cacahuetes*

tostados • *1 cucharadita de ajo en polvo* • *1 cucharadita de perejil picado* • *50 g de acei-tunas verdes sin hueso*

Preparación

1.º Lavar los tomates, cortarlos por la parte superior y vaciarlos.
2.º Picar los cacahuetes y las aceitunas.
3.º Hacer una crema con el requesón y la nata procurando que no queden gru-mos. Añadir el ajo en polvo, el perejil, los cacahuetes, las aceitunas y un poco de sal.
4.º Rellenar los tomates y servirlos. Se pue-de acompañar con una ensalada de le-chuga y pepino.

Valor nutritivo (por ración)

Glúcidos	8 g
Lípidos	20 g
Prótidos	8 g
Calorías	234
Julios	978

469. TORRIJAS DE SOJA

Ingredientes

• *1 barra de pan (de unos 400 g)* • *1 litro de leche de soja* • *6 huevos* • *3 decilitros de le-che* • *3 cucharadas de miel* • *1 cucharada de canela en polvo* • *aceite para freír*

Preparación

1.º Cortar la barra de pan en rebanadas de unos dos centímetros de grueso. Mojar las rebanadas en la leche de soja y dejar reposar sobre paños limpios para que se esponjen bien y pierdan el exceso de líquido.

2.º Batir bien los huevos y rebozar las rebanadas.

3.º Calentar aceite de oliva en una sartén grande o freidora y freír las rebanadas conforme se van rebozando. Dorar uniformemente por ambos lados y apartar sobre una fuente cubierta con servilletas de papel para que absorban el aceite sobrante.

4.º Preparar un almíbar mezclando los tres decilitros de leche con la miel y la cucharada de canela. Cocer esta mezcla a fuego medio hasta que quede un jarabe líquido.

5.º Verter un poco de jarabe sobre cada torrija en el momento de servir, o bien servir por separado para que cada comensal se añada el jarabe según su gusto.

Valor nutritivo (por 100 g, una torrija)	
Glúcidos	18 g
Lípidos	19 g
Prótidos	7 g
Calorías	282
Julios	1.177

470. TORTA DE AVELLANAS

Ingredientes

• 200 g de harina • 150 g de sirope de manzana • 150 g de avellanas tostadas • 3 huevos • 100 g de margarina vegetal • 1 decilitro de aceite • 1,5 decilitros de leche de soja • 3 cucharaditas de levadura en polvo • una pizca de sal

Preparación

1.º Triturar las avellanas, excepto unas pocas que se rallarán y reservarán para adornar. Encender el horno.

2.º Mezclar bien todos los ingredientes. Untar un molde con muy poco aceite y verter en él la mezla preparada.

3.º Introducir en el horno, a fuego medio, durante unos cuarenta y cinco minutos. Antes de sacar del horno, comprobar que está bien cocido por dentro pinchándolo con una varilla o un palito de madera.

4.º Sacar la torta del molde sobre una fuente de servir y adornar con las avellanas ralladas.

Valor nutritivo (por ración)	
Glúcidos	73 g
Lípidos	73 g
Prótidos	19 g
Calorías	992
Julios	4.145

471. TORTA DE HOJALDRE

Ingredientes

Masa: • 250 g de harina blanca • 1 decilitro de aceite • 1 decilitro de agua caliente • una pizca de sal marina • 50 g de mantequilla • 1/2 yema de huevo

Crema: • 50 g de almendra molida • 50 g de azúcar en polvo • 1 cucharadita de azúcar vainillado • 1/2 yema de huevo • 15 g de mantequilla

RECETA n.º 471

Preparación

1.º Mezclar en un recipiente el aceite, el agua caliente y la sal. Agregar la harina y mezclar con una espátula hasta que se forme una bola.

2.º Extender la masa en cuadrado y depositar trocitos de mantequilla reblandecida. Plegar la masa en tres partes, extender y depositar de nuevo trocitos de mantequilla y volver a plegar tres veces. Repetir esta misma operación cuatro veces, o sea, doblar la masa en tres partes ocho veces en total. Dejar reposar la masa en sitio fresco.

3.º Mientras tanto, preparar la crema mezclando la almendra con la media yema de huevo hasta conseguir una masa homogénea. Por otra parte mezclar también la mantequilla reblandecida con el azúcar y el azúcar vainillado. Juntar ambas masas, mezclando bien y reservar.

4.º Estirar la masa de hojaldre dándole la forma de dos círculos idénticos. Depositar sobre uno de ellos la crema de almendras, dejando sin cubrir dos centímetros de borde. Colocar encima el otro círculo de masa de hojaldre presionando ligeramente los laterales. Pinchar con un tenedor la parte superior para que

respire. Dibujar un rosetón sobre la torta con un cuchillo afilado y pintar la superficie con la media yema. Dejar reposar unos minutos, y, mientras, encender el horno y esperar que se caliente.

5.º Introducir la torta en el horno caliente y dejar cocer durante treinta minutos aproximadamente.

Valor nutritivo (por ración)

Glúcidos	68 g
Lípidos	45 g
Prótidos	10 g
Calorías	714
Julios	2.983

---

472. TORTILLA DE AGUACATE

Ingredientes

• *1 aguacate (250 g)* • *3 huevos* • *2 cucharadas de aceite de oliva* • *nuez moscada molida* • *perejil* • *sal marina*

Preparación

1.º Pelar, deshuesar y picar en trozos finos el aguacate.

2.º Batir los huevos y mezclar con el aguacate, una pizca de nuez moscada, unas hojitas de perejil picado y un poco de sal.
3.º Poner una sartén al fuego con el aceite. Cuando esté caliente echar la mezcla y cuajarla, dorándola por los dos lados.

Valor nutritivo (por ración)

Glúcidos	3 g
Lípidos	18 g
Prótidos	7 g
Calorías	207
Julios	866

473. TORTILLA DE ALCACHOFAS

Ingredientes

• 1/2 kg de alcachofas • 2 huevos • 1/2 limón • 3 cucharadas de aceite de oliva • albahaca • sal marina

Preparación

1.º Pelar las alcachofas quitándoles las hojas duras y cortando las puntas y el tallo. Rociarlas con el zumo del limón.
2.º Cortarlas primero por la mitad y después en trozos finos. Rehogarlas en una sartén con dos cucharadas de aceite moviéndolas de vez en cuando. Un poco antes de que estén doradas se sazonan con sal y un poco de albahaca picada. Dejar un poco más en el fuego y retirar.
3.º Batir bien los huevos con un poco de sal. Añadir las alcachofas y mezclar.
4.º Poner al fuego la sartén añadiendo el resto del aceite. Cuando esté caliente echar

la mezcla y cuajarla, dorándola por los dos lados. Si se desean tortillas individuales, dividir la mezcla en dos partes y cuajar en una sartén más pequeña.

Valor nutritivo (por ración)

Glúcidos	12 g
Lípidos	15 g
Prótidos	6 g
Calorías	192
Julios	804

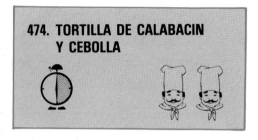

474. TORTILLA DE CALABACIN Y CEBOLLA

Ingredientes

• 250 g de calabacines • 1 cebolla grande • 3 huevos • 3 cucharadas de aceite de oliva • sal marina

Preparación

1.º Pelar y lavar los calabacines y la cebolla.
2.º Picar todo muy menudo y rehogarlo en una sartén con dos cucharadas de aceite sazonándolo con un poco de sal. Remover de vez en cuando y retirar del fuego cuando esté dorado.
3.º Batir los huevos con un poco de sal. Añadir el calabacín con la cebolla y mezclar bien.
4.º Poner al fuego la sartén añadiendo el resto del aceite y cuando esté caliente echar la mezcla y cuajarla, dorándola por los dos lados ayudándose con una tapadera o un plato para darle la vuelta. Si se desean tortillas individuales se divide la mezcla en dos partes y se cuajan en una sartén más pequeña.

Valor nutritivo (por ración)

Glúcidos	9 g
Lípidos	16 g
Prótidos	9 g
Calorías	204
Julios	854

475. TORTILLA DE CARNE VEGETAL

Ingredientes

• 150 g de carne vegetal picada • 3 huevos
• 2 zanahorias • 1 cebolla grande • 2 dientes de ajo • orégano • 3 cucharadas de aceite de oliva • sal marina

Preparación

1º Pelar y lavar las zanahorias y la cebolla.

2º En una sartén con dos cucharadas de aceite sofreír las zanahorias ralladas, la cebolla picada muy menuda, los ajos picados, la carne vegetal y un poco de orégano y sal.

3º Batir los huevos con una pizca de sal, añadir el sofrito anterior y mezclar bien.

4º Poner al fuego la sartén añadiendo el resto del aceite. Cuando esté caliente echar la mezcla y cuajarla, dorándola por los dos lados y ayudándose con un plato o una tapadera para darle la vuelta.

Valor nutritivo (por ración)

Glúcidos	15 g
Lípidos	20 g
Prótidos	12 g
Calorías	289
Julios	1.208

476. TORTILLA DE CHAMPIÑONES

Ingredientes

• 250 g de champiñones • 2 huevos • 1 diente de ajo • perejil • 3 cucharadas de aceite de oliva • sal marina

Preparación

1º Limpiar los champiñones y trocearlos muy finos.

2º Rehogarlos en una sartén con dos cucharadas de aceite a fuego medio. Remover de vez en cuando. Un poco antes de que hayan perdido su jugo sazonar con sal a gusto y añadir el ajo y el perejil picados. Dejar dos minutos más a fuego suave hasta que se consuma el jugo un poco más y apartar.

3º Batir los huevos con una pizca de sal, añadir los champiñones y mezclar bien.

4º Poner al fuego la sartén añadiendo el resto del aceite. Cuando esté caliente echar la mezcla y cuajar bien por ambos lados a fuego medio.

5º En una fuente alargada colocar varias hojas de lechuga tierna y unos tomates partidos en rodajas finas, colocando la tortilla de champiñones en el centro. La tortilla se puede servir caliente.

Valor nutritivo (por ración)

Glúcidos	2 g
Lípidos	15 g
Prótidos	6 g
Calorías	164
Julios	686

RECETA nº 476

477. TORTILLA DE ESPARRAGOS

Ingredientes

• *250 g de espárragos tiernos y finos* • *2 huevos* • *1 diente de ajo* • *perejil* • *3 cucharadas de aceite de oliva* • *sal marina*

Preparación

1º Lavar bien los espárragos y cortar a trocitos sólo la parte tierna.

2º Rehogarlos a fuego suave en una sartén con dos cucharadas de aceite, sin cocerlos previamente, junto con el ajo y el perejil picados y un poco de sal.

3º Batir los huevos con una pizca de sal, añadir los espárragos y mezclar bien.

4º Poner al fuego la sartén añadiendo el resto del aceite. Cuando esté caliente echar la mezcla y cuajar bien por ambos lados a fuego medio.

1712

RECETA n.º 478

Valor nutritivo (por ración)	
Glúcidos	2 g
Lípidos	15 g
Prótidos	5 g
Calorías	163
Julios	681

Valor nutritivo (por ración)	
Glúcidos	5 g
Lípidos	20 g
Prótidos	9 g
Calorías	238
Julios	994

478. TORTILLA DE ESPINACAS

479. TORTILLA DE HABAS

Ingredientes

• 1/2 kg de espinacas tiernas • 3 huevos • 2 dientes de ajo • 4 cucharadas de aceite de oliva • sal marina

Preparación

1.º Lavar bien las espinacas, trocearlas y desechar los troncos si son grandes y leñosos.
2.º En una sartén con tres cucharadas de aceite rehogar las espinacas, con los ajos picados y un poco de sal, a fuego vivo para que pierdan el agua. Remover de vez en cuando.
3.º Batir los huevos con una pizca de sal, añadir las espinacas cuando estén bien tiernas y mezclar.
4.º Poner al fuego la sartén añadiendo el resto del aceite. Cuando esté caliente echar la mezcla y cuajarla, dorándola por los dos lados y ayudándose con un plato o una tapadera para darle la vuelta. Si se desean tortillas individuales, dividir la mezcla en dos partes y cuajar en una sartén más pequeña.
Puede acompañarse con salsa de tomate (ver recetas 407 y 408).

Ingredientes

• 300 g de habas muy tiernas con sus vainas • 3 huevos • 1 cebolla mediana • perejil • 3 cucharadas de aceite de oliva • sal marina

Preparación

1.º Lavar bien las habas, cortar las puntas y trocearlas sin pelar. Pelar y lavar la cebolla, picarla muy menuda y picar también el perejil.
2.º En una sartén con dos cucharadas de aceite se rehogan las habas con la cebolla. Después de darles unas vueltas se añade el perejil y la sal. Se sigue rehogando hasta que las habas estén tiernas y se retira del fuego.
3.º Batir los huevos con una pizca de sal, añadir las habas y mezclar bien.
4.º Poner al fuego la sartén añadiendo el resto del aceite. Cuando esté caliente echar la mezcla y cuajarla, dorándola por los dos lados y ayudándose con un plato o una tapadera para darle la vuelta. Mover la sartén para que no se agarre. Si se desean tortillas individuales, dividir la mezcla en dos partes y cuajar en una sartén más pequeña.

Valor nutritivo (por ración)	
Glúcidos	11 g
Lípidos	16 g
Prótidos	10 g
Calorías	235
Julios	981

Valor nutritivo (por ración)	
Glúcidos	11 g
Lípidos	16 g
Prótidos	9 g
Calorías	224
Julios	937

480. TORTILLA DE JUDIAS VERDES

481. TORTILLA DE SETAS

Ingredientes

• *250 g de judías verdes* • *3 huevos* • *1 cebolla grande* • *1 diente de ajo* • *3 cucharadas de aceite de oliva* • *sal marina*

Preparación

1.º Lavar las judías, cortarles las puntas, trocearlas menudas y cocerlas en agua con sal (se puede aprovechar un resto de judías hervidas). Cuando estén tiernas escurrirlas bien.
2.º Pelar y picar la cebolla y el ajo. Rehogarlos en una sartén con dos cucharadas de aceite a fuego suave, removiendo de vez en cuando, hasta que esté transparente. Añadir entonces las judías y un poco de sal. Rehogar cinco minutos más y retirar del fuego.
3.º Batir los huevos con una pizca de sal, añadir las judías y mezclar bien.
4.º Poner al fuego la sartén con el resto del aceite. Cuando esté caliente echar la mezcla y cuajarla, dorándola por los dos lados y ayudándose con un plato o una tapadera para darle la vuelta. Mover la sartén de vez en cuando para que no se agarre. Si se desean tortillas individuales, dividir la mezcla en dos partes y cuajar en una sartén más pequeña.

Ingredientes

• *250 g de setas de corros de brujas* (Marasmius oreades) • *2 huevos* • *2 dientes de ajo* • *perejil* • *3 cucharadas de aceite de oliva* • *sal marina*

Preparación

1.º Lavar bien las setas. Como son pequeñas no es necesario trocearlas.
2.º Poner una sartén al fuego sin aceite y dar unas vueltas a las setas hasta que pierdan un poco de agua. Añadir entonces dos cucharadas de aceite y un poco de sal. Seguir rehogando dos o tres minutos y añadir los ajos y el perejil muy picados. Dar unas cuantas vueltas más y retirar del fuego.
3.º Batir los huevos con una pizca de sal, añadir las setas y mezclar bien.
4.º Poner al fuego la sartén con el resto del aceite. Cuando esté caliente echar la mezcla y cuajar bien por ambos lados a fuego medio. Colocar en la fuente de servir y acompañar con unas patatas fritas, bien doradas... sin olvidar que, en este caso, el valor nutritivo varía mucho (¡ojo con las calorías!).

RECETA n.º 482

Valor nutritivo (por ración)

Glúcidos	3 g
Lípidos	15 g
Prótidos	5 g
Calorías	161
Julios	673

482. TORTILLA ESPAÑOLA

Ingredientes

• 1/2 kg de patatas • 3 huevos • 1 cebolla • 1 diente de ajo • 5 cucharadas de aceite de oliva • sal marina

Preparación

1.º Pelar y lavar las patatas, la cebolla y el ajo. Cortar las patatas en trocitos irregulares pero muy finos.

2.º En una sartén con tres cucharadas de aceite se ponen a freír las patatas tapadas y a fuego lento. Remover con cuidado de vez en cuando. Cuando se les ha dado un par de vueltas, incorporar la cebolla bien picada y sal a gusto. Seguir rehogando y removiendo de vez en cuando.

3.º Cuando esté todo tierno se añade el ajo picado muy menudo y se deja un poco más al fuego, pero sin tapar, hasta que se doren las patatas.

4.º En un recipiente hondo batir los huevos con una pizca de sal, añadir las patatas y mezclar bien.

5.º Poner al fuego la sartén añadiendo el resto del aceite. Cuando esté caliente echar la mezcla de las patatas y el huevo. Al principio se pondrá a fuego vivo para

RECETA n.º 493

que coja buen color, pero luego se bajará para que se vaya cuajando el interior.
• Mover la sartén para evitar que se agarre. Dar la vuelta a la tortilla con ayuda de una tapadera o un plato y dorar por el otro lado siguiendo el mismo proceso. Para tortillas individuales se divide la mezcla en dos partes y se cuajan en una sartén más pequeña. Estas últimas son las que se usan para el «Pastel de tortillas» (receta n.º 336).

Valor nutritivo (por ración)

Glúcidos	26 g
Lípidos	24 g
Prótidos	9 g
Calorías	358
Julios	1.496

Variación

Si se prefiere puede hacerse esta misma tortilla sin utilizar la cebolla y el ajo.

483. TORTITAS DE PAN

Ingredientes

• *150 g de harina integral* • *100 g de harina blanca* • *15 g de levadura prensada (para hacer pan)* • *2 cucharadas de aceite* • *agua caliente* • *sal marina*

Preparación

1.º Verter toda la harina en un recipiente donde se pueda amasar. Hacer un hueco en el centro y poner allí un poco de sal y la levadura desleída en un poco de agua caliente.

2.º Agregar poco a poco pequeñas cantidades de agua caliente al tiempo que con una mano se va mezclando y trabajando. Añadir también el aceite y seguir trabajando hasta que quede una masa fina que se despegue de las manos y del recipiente. Amasar bien. Formar una bola con la masa y dejarla dentro del recipiente. Tapar éste con un paño limpio y húmedo y dejar reposar en un lugar resguardado durante media hora o más, hasta que la masa suba el doble.

3.º Dividir la masa en ocho porciones y aplastarlas formando tortitas redondas.

4.º Asar las tortitas sobre la parrilla o sobre una plancha ondulada, a fuego suave. Darles vuelta dos o tres veces para que se asen bien, pero sin quemarse.

Valor nutritivo (por ración)

Glúcidos	49 g
Lípidos	8 g
Prótidos	8 g
Calorías	301
Julios	1.257

484. TORTITAS DE YUCA

Ingredientes

• 1/2 kg de yuca • 2 huevos • 1/2 cucharadita de cominos • 30 g de mantequilla • aceite de oliva • sal marina

Preparación

1.º Pelar y lavar la yuca. Rallarla finamente y exprimirla un poco. Agregarle los huevos batidos, la mantequilla, los cominos y la sal.

2.º Amasar para que se mezcle todo. Formar cuatro tortitas y freírlas en una sartén con muy poco aceite, a fuego muy suave y tapando la sartén. Dorar por ambas partes y apartar sobre una fuente con papel absorbente.

Valor nutritivo (por ración)

Glúcidos	34 g
Lípidos	16 g
Prótidos	5 g
Calorías	290
Julios	1.213

485. TORTITAS DULCES

Ingredientes

• 1 huevo • 2 cucharadas de aceite • 2 cucharadas de azúcar integral • 5 decilitros de leche de soja (2 tazas) • 1 yogur natural • ralladura de un limón • una pizca de sal • 1 cucharadita de levadura en polvo • 250 g de harina • un poco de aceite para dorarlas

Preparación

1.º En un recipiente hondo mezclar los ingredientes en el orden dado, batiendo constantemente. En último lugar añadir la levadura y la harina mezcladas. Batir bien. Debe quedar una masa ligera y homogénea con una consistencia semejante a la leche condensada.

2.º Sobre una plancha o sartén grandecita, ligeramente untada con aceite, verter un poco de masa y distribuir por la sartén moviéndola en todas direcciones. Debe quedar una tortita de un grosor aproximado de dos milímetros. Cuando cuaje y se dore ligeramente, se le da la vuelta para dorar también por el otro lado. Apartar sobre un plato o fuente en un lugar resguardado para que no se enfríen demasiado. Cada vez que cuaje una tortita se debe untar de nuevo la sartén o la plancha, pero con muy poco aceite; se puede usar un pincel o una servilleta de papel.

3.º Las tortitas se sirven todavía calientes con un poco de nata, mermelada, miel, chocolate, etc.

Valor nutritivo (por 100 g, dos tortitas sin relleno)	
Glúcidos	25 g
Lípidos	7 g
Prótidos	5 g
Calorías	186
Julios	777

486. TOSTADAS CON AJO

Ingredientes

• *12 rebanadas de pan* • *6 dientes de ajo* • *4 cucharadas de aceite* • *sal marina*

Preparación

1.º Tostar el pan, sobre una parrilla o con la tostadora, a fuego muy suave.

2.º Cuando las rebanadas estén tostadas y todavía calientes restregarles el ajo y rociarlas con un poco de aceite. Sazonar a gusto y comer de inmediato.

Valor nutritivo (por ración)	
Glúcidos	32 g
Lípidos	16 g
Prótidos	5 g
Calorías	296
Julios	1.237

487. TOSTADAS CON TOMATE Y QUESO

Ingredientes

• *8 rebanadas de pan integral* • *8 cucharadas de salsa de tomate* • *100 g de queso mozzarella rallado* • *30 g de mantequilla* • *albahaca* • *sal marina*

Preparación

1.º Untar cada rebanada de pan con muy poca mantequilla, sólo por una cara. Encender el horno.

2.º Por la otra cara extender una cucharada de salsa de tomate y espolvorearla con albahaca y un poco de sal. Cubrir después con el queso rallado.

3.º Disponer las ocho rebanadas preparadas en una fuente para horno e introducirla en éste a fuego medio hasta que el queso se funda y empiece a dorarse.

Valor nutritivo (por ración)	
Glúcidos	38 g
Lípidos	16 g
Prótidos	9 g
Calorías	330
Julios	1.379

488. «TUMBET» DE GLUTEN

Ingredientes

• 250 g de gluten • 2 cebollas grandes • 2 pimientos rojos grandes • 2 pimientos verdes grandes • 2 tomates maduros grandes • 1 cucharadita de ajo en polvo • una pizca de nuez moscada • sal marina • 5 cucharadas de aceite de oliva

Preparación

1º Lavar bien todas las hortalizas. Picar todos los ingredientes muy menuditos. Pelar los tomates antes de picarlos. El gluten se corta en trocitos un poco mayores que el resto de los ingredientes.

2º En una sartén calentar tres cucharadas de aceite y freír la cebolla con el gluten. Cuando empiece a dorar, sazonar con la sal, el ajo y la nuez moscada. Reservar sobre una fuente, en un lugar caliente.

3º Añadir otras dos cucharadas de aceite a la sartén y rehogar los pimientos. Cuando empiecen a dorar añadir el tomate y un poco de sal. Cuando el tomate esté frito, se vierte todo sobre la fuente en la que tenemos el gluten. Servir caliente.
Se puede dejar un trozo de pimiento rojo sin trocear para colocarlo de adorno con unas hojas de perejil.

Valor nutritivo (por ración)

Glúcidos	32 g
Lípidos	21 g
Prótidos	22 g
Calorías	407
Julios	1.702

489. VERDURAS GRATINADAS

Ingredientes

• 1/2 kg de pencas de acelgas • 1/2 kg de bulbos de hinojo • 250 g de coles de Bruselas • 100 g de queso tierno rallado • 3 dientes de ajo • perejil • sal marina • 3 cucharadas de aceite

Preparación

1º Lavar bien las verduras. Cortar en tiras largas (de unos diez centímetros) las pencas de acelga. Los bulbos se cortan en gajos finos. A las coles de Bruselas se les quitarán las hojitas duras y estropeadas.

2º Cocer las tres verduras por separado en agua con sal hasta que estén tiernas.

3º Pelar los ajos y picarlos junto con el perejil, previamente lavado.

4º Escurrir las verduras y agregar a cada grupo una cucharada de aceite y un poco de ajo y perejil picados.

5º Untar ligeramente una bandeja para horno con muy poco aceite. Colocar en primer lugar una capa con las coles de Bruselas, a continuación los gajos de hinojo y finalmente las pencas de acelga. Cubrir con el queso rallado e introducir en el horno, encendiendo sólo el gratinador, hasta que se dore el queso. Servir caliente.

Valor nutritivo (por ración)

Glúcidos	12 g
Lípidos	19 g
Prótidos	13 g
Calorías	268
Julios	1.119

490. VERDURAS SALTEADAS A LA CHINA

Ingredientes

• 250 g de zanahorias • 250 g de col china • 250 g de champiñones • 100 g de judías verdes • 1 cebolla • 1 pimiento rojo • 2 ramas de apio • 2 cebolletas • 100 g de soja germinada • 2 dientes de ajo • 1 cucharada de salsa de soja (tamari) • sal marina • 4 cucharadas de aceite de oliva

Preparación

1.º Lavar bien las verduras y pelar las que convenga. Cortarlas todas en tiras finas y largas. Los champiñones se cortan en láminas. Los ajos se pican menuditos.

2.º En una cazuela o sartén grande se calienta el aceite y se rehoga en primer lugar la cebolla y los ajos, y a continuación se va añadiendo el resto de las verduras. Se sazona a gusto y se remueve suavemente al tiempo que se sigue rehogando. El fuego debe ser más bien fuerte, y las verduras deben quedar un poco crujientes.

3.º Escaldar la soja germinada en agua hirviendo durante dos minutos. Escurrir y agregar a las verduras. Añadir también la salsa de soja. Remover nuevamente y apagar el fuego.

Valor nutritivo (por ración)	
Glúcidos	23 g
Lípidos	16 g
Prótidos	7 g
Calorías	253
Julios	1.058

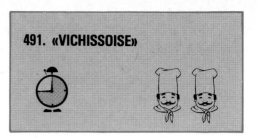

491. «VICHISSOISE»

Ingredientes

• 1/2 kg de puerros • 2 patatas • 2 cebollas • 1/2 litro de caldo de verduras • 1/2 litro de leche • 1 decilitro de nata líquida • perejil • sal marina • una pizca de nuez moscada • 1 decilitro de aceite de oliva

Preparación

1.º Pelar y lavar los puerros, las patatas y las cebollas. Picarlo todo en trozos irregulares.

2.º En una cazuela rehogar los puerros y las cebollas con el aceite y un poco de sal. Cuando empiecen a dorarse añadir las patatas y seguir rehogando durante dos o tres minutos más.

3.º Agregar entonces el caldo de verduras y cocer hasta que las patatas estén bien tiernas.

4.º Pasarlo todo por el pasapuré y añadir la leche, la nata y la nuez moscada. Batir bien con la batidora o con batidor manual y dejar enfriar en el frigorífico.

5.º Servir frío en cuencos individuales, añadiendo un poco de perejil picado por encima.

Valor nutritivo (por ración)	
Glúcidos	44 g
Lípidos	33 g
Prótidos	12 g
Calorías	509
Julios	2.126

492. YUCA ESTOFADA

Valor nutritivo (por ración)

Glúcidos	73 g
Lípidos	16 g
Prótidos	3 g
Calorías	432
Julios	1.805

Ingredientes

• *750 g de yuca* • *1 tomate grande maduro* • *1 cebolla* • *1 pimiento verde* • *2 dientes de ajo* • *una pizca de tomillo* • *perejil* • *4 cucharadas de aceite de oliva* • *sal marina*

Preparación

1.º Pelar y lavar la yuca. Cortarla a trozos irregulares, no demasiado grandes. Cocerla en agua con sal hasta que esté tierna.

2.º Lavar el tomate, la cebolla y el pimiento y pelar los dos primeros. Rallar el tomate y picar menudito la cebolla y el pimiento.

3.º En una cazuela rehogar en el aceite, la cebolla y el pimiento. Cuando empiecen a dorarse agregar el tomate rallado y la sal. Escurrir la yuca e incorporarla a la salsa que estamos preparando. Remover y dejar rehogar dos minutos. Agregar el agua suficiente para que cubra escasamente el guiso.

4.º Pelar los ajos, lavar el perejil y machacarlos juntos en un mortero con un poquito de sal. Incorporar a la cazuela cuando el caldo haya hervido. Añadir también una pizca de tomillo y rectificar de sal. Seguir cociendo unos minutos más hasta que el caldo se reduzca y espese ligeramente.

5.º Este plato se puede presentar a la mesa acompañado de níscalos asados con abundante ajo y perejil, muy picado, con lo cual su contenido calórico no aumenta mucho proporcionalmente. Lo mejor es servirlo bien calentito.

493. ZARZUELA DE VERDURAS

Ingredientes

• *1/2 kg de patatas pequeñitas* • *1/2 kg de cebollitas* • *200 g de guisantes desgranados* • *2 zanahorias* • *sal marina* • *4 cucharadas de aceite de oliva*

Preparación

1.º Pelar las patatas, las cebollas y las zanahorias. Lavar todas las verduras. Si las patatas y las cebollas son suficientemente pequeñitas, se dejan enteras. Las zanahorias se cortan a cuadritos.

2.º En una cazuela se calienta el aceite y se rehogan ligeramente las cebollitas. A continuación se añaden las patatas, las zanahorias y los guisantes. Sazonar a gusto y añadir dos tazas de agua.

3.º Cocer a fuego muy suave, tapando la cazuela, hasta que las verduras estén tiernas. Servir caliente.

Valor nutritivo (por ración)

Glúcidos	47 g
Lípidos	16 g
Prótidos	9 g
Calorías	358
Julios	1.497

494. ZUMO DE GRANADA Y PIÑA

Ingredientes

• *1 kg de granadas* • *1/2 kg de piña americana (ananás)*

Preparación

1.º Pelar las frutas. Trocear la piña y desgranar las granadas.
2.º Pasar por la licuadora. Mezclar los zumos batiendo bien y servir fresco.

Valor nutritivo (por ración)	
Glúcidos	22 g
Lípidos	1 g
Prótidos	3 g
Calorías	84
Julios	351

495. ZUMO DE MANZANA Y ZANAHORIAS

Ingredientes

• *1/2 kg de manzanas* • *1/2 kg de zanahorias* • *zumo de un limón*

Preparación

1.º Lavar bien las manzanas y las zanahorias. Cortar a trozos con su piel.

2.º Pasar por la licuadora. Añadir el zumo del limón y batir bien para que se mezclen los zumos. Servir en seguida.

Valor nutritivo (por ración)	
Glúcidos	19 g
Lípidos	—
Prótidos	1 g
Calorías	79
Julios	329

496. ZUMO DE MELON Y NARANJA

Ingredientes

• *1 kg de naranjas* • *1 kg de melón*

Preparación

1.º Pelar las frutas y trocearlas.
2.º Pasarlas por la licuadora. Batir bien ambos zumos y servir fresco.

Valor nutritivo (por ración)	
Glúcidos	18 g
Lípidos	1 g
Prótidos	1 g
Calorías	82
Julios	341

497. ZUMO DE PIÑA Y PAPAYA

Ingredientes

- *1 piña americana (1 kg aproximadamente)*
- *1/2 kg de papaya*

Preparación

1º Pelar las frutas y trocearlas.
2º Pasarlas por la licuadora. Mezclar bien los zumos y servir enseguida.

Valor nutritivo (por ración)	
Glúcidos	18 g
Lípidos	—
Prótidos	1 g
Calorías	70
Julios	292

498. ZUMO DE UVA Y MORA

Ingredientes

- *1 kg de uvas • 1/2 kg de moras*

Preparación

1º Lavar bien las frutas y desgranar las uvas.

2º Pasarlas por la licuadora. Batir bien para que se mezclen los zumos y servir.

Valor nutritivo (por ración)	
Glúcidos	44 g
Lípidos	2 g
Prótidos	5 g
Calorías	189
Julios	790

499. ZUMO DE ZANAHORIA

Ingredientes

- *1 kg de zanahorias • zumo de un limón*
- *2 ramitas de apio*

Preparación

1º Lavar bien las zanahorias y el apio y trocearlo todo.
2º Pasarlo por la licuadora, añadir el zumo de limón, batir bien y servir inmediatamente. En verano añadir unos cubitos de hielo.

Valor nutritivo (por ración)	
Glúcidos	16 g
Lípidos	1 g
Prótidos	2 g
Calorías	73
Julios	304

500. ZUMO DE ZANAHORIA Y TOMATE

Ingredientes

• 1/2 kg de zanahorias • 1/2 kg de tomates maduros • 1 pepino

Preparación

1.º Lavar las zanahorias y los tomates. Pelar el pepino y trocearlo todo.

2.º Pasarlo por la licuadora. Mezclar bien los zumos con la batidora y servir en seguida.

Valor nutritivo (por ración)	
Glúcidos	12 g
Lípidos	1 g
Prótidos	2 g
Calorías	54
Julios	226

INDICE DE RECETAS
POR TIPOS DE PLATOS
CORRESPONDIENTE AL TOMO 4.º

3. ASADOS Y CARNES VEGETALES

4. BOCADILLOS-EMPAREDADOS

5. DESAYUNOS

6. ENSALADAS

7. FRUTAS

8. HUEVOS

9. LEGUMBRES

10. PASTAS

11. PATATAS

12. «PIZZAS»-TARTAS SALADAS-EMPANADAS

13. POSTRES Y DULCES

14. SALSAS

18. VERDURAS Y HORTALIZAS

19. ZUMOS, BATIDOS Y BEBIDAS

INDICE ALFABETICO GENERAL
CORRESPONDIENTE A LOS TOMOS 1º, 2º y 3º

INDICACIONES UTILES PARA LA CONSULTA DE ESTE INDICE ALFABETICO

Hay algunas indicaciones que ayudarán al lector a sacar el máximo provecho de este índice, y le harán encontrar con rapidez lo que busque:

- El índice alfabético no pretende ser exhaustivo, pues en realidad no lo haría práctico en una obra como ésta. Sí es exhaustivo en lo que se refiere a productos alimentarios y su sinonimia, y todas las enfermedades que tienen tratamiento dietético.
- Un *véase* quiere decir que esa entrada la encontrará bajo el título de aquélla a la que se remite. Ejemplo: El lector quiere encontrar «Anemia perniciosa» y busca esa entrada. Allí dice: *«véase* Anemia megaloblástica». En la entrada «Anemia megaloblástica» hallará la información que la obra da sobre la anemia perniciosa.
- Una cifra en negrita (por ejemplo: **480**) indica la página donde comienza una sección, un capítulo, un apartado principal o fundamentalmente donde se halla una cita especialmente reseñable de entre todas sus correspondientes.
- Los números que van en tipo normal (la inmensa mayoría), remiten a páginas donde empiezan subapartados, o a simples citaciones dentro del texto y que no son la principal, que va en negrita, o a la sinonimia o nombre científico de un producto.
- En cursiva aparecerán los nombres científicos en latín, y los que aparezcan en lenguas de España que no sean el castellano, pero estas últimas iran acompañadas de la inicial del nombre de la lengua a la cual pertenecen. Así, pueden aparecer entre paréntesis la «g» de gallego, la «c» de catalán y la «e» de euskera. En algunos casos aparecen varias de estas iniciales junto a la palabra en cuestión, por lo que entenderemos que la misma palabra es ortográficamente igual, o prácticamente igual, en las varias lenguas que se han reseñado. Si el caso es que entre los idiomas que utilizan una misma palabra se halla el castellano, no se indicará esta lengua mediante inicial alguna, sino que la palabra no estará impresa en cursiva.
- Tenga siempre presente, al buscar cualquier cuestión que le interese en este índice, que lo que usted desea hallar, querido lector, puede estar expresado, no por el término que usted tiene en mente, sino por un sinónimo o término relacionado.

Estreñimiento
crónico, **935**, 838
ciruela para, 204
endrina para, 214
Estrés y úlcera, 927
Estríjol (c), 486
Estripo amarelo (g), 220
Estruga (g), 486
Estupefacientes y estimulantes, 42
Esvedro (g), 258
Etsai-onto (e), 624
Eugenia caryophyllata, 671
Ezamilo (e), 674
Ezkatatsua (e), 636
Ezkur (e), 602

Faba (g), 400, 539
de soxa (g), 548
Fabera, 400
Fagopyrum esculentum, 561
Fagopyrum sagittatum, 561
Fagopyrum tataricum, 561
Fagus sylvatica, 357
Faig (c), 357
Faja (c), 357
Fajol (c), 561
de moro (c), 561
Fals (c), 463
Fals moixernó (c), 633
Falsa
galamperna, 627
oronja, 623
Falso anís, 673, 674
Falta de apetito, 1227
Farigola (c), 702
Farinera borda (c), 623
Farinot (c), 623
Fatoa (g), 202
Fatón (g), 202
Fava (c), 400
Faya, 357
Feixó (g), 400, 539
Feixón (g), 400, 402, 539
Feixoo (g), 402
Fenilcetonuria, **1096**
Fenoll (c), 677
Fenollera (c), 677
Ferraña (g), 569
Ferrexacó (c), 471
Fesol (c), 539
Festuig (c), 370
Fibra, **833**
deficiente consumo de, 77
Ficus carica, 246
Figa (c), 246
d'India (c), 249
de moro (c), 249
de pala (c), 249

de pic (c), 249
palera (c), 249
Figo (g), 246
chumbo (g), 249
Fisalia (e), 195
Fisiológico, método para adelgazar, **1215**
Fisuras anales, **959**
Flatulencia, **946**
Flor
de macho, 471
de sangre, 469
de sol, 366, 489
Flor-col (c), 435
Flor-i-col (c), 435
Flúor, **151**, 911
Fluriéngano, 689
Foeniculum foeniculum, 677
Foeniculum officinale, 677
Foeniculum vulgare, 677
Folio índico, 666
Fonoll (c), 677
de prat (c), 660
dolç (c), 677
pudent (c), 674
Forment (c), 579
de l'India (c), 573
Forrajera, 525
Fortunella japonica, 337
Fraga, 224, 227
Fragaria vesca, 227
Frambroesa (g), 224
Frambuesa, **224**
Frantzesarbi (e), 518
Frantzesbelar (e), 463
Frantzesporru (e), 391
Franzes perretxiko (e), 625
Fraula (c), 227
Fréjol, 402, 539
Fresa, **227**
de árbol, 258
de montaña, 224
Fresol (c), 539
del Japó (c), 548
Fresquilla, 272
Frígola (c), 702
Fríjol, 402, 539
del Japón, 548
soya, 548
Friula (c), 702
Fruit de l'arbre del pa (c), 609
Fruta
bomba, 285
del conde, 186
Frutapán, 609
Frutilla, 227
Fruto del pan, **609**
Frutos secos oleaginosos, **343**
sus proteínas, 344

GLOSARIO
CORRESPONDIENTE A LOS TOMOS 1º, 2º y 3º

ALGUNAS INDICACIONES UTILES PARA EL USO DE ESTE GLOSARIO

- Al consultar este glosario, el lector debe tener muy en cuenta que un «glosario» no es un «diccionario». En él sólo aparecen los términos científicos poco conocidos o desconocidos por el no profesional de la medicina, pero cuya definición, aunque sea somera, resulta imprescindible para comprender determinadas partes de la obra.

- Para evitar repeticiones innecesarias, salvo en algunos casos muy concretos en que parecía necesario, en este glosario no figuran:
  — las definiciones de enfermedades.
  — los términos científicos que únicamente se citan una vez y que en el texto aparece, junto a ellos, su definición.
  — los vocablos o expresiones de cariz científico que aparecen sólo incidentalmente, y cuya

comprensión no es imprescindible para captar el sentido del texto.
  — los términos científicos de uso más corriente, que en cualquier diccionario de la lengua están suficientemente explicados (por ejemplo: antibiótico, fármaco, tóxico), aunque sí aparecen aquellos cuyo significado en medicina puede diferir del que tienen en el lenguaje corriente.
  — las acepciones, que además de las que tiene en esta obra, pueda tener un determinado término.

- En algunos casos, para conocer la definición de un término, será muy útil que el lector recurra al índice alfabético. Puede resultar también provechosa la consulta al «Glosario» de *La salud por la naturaleza*.

Acido: Compuesto químico en cuya composición entra el hidrógeno, que al ser sustituido por radicales o un metal forma sales. Los ácidos colorean el papel de tornasol de rojo; su pH es menor de 7. El exceso de ácidos en los tejidos y la sangre provoca «acidosis».

Acido-base, equilibrio: Dícese del que existe en los tejidos del organismo (pH = 7,2-7,4), y de modo particular en la sangre (pH = 7).

Alcalino: Sinónimo de básico. Dícese de toda sustancia que tiene las siguientes propiedades: reaccionar con los ácidos formando sales y colo-

rear el papel de tornasol a azul, entre otras; su pH es mayor de 7.

Alergeno: Sustancia capaz de desencadenar una reacción alérgica. Se puede usar para probar la sensibilidad de un individuo hacia dicha sustancia.

Alimentación: Proceso por el que se introducen en el organismo las sustancias que sirven para su subsistencia.

Almidón: Hidrato de carbono o glúcido, sintetizado por los vegetales gracias a la acción de la luz del sol y de la clorofila. Las enzimas digestivas lo transforman en dextrina, maltosa y finalmente glucosa.

Alopecia: Calvicie, especialmente la producida por enfermedades de la piel.

Aminoácido: Sustancia orgánica de la que se conocen unos cuarenta tipos distintos, diez de los cuales se cree que no pueden ser sintetizados por el organismo humano (son esenciales). Son los principales constituyentes de las proteínas.

Antibiograma: Barbarismo por *Antibioticograma* (véase).

Antibiótico: Sustancia producida por microorganismos tales como los hongos y las bacterias, capaz de impedir la reproducción y el crecimiento de otros microorganismos.

Antibioticograma: Técnica de laboratorio por medio de la cual se determina la sensibilidad de un microorganismo a varios antibióticos.

Antígeno: Elemento que introducido en el organismo, provoca la formación de sustancias que tratan de oponerse a ella, llamadas anticuerpos.

Astringente:
1. Compuesto que produce constricción y sequedad.
2. Alimento, planta o medicamento que tiene la acción de secar y endurecer las heces.

Azúcar(es): Hidrato de carbono o glúcido, de estructura cristalina y sabor dulce. Los dos principales grupos son: los disacáridos, cuyo prototipo es la sacarosa, y los monosacáridos, representados por la glucosa.

Básico: Véase *Alcalino*.

Baya: Fruto carnoso y jugoso que contiene semillas en su interior (grosellas, uvas, etc.).

Betasitosterol: Véase *Sitosterol*.

Biológico, valor: Concepto que se aplica a las proteínas, dándonos una idea de su calidad. Indica los gramos de proteína que nuestro organismo es capaz de sintetizar, por cada cien gramos que se ingieren de la proteína de un determinado alimento. El de la leche es de 86, el de la carne de pollo y ternera de 74, el de la soja es de 73, y el del trigo de 66.

Caloría: Unidad de energía, que equivale a la cantidad de calor necesaria para elevar en un grado centígrado la temperatura de un gramo de agua (caloría en sentido estricto) o de un kilo de agua (kilocaloría). Normalmente se hace referencia a las kilocalorías (ver pág. 884). Se utiliza para medir la capacidad energética de un alimento.

Calórico: Sinónimo de *Energético* (véase).

Cancerígeno: Este término no es admitido por el *Diccionario de la lengua* de la Real Academia Española. Véase *Carcinógeno*.

Carbohidratos: Véase *Glúcidos*.

Carcinógeno: Agente físico, químico o biológico que favorece o provoca el desarrollo de un cáncer. Uno de los primeros en descubrirse fue el benzopireno, que está presente en el alquitrán, en el hollín y en el humo del tabaco.

Cardiovascular: Relativo al corazón, arterias, venas y demás elementos que intervienen en la circulación de la sangre por el organismo.

Caroteno: Pigmento de color anaranjado que se encuentra en las zanahorias, tomates, yema de huevo y otros alimentos. Actúa como provitamina A, pues se transforma en vitamina A en el hígado.

Carotenoide: Sustancia química similar al caroteno y con propiedades similares.

Celulosa: Glúcido o hidrato de carbono muy común en el reino vegetal, en el que forma parte de las paredes de las células. Es el componente fundamental de la fibra vegetal, y por su capacidad de absorción de agua, entre otras razones, resulta muy beneficioso para el funcionamiento del colon.

Ceniza: Residuo de la combustión de las sustancias orgánicas. Las cenizas que quedan después de la combustión de un alimento son ricas en minerales y oligoelementos.

Citrina: También conocida como vitamina P. Está presente en los cítricos, junto con la vitamina C. Tiene una acción favorable sobre la permeabilidad de los capilares sanguíneos.

Colagogo: Sustancia que provoca la expulsión de la bilis ya segregada y almacenada en la vesícula biliar.

Colerético: Sustancia que aumenta la producción o secreción de bilis por el hígado, que será almacenada en la vesícula biliar.

Colesterol: Lipoide (tipo de grasa) que se encuentra únicamente en los animales y el hombre, que lo sintetizan en su organismo o lo ingieren procedente de los alimentos de origen animal (carne, pescado, leche, huevos, etc.). Es un componente indispensable de nuestro organismo, aunque su exceso, unido a otros factores, hace que se deposite en las paredes de las arterias, poduciendo la arteriosclerosis.

Colibacterias: Bacterias presentes normalmente en el colon y en todo el intestino grueso. La más común es la denominada *Escherichia coli.* Bajo determinadas circunstancias, estas bacterias pueden hacerse patógenas y provocar infecciones en el organismo.

Cólico: Dolor abdominal de carácter agudo, provocado por la contracción espasmódica de los órganos y vísceras huecos rodeados de musculatura lisa (intestino, ureter, vía biliar).

Consuntiva, enfermedad: Dícese de las enfermedades que producen un debilitamiento general del organismo, como por ejemplo la tuberculosis.

Decocción: Proceso por el cual una sustancia medicamentosa se hace hervir en un líquido, para extraer así los principios activos solubles.

Dieta: Conjunto de alimentos debidamente administrados que se emplean para mantener o recobrar la salud.

Edema: Acumulación excesiva de líquido en los tejidos, debido a causas muy diversas.

Emético: Sustancia capaz de provocar el vómito, ya sea actuando sobre los centros nerviosos del cerebro, o directamente sobre el estómago.

Endocrino: Relativo a las glándulas de secreción interna, llamadas también glándulas endocrinas, que son las que producen las hormonas.

Energía: Facultad que posee una sustancia para producir trabajo mecánico o calor.

Energético: Dícese de la sustancia alimenticia capaz de producir mucha energía en el organismo, en forma de trabajo mecánico, reacciones químicas o calor.

Enzima: Sinónimo de fermento. Sustancia capaz de facilitar y acelerar las reacciones químicas de los organismos vivos.

Ergosterol: Provitamina D_2.

Esterol: Sustancia orgánica perteneciente al grupo químico de los alcoholes, obtenido a partir de los aceites y grasas. Pueden ser de origen animal, como el colesterol, o de origen vegetal, como el sitosterol.

Estrés: Estado de tensión excesiva que exige del organismo la puesta en marcha de cambios y de procesos de adaptación ante cualquier variación del medio.

Extrasístole: Latido cardíaco fuera del ritmo normal, que es percibido de forma desagradable por el individuo, y que puede acabar o no en una arritmia más grave.

Factor PP: *Niacina* (véase).

Fécula: Almidón obtenido de tubérculos y raíces, especialmente de la patata.

Fermentación: Descomposición de una sustancia orgánica por acción de los fermentos o enzimas producidos generalmente por microorganismos.
— La fermentación alcohólica consiste en la descomposición de los glúcidos, produciéndose alcohol etílico como resultado.
— La fermentación láctica consiste en la descomposición de las proteínas de la leche, con lo cual se hacen más digestibles.

Fermento: Véase *Enzima.*

Fibra: Con este término se hace referencia a los restos no digeribles presentes en los alimentos. La fibra vegetal está formada básicamente por celulosa. Véase *Celulosa.*

Germen: Botánicamente se hace referencia a la parte de la semilla a partir de la cual se forma una nueva planta.
En microbiología, hace referencia a un microorganismo que puede causar enfermedades.

Gingival: Relativo a las encías de los dientes.

Glúcidos: Uno de los nutrientes fundamentales, junto con los lípidos o grasas y los prótidos, los minerales y las vitaminas. Son conocidos también como hidratos de carbono o carbohidratos. Sus moléculas están constituidas por átomos de carbono, hidrógeno y oxígeno. Su metabolización conlleva la producción de cuatro calorías por gramo.

Glucosa: Glúcido o hidrato de carbono perteneciente al grupo de los monosacáridos. Está presente en muchas frutas, en la miel y en la orina de los diabéticos no controlados. Es fundamental para el metabolismo de las células, especialmente de las neuronas.

Hemofilia: Enfermedad hereditaria en la que se produce un defecto en la coagulación de la sangre, con tendencia a las hemorragias espontáneas, tanto internas como externas. Afecta casi exclusivamente a los hombres, pero la transmiten las mujeres.

Hemostático: Agente mecánico o químico capaz de detener una hemorragia.

Hidratos de carbono: Véase *Glúcidos*.

Hístico: Relativo a los tejidos de los seres vivos. (Véase *Tisular*.)

Hormonal: Relativo a las hormonas, sustancias producidas por las glándulas endocrinas o por grupos de células especializadas, y que tienen importantes acciones sobre el metabolismo.

Infestación: A diferencia de la infección, producida por seres microscópicos, la infestación, está causada por parásitos macroscópicos, como gusanos, ácaros o insectos.

Infusión:
1. Método de extracción de principios activos hidrosolubles, consistente en una inmersión del producto en agua hirviendo.
2. Introducción en un líquido, especialmente una solución salina, en una vena, con fines curativos.

Julio: Unidad de energía. 1 julio = 0,24 calorías. Ver página 884.

Lípidos: Sinónimo de grasas. Son uno de los nutrientes fundamentales, cuyas moléculas están compuestas por átomos de carbono, hidrógeno y oxígeno. Son insolubles en agua. La metabolización de un gramo de lípidos produce nueve calorías.

Malta: Cebada germinada y luego tostada o secada. Contiene azúcares como la maltosa y enzimas. Tiene propiedades medicinales.

Maltosa: Azúcar de la malta, que se transforma en glucosa durante la digestión.

Mucosa: Membrana que tapiza las cavidades y conductos de los órganos que comunican directa o indirectamente con el exterior. Suele estar recubierta de moco, gracias a la acción de las células mucosas que lo producen.

Niacina: Compuesto conocido también como ácido nicotínico. Es un constituyente del complejo vitamínico B, cuya carencia produce la enfermedad llamada pelagra.

Nutrición: Proceso de asimilación de los alimentos por el organismo.

Nutrientes: Dícese de los principales tipos de sustancias que componen la dieta. Son los glúcidos (hidratos de carbono), lípidos (grasas), prótidos (proteínas), vitaminas y minerales.

Nutritivo: Dícese del alimento rico en nutrientes.

Pectina: Glúcido que se encuentra en muchas frutas y en sus zumos, especialmente en la manzana. Tiene propiedades antidiarréicas y favorece el buen funcionamiento del intestino.

Péptico: Relativo a la digestión. Véase *Ulcera*.

Piorrea: Inflamación purulenta de los alveolos dentarios, con flojedad y desprendimiento de los dientes. Es una complicación de la enfermedad parodontal o parodontosis.

Profiláctico: Relativo a la *profilaxis* (véase).

Profilaxis: Prevención de las enfermedades en el individuo o en la sociedad.

Proteínas: Uno de los tipos fundamentales de nutrientes. Están formadas por una combinación de aminoácidos (véase *Aminoácido*). En la composición de sus moléculas intervienen: carbono, oxígeno, hidrógeno, nitrógeno y en ocasiones azufre, fósforo y yodo. Su metabolización produce cuatro calorías por cada gramo.

Prótidos: Sustancias de composición similar a la de las proteínas.

Queratinización: Proceso de conversión en tejido córneo.

Régimen: Administración metódica de la dieta y de otras disposiciones con el fin de recobrar o mantener la salud.

Riboflavina: Vitamina B_2.

Rutina: Sustancia extraída de la ruda y otras plantas que tienen las mismas propiedades de protección vascular que la vitamina P. Es similar a la citrina. (Véase *Citrina*.)

Sacarosa: Glúcido o hidrato de carbono de la familia de los disacáridos, que en el proceso de la digestión se desdobla en glucosa y levulosa. Es el componente principal del azúcar de caña y de remolacha.

Sitosterol: Sustancia grasa de origen vegetal, perteneciente al grupo de los esteroles. Existen varios tipos, que se encuentran en el germen de los cereales, el más importante de los cuales es el betasitosterol. Impide la absorción del colesterol en el intestino, por lo que hace disminuir su nivel en la sangre.

Somático: Referido al *soma* o cuerpo.

Tiamina: Vitamina B_1.

Tisana: Bebida que se obtiene por el cocimiento de una o varias plantas medicinales en agua.

Tisular: Galicismo muy usual por *hístico* (véase).

Tocoferol: Vitamina E.

U.I. (Unidades Internacionales): Sistema empleado para medir la actividad de una sustancia química, basado en la cuantificación de sus efectos biológicos.

Ulcera: Pérdida de sustancia en una mucosa, con poca tendencia a la cicatrización. Cuando la úlcera se produce en el esófago, estómago o duodeno, y en su formación intervienen los jugos digestivos, se conoce como úlcera péptica.

Vascular: Relativo a los vasos sanguíneos: arterias, venas y capilares.

★   ★   ★

APENDICE AL GLOSARIO
CORRESPONDIENTE AL «RECETARIO» (TOMO 4.º)

NOTA MUY IMPORTANTE

Muchas de las definiciones de términos que aparecen en el RECETARIO, se aclaran completamente acudiendo a las fotografías de la receta correspondiente o de otra que incluya el ingrediente desconocido.

Aceitunas negras de Aragón: Variedad de aceitunas que presentan un aspecto muy arrugado como las pasas, de color negro azabache. Su contenido en agua es bajo y muy elevado en aceite. De sabor pronunciado y peculiar.

Cintas: Pasta de sopa que recibe este nombre por la forma que tiene.

Coditos: Vale la definición anterior.

Conchitas: Pasta de sopa con forma de pequeñas conchas marinas.

Crepe: Palabra de origen francés que designa una torta o tortilla de harina muy delgada (véase receta n.º 143).

Curry: Especia compuesta de jengibre, clavo, azafrán, cilantro, etc.

Cuscús: Alcuzcuz. Especie de sémola típica de los países norteafricanos.

Chirivía: Planta herbácea (*Pastinaca sativa* L.) cuyas raíces de color blanco son comestibles.

Dente, al: Expresión italiana para indicar que una pasta está en su punto; es decir, cocida, pero que ofrece una cierta resistencia al morder.

Fécula de maíz: En muchos países es conocida como «maizena» (nombre comercial).

Garrofón: Garrofó (véase pág. 539).

Gratinar: Hornear con fuego únicamente por la parte superior.

Grelos: En Galicia y León, brotes tiernos de algunos nabos.

Harina fuerte: Harina panificable que posee un elevado contenido en gluten (proteína). Dícese también: harina de fuerza.

Juliana, sopa: La que se prepara con diversas verduras y hortalizas troceadas muy menuditas.

Lacitos: Lazos. Pasta de sopa que por su aspecto recuerda a los lazos que usan los caballeros como adorno para sus cuellos de camisa.

Nabo: Planta herbácea (*Brassica rapa* L.) cuyas raíces de color blanco son comestibles.

Nata: Grasa de la leche. Puede ser líquida o montada (semisólida por batido). Dícese también: crema.

Ñora: Pimiento dulce rojo que se deseca. Su forma es redondeada. Empléase como condimento, bien sea entero o en polvo.

Paté: Término de origen francés. Designa una pasta que se usa para extender sobre el pan u otros alimentos.

Quesitos: Pequeñas porciones de queso fundido para extender en forma de sector circular, que tienen un peso de unos 20 gramos.

Queso fresco tipo Burgos: El más conocido de los quesos frescos españoles. Un queso fresco es aquel que no ha sufrido ningún tipo de transformación excepto la fermentación láctica. Se caracteriza por su blancura y consistencia blanda. Se conserva poco tiempo y debe mantenerse refrigerado.

Queso manchego: Queso de masa dura elaborado con leche de oveja. Su coagulación es mixta: por bacterias lácticas con adición de cuajo.

Queso mozzarella: Tipo de queso fresco italiano de alto contenido graso y que resulta muy apropiado para fundir al horno.

Rehogar: Proceso de cocinado en grasa (aceite, mantequilla, margarina) semejante al frito, pero con menos grasa y con fuego suave. De este modo el alimento se cuece parcialmente, interviniendo también en la cocción el vapor que desprende el propio producto alimenticio.

Requesón: Producto obtenido por precipitación de las proteínas que existen en el suero de la leche. De consistencia escasa y sabor suave. Su valor nutritivo es elevado, pues conserva las proteínas, vitaminas y minerales que suelen perderse con el suero. (Véase la receta n.º 391.)

Sirope de manzana: Concentrado de zumo de manzana de sabor muy dulce (a veces se azucara) y consistencia de jarabe muy espeso semejante a la de la miel de abeja.

Suflé: Dícese del plato en el que el ingrediente indispensable son claras de huevo batidas a punto de nieve. Para conseguir un buen suflé es necesario mezclar muy bien este ingrediente con los demás. Durante el horneo no debe abrirse la puerta del horno, para que la masa aumente de volumen.

PROCEDENCIA DE LAS ILUSTRACIONES

ADRA, Washington D. C. (EE. UU.)
936.

COMITE DE GESTIÓN DE LA EXPORTACIÓN
DE FRUTOS CÍTRICOS (Valencia)
128, 321, 329, 331, 335, 336, 339, 341, 508, 513,
932, 941, 985, 997, 1008, 1012, 1088, 1081, 1284,
1365.

CHICHARRO, Angel Santiago
37, 92, 93, 752, 913, 924, 945, 957, 960-961 (trans-
parencias, realización), 965, 969, 980, 984, 988,
993, 996, 1045, 1056, 1105, 1120, 1128, 1144,
1209, 1248, 1253, 1288, 1364.

DIPUTACIÓN PROVINCIAL DE PONTEVEDRA
(SERVICIO AGRARIO)
223.

GRAF, Patricia
622-636.

HELLMUT BAENSCH / KONTAR-PRESSEDIENST, Hamburgo
(RFA)
438, 443.

HERNÁNDEZ, Andrés
40, 57, 100, 124, 148, 165, 641, 748, 1077, 1097,
1160, 1328.

LABORATORIOS BOEHRINGER MANHEIM, S. A. (Barcelona)
1129, 1132, 1133, 1145, 1152.

LABORATORIOS ESSEX ESPAÑA
829, 1252

MERCHAN, Pacífico
183, 241, 261

NAENNY, Edouard
77

OFICINA DE TURISMO DE SUIZA
497, 765, 769, 773, 775, 777, 825, 846, 948, 949,
992, 1000, 1157, 1217

OFICINA DE TURISMO DE TÚNEZ
705, 816.

OFICINA NACIONAL DEL TURISMO HÚNGARO
1005

NOTA IMPORTANTE

EDITORIAL SAFELIZ ha querido que los cuatro tomos de LA SALUD POR LA NUTRICIÓN estuvieran ilustrados adecuadamente, con fotografías y dibujos que se hallen a la altura y en la debida consonancia con el texto. Es evidente que, en una obra de este tipo, la ilustración es muy importante, a veces tanto como el texto, pues resulta imprescindible para identificar un producto o comprender con precisión una exposición de tipo científico-médico.

Habiendo querido satisfacer estas exigencias, y con el deseo de prestar a nuestros queridos lectores el mejor servicio posible, los editores no hemos regateado ni esfuerzos ni dedicación, tanto en lo personal como en lo económico.

En primer lugar hemos de manifestar nuestro

agradecimiento a los organismos nacionales y extranjeros, a las empresas y a los particulares que nos han cedido gratuitamente ilustraciones. No menos hemos de agradecer a diversas personas que nos han cedido materiales decorativos o sus hogares para enmarcar debidamente bastantes de las fotografías. Y por supuesto, nuestra gratitud a todos los «modelos», que sin ser ninguno de ellos, ni de ellas, profesionales, han tenido la paciencia de posar para nuestros fotógrafos, con los resultados que podéis contemplar…

Como es fácil de constatar, la inmensa mayoría de fotografías y dibujos se han realizado específica y exclusivamente para ilustrar esta obra.

Por todo ello ha sido necesario contar con el asesoramiento de varios médicos y de dibujantes con adecuados conocimientos técnicos y anatómicos. Ha habido que realizar largos viajes por diversos puntos de España y el resto de Europa, así como por Latinoamérica, para poder disponer de fotografías de productos que ni son frecuentes ni es fácil que hayan sido fotografiados anteriormente con las debidas garantías de calidad y nitidez.

Es muy importante destacar aquí que todas las fotografías que ilustran el «Recetario» (4.º tomo), han sido realizadas en exclusiva para ilustrarlo. Es decir, todas las ilustraciones fotográficas corresponden exactamente a las recetas indicadas, cosa nada frecuente en este tipo de libros. Estamos seguros que ello será de gran ayuda para el ama de casa que quiera elaborar algunas de dichas recetas, pues una imagen vale más que mil palabras… siempre, desde luego, que la imagen sea apropiada y correcta.

BIBLIOGRAFIA

ABDERHALDEN, E.

Die Grundlagen unserer Ernährung und unseres Stoffwechsels [Las bases de la alimentación y del metabolismo], Springer, Berlín, 1939.

ANHOHN, A. C.

«The relationship of a vegetarian diet to blood pressure» [Relaciones del régimen vegetariano con la presión arterial], *Prev. Med.* 7, 1978.

ARMSTRONG, B. / CLARK

«Urinary sodium and blood pressure in vegetarians» [El sodio urinario y la presión arterial en los vegetarianos), *Am. J. Clin. Nutr.* 32, 1979.

ARMSTRONG, B. / VAN MERWYK, A. J. / COATES, H.

«Blood pressure in Seventh-Day-Adventists vegetarians» [Presión arterial en adventistas del séptimo día vegetarianos], *Am. J. Epidemiol.* 105, 1977.

ASCHNER, B.

Trost und Hilfe für Rheumakranke [Consuelo y asistencia a los reumáticos], Ernst Reinhardt Verlag, Múnich / Basilea, 1957.

ASSMANN, G. / SCHRIEWER, H.

«Zur Rolle des HDL-Cholesterins in der Präventivmedizin» [El papel del colesterol en forma de HDL en medicina preventiva], *Therapiewoche* 8/33, 1983.

BAJUSZ, E.

Herz-Kreislauf-Erkrankungen und Ernährung [Enfermedades de la circulación coronaria y la alimentación], Bayerischer Landwirtschaftsverlag, Múnich / Basilea / Viena, 1967.

BALZLI, H.

Kunst und Wissenschaft des Essens [Arte y ciencia del comer], Verlag der Hahnemannia, Stuttgart, 1928.

1777

BERNWARDIS, M.

«Praktische Hinweise zur Durchführung der kochsalzarmen Kost» [Consejos prácticos para seguir la dieta hiposódica], *Ernährungsmschau* 10, 1984.

BERTRAM, F.

ABC für Zuckerkranke, [El ABC de los diabéticos], Georg Thieme Verlag, Stuttgart, 1956.

BINDEWALD, H.

«Rohkonservierung der Frauenmilch mit Streptomycin oder Zitronensäure» [Conservación de leche cruda de mujer con estreptomicina y ácido cítrico], *Münchener Medizinische Wochenschrift,* 77.

BIRCHER-BENNER, M.

— *Kranke Menschen in diätetischer Heilbehandlung* [Los enfermos de diabetes en tratamiento], Wendepunkt-Verlag, Zürich, 1938.

— *Eine neue Ernährungslehre* [Una nueva bromatología], Wendepunkt-Verlag, Zürich, 1940.

— *Die Verhütung des Unheilbaren* [Evitar lo irreparable], Wendepunkt-Verlag, Zürich, 1934.

— *Frischgemüse im Haushalt* [Hortalizas frescas en el hogar], Wendepunkt-Verlag, Zürich.

— *Ernährungskrankheiten* [Enfermedades de la nutrición], Wendepunkt-Verlag, Zürich, 1940.

— *Die Rheumakrankheiten* [Enfermedades reumáticas], Wendepunkt-Verlag, Zürich, 1939.

BIRCHER, R.

— *Ein Wendepunkt in der Ernährungsforschung* [La crisis de la investigación bromatológica], Schriftenreihe: Neues Leben.

— *Sturmfeste Gesundheit - 20 Jahre länger jung* [Salud a toda prueba. Ser veinte años más jóvenes], Wendepunkt, Bircher-Benner-Verlag, Bad Homburg.

— «Die Krankheitsschuld der Eiweissmast» [Enfermedad por exceso de proteínas], *Der Wendepunkt* 1, 1977.

BLÜMEL, P. M./JUNGMANN, H.

«Untersuchungen über Blutveränderungen bei absoluter, befristeter Nahrungskarenz (Fasten) kombiniert mit Übungstherapie» [Estudios sobre las modificaciones que se producen en la sangre durante el ayuno combinado con fisioterapia], *Medizinische Welt* 20, 1969.

BÖNING, H./FRENTZEL-BEYME, R.

«Schützt die Lebensweise von Vegetariern vor einigen Erkrankungen?» [¿Protege contra algunas enfermedades el estilo de vida de los vegetarianos?], *Aktuelle Ernährungsmedizin* 8, 1983.

BRAUCHLE, A.

Die Geschichte der Naturheilkunde in Lebensbildern [Historia de la fisioterapia en semblanzas], Reclam Verlag, Stuttgart, 1951.

BRÄUER, H. Y OTROS

«Einfluss sogenannter Diätfette mit hohem Anteil an Polyensäuren» [Los efectos de las grasas alimentarias con gran proporción de ácidos grasos insaturados], *Münchener Medizinische Wochenschrift* 122, supl. 3, 1980.

BRODRIBB, A. J. M.

Dietary fibre in the aetiology and tratment of gastrointestinal disease, in: Rottka, H., *Pflanzenfasern - Ballaststoffe in der menschlichen Ernährung* [«La fibra dietética en la etiología y tratamiento de las enfermedades gastrointestinales», en Rottka, H. Las fibras vegetales: materiales de lastre en la alimentación humana], Georg Thieme Verlag, Stuttgart, 1980.

BROWN, M. S./GOLDSTEIN J. L.

«Arteriosklerose und Cholesterin: Die Rolle der LDL-Rezeptoren» [Arteriosclerosis y colesterol: el papel de los receptores LDL], *Spektrum der Wissenschaft* 1, 1985.

BUCHINGER, O.

— *Heilfastenkur. Gesund werden, gesund bleiben* [La dieta curativa. Sanar y permanecer sanos], Bruno Wilkens Verlag, Hannover.

— *Über Ursache und Verhütung der Krebskrankheit* [Causa y prevención del cáncer], Leonhard Friedrich, Bad Pyrmont.

BURKITT, D. P.

«Fibre - the neglected Factor in Food» [La fibra, factor olvidado en la alimentación] *Spectrum* 112, 1973.

CASTRUP, J./FUCHS, K.

«Zur Zellerneuerung bei entzündlichen Magenschleimhautveränderungen» [La renovación celular en inflamaciones de la mucosa gástrica], *Deutsche Medizinische Wochenschrift* 99, 1974.

CLASSEN, M./MATZKIES, F. Y OTROS

«Nahrungsmittelunverträglichkeiten bei Colitis ulcerosa und Cholelithiasis» [Intolerancias alimentarias en la colitis ulcerosa y en la colelitiasis], *Innere Medizin* 1/7, 1974.

CREMER, H. Y OTROS

Die grosse GU Nährwert-Tabelle [Gran cuadro de valores nutritivos], 3.ª edición corregida, Gräfe und Unzer, Múnich, 1985.

DEUTSCHE GESELLSCHAFT FÜR ERNÄHRUNG

Empfehlungen für die Nährstoffzufuhr [Recomendaciones para el abastecimiento de productos alimentarios], 4.ª edición corregida, Umschau Verlag, Fráncfort, 1985.

DIEHLMANN, W. (HRSG.)

Therapie der entzündlich-rheumatischen Krankheiten [Tratamiento de las enfermedades inflamatorio-reumáticas], Miamed Verlag, Ravensburg, 1983.

DRANGMEISTER, E.

Untersuchungen über den Cholesterinspiegel [Investigaciones sobre el nivel de colesterol], tesis doctoral, Universidad de Hamburgo, 1965.

EBERHAGEN, D./SENG, P. N.

Lipide, Biochemie und Physiologie der Ernährung [Lípidos, bioquímica y fisiología de la nutrición], Georg Thieme Verlag, Stuttgart, 1980.

EICHHOLTZ, F.

— *Die toxische Gesamtsituation auf dem Gebiet der menschlichen Ernährung* [Los productos tóxicos en el terreno de la alimentación humana], Springer-Verlag, Berlín/Heidelberg, 1952.

— *Lehrbuch der Pharmakologie* [Manual de farmacología], Springer-Verlag, Berlín/Heidelberg, 1947.

— *Vom Streit der Gelehrten* [Controversias eruditas], G. Braun, Karlsruhe, 1958.

ENGELMANN, B./KOHL, E.

Selber backen mit Vollkorn [Cómo hacer uno mismo el pan con harina integral], BLV Verlagsgesellschaft, Múnich/Viena/Zürich, 1983.

ERNÄHRUNGSBERICHT 1984

[Informe sobre la alimentación 1984], Fráncfort, 1984.

FAHRLÄNDER, H.

«Nahrungsmittelallergien im Kindesalter und beim Erwachsenen» [Alergias a los alimentos en la infancia y en los adultos], *Fortschritte der Medizin* 10, 1984.

FERRO-LUZZI, A. Y OTROS

«Veränderungen der mediterranen Diät, Einfluss auf die Blutfette» [Modificaciones de la dieta mediterránea. Su influencia sobre las grasas sanguíneas], *Diät-Therapie* 5/2, 1985.

FORREL, M. M./LEHNERT, P.

«Physiologie und Biochemie von Verdauung und Resorption» in: *Ernährungslehre und Diätetik* [Fisiología y bioquímica de la digestión y la absorción, en Bromatología y dietética], Georg Thieme Verlag, Stuttgart, Nueva York, 1980.

FRASER, E. G./SWANNEL, R. J.

«Diet and serum cholesterol in Seventh-Day-Adventists. A cross sectional study showing significant relationships» [La dieta y el colesterol sanguíneo en los adventistas del séptimo día. Un estudio amplio que muestra relaciones significativas], *Journal of Chronical Diseases* 34, 1981.

FRITSCH, W.-P./SCHOLTEN, T. Y OTROS

«Ulcus ventriculi» [Ulcera gástrica], *Internistische Welt* 3, 1981.

GARLAND, S.

Das Grosse BLV-Buch der Kräuter und Gewürze [El gran libro de las hierbas y las especias], BLV Verlagsgesellschaft, Múnich.

GARNWEIDNER, E.

GU Naturführer Pilze [Guía de las setas], Gräfe und Unzer Múnich, 1985.

GLANZMANN, E.

Einführung in die Kinderheilkunde [Introducción a la pediatría], Springer-Verlag, Viena, 1949.

GLATZEL, H.

— *Die Ernährung in der technischen Welt* [La alimentación en el mundo desarrollado], Hippokrates Verlag, Stuttgart, 1970.

— *Wege und Irrwege moderner Ernährung* [Caminos y extravíos de la alimentación moderna], Hippokrates Verlag, Stuttgart, 1982.

GEAR, J. S. S.

«Dietary fibre and asymptomatic diverticular disease of the colon» [La fibra dietética y la enfermedad diverticular asintomática del colon], *J. Plant Foods* 3, 1978.

GERGELY, S.

«Anorexia nervosa: Welche Rolle spielen die Mütter?» [Anorexia nerviosa. ¿Qué papel representan las madres?], *Arztliche Praxis* 20/XXXVI, 1980.

GERSON, M.

— *Meine Diät* [Mi dieta], Verlag Ullstein, Berlín, 1930.

— *Eine Krebstherapie, Berichte über 50 geheilte Fälle* [Una terapia del cáncer. Informes sobre cincuenta casos curados], Hyperion-Verlag, Friburgo, 1961.

GRAFFI, A./BIELKA, H.

Probleme der experimentellen Krebsforschung [Problemas en la investigación experimental del cáncer], Akademische Verlagsgesellschaft, Geest und Postig KG, Leipzig, 1959.

GRÜNINGER, U.

Gemüse aus Europas Gärten [Hortalizas de los huertos de Europa], Walter Hädecke Verlag, Stuttgart-Weil der Stadt, 1968.

HAFER, H.

Nahrungsphosphat als Ursache für Verhaltensstörungen und Jugendkriminalität [Los fosfatos en la alimentación como causa de trastornos de la conducta y de delincuencia juvenil], 2.ª edición, Heidelberg, 1979.

HALDEN, W.

Wähle selbst aus der Fülle der Sonnenwerte unserer Nahrung [Escoge tú mismo entre los valores de nuestra alimentación], Schweizer Druck-und Verlagshaus A. G., Zürich, 1954.

HALLER, A. VON

Die Küche unterm Mikroskop [La cocina bajo el microscopio], Econ-Verlag, Düsseldorf, 1959.

HARTL, P.

Ankylosierende Spondylitis [Espondilitis anquilosante], Werk-Verlag, Múnich, 1982.

HEILMEYER, L./HOLTMEIER, H.-J.

Ernährungswissenschaften [Las ciencias de la nutrición], Georg Thieme Verlag, Stuttgart, 1968.

HEIMANN, W.

Ernährungslehre und Diätetik [Bromatología y dietética], Georg Thieme Verlag, Stuttgart, 1980.

HEISLER, A.

— *Aus meinen Krankenblättern* [De mis historias clínicas], Verlag der Ärztlichen Rundschau - Otto Gmehlin, Múnich, 1936.

— *Landarzt und Naturheilverfahren* [El médico rural y la fisioterapia], Hippokrates Verlag, Stuttgart, 1938.

HERRMANN, K.

Exotische Lebensmittel. Inhaltsstoffe und Verwendung [Alimentos exóticos. Principios nutritivos y empleo], Springer-Verlag, Berlín/Heidelberg/ Nueva York, 1983.

HEUN, E.

— *Die Rohsäftekur* [La cura de zumos crudos], Hippokrates Verlag, Stuttgart, 1951.

— *Heilung von Kreislaufstörungen* [Curación de los trastornos circulatorios], Bruno Wilkens Verlag, Hannover, 1953.

HEUPKE, W.

Heilung von Magenleiden durch schmackhafte Diät [La curación de los padecimientos del estómago mediante una dieta sabrosa], Umschau Verlag Fráncfort, 1952.

HEUPKE, W./WEITZEL, W.

Deutsches Obst und Gemüse in der Ernährung und Heilkunde [Las frutas y hortalizas alemanas en la alimentación y la terapéutica], Hippokrates Verlag, Stuttgart, 1950.

HINDHEDE, M.

Gesundheit durch richtige und einfache Ernährung [Sanos con una alimentación correcta y sencilla], Joh. A. Barth Verlag, Leipzig.

HOLTMEIER, H.-J./HEILMEYER, L.

Rezepttaschenbuch der Diätetik [Libro de bolsillo de recetas dietéticas[, Gustav Fischer Verlag, Stuttgart, 1967.

HOLTZ, J./SCHWEMMLE, K.

«Chronische Pankreatitis Konsequenzen und praktisches Vorgehen» in *Der chronisch Kranke in der Gastroenterologie* [Pancreatitis crónica. Consecuencias y conducta práctica, en El enfermo crónico en gastroenterología], Springer-Verlag, Berlín, 1974.

HOESSLIN, H. VON

Verdaulichkeit, Bekömmlichkeit und Wirksamkeit unserer Nahrung [La digestión, el aprovechamiento y la eficacia de nuestra alimentación], 2.ª edición, Urban & Schwarenberg, Berlín/Múnich, 1984.

JENKINS, R. R.

«Health implications of the vegetarian diet» [Consecuencias para la salud de la dieta vegetariana], *J. Am. Coll. Health* 24, 1975.

KAPFELSPERGER, E./POLLMER, U.

Iss und stirb. Chemie in unserer Nahrung [Come y muere. La química de nuestra alimentación], Kepenheuer & Witsch, Colonia, 1983.

KATASE, A.

Einfluss der Ernährung auf die Konstitution des Menschen. Ergebnisse experimenteller Forschung [Influencia de la alimentación sobre la constitución del hombre. Resultados de investigaciones experimentales], Urban & Schwarzenberg, Viena, 1934.

KELLER, A.

Naturgemässe Heilung von Rheuma [La curación natural del reumatismo], Heinrich Schwab Verlag, Schopfheim, 1971.

KLUTHE, R./QUIRIN, H.

Diätbuch für Nierenkranke [Recetario para los enfermos del riñón], Georg Thieme Verlag, Stuttgart, 1978.

KOELSCH, K. A.

«Schluckstörung, Schluckschmerz, Sodbrennen» in *Klinische Gastroenterologie* [Disfagias y pirosis, en Gastroenterología clínica] Georg Thieme Verlag, Stuttgart, 1973.

KOELZ, H. R.

«Die Refluxkrankheit der Speiseröhrekonservative Therapie» in *Der chronisch Kranke in der Gastroenterologie* [La enfermedad del reflujo en el esófago. Tratamiento conservador, en El enfermo crónico en gastroenterología], Springer-Verlag, Berlín/Heidelberg/Nueva York/Tokio, 1984.

KOFRANYI, E.

Einführung in die Ernährungslehre [Introducción a la bromatología], Umschau Verlag, Fráncfort, 1977.

KOLLATH, W.

— *Die Ordnung unserer Nahrung* [El orden en nuestra alimentación], K. F. Haug, Heidelberg, 1983.

— *Der Vollwert der Nahrung und seine Bedeutung für Wachstum und Zellersatz* [El valor de la alimentación y su importancia para el crecimiento y renovación de nuestras células], Wissenschaftliche Verlagsgesellschaft, Stuttgart, 1950.

— *Zur Einheit in der Heilkunde* [Sobre la unidad en la terapéutica], Hippokrates Verlag, Stuttgart, 1942.

— *Regulatoren des Lebens. Vom Wesen der Redox-Systeme* [Reguladores de la vida. ¿Qué son los sistemas redox?] K. F. Haug, Heidelberg, 1968.

— *Zivilisationsbedingte Krankheiten und Todesursachen* [Las enfermedades y las causas de muerte condicionadas por la civilización], Ulm, 1958.

KÖTSCHAU, K.

Gesundheitsprobleme unserer Zeit [Los problemas sanitarios de nuestra época], Hanns Georg Müller Verlag KG, Krailling, 1955.

KRANZ, B.

Das grosse Buch der Früchte. Exotische und einheimische Arten [El gran libro de los frutos exóticos e indígenas), Südwest Verlag, Múnich, 1981.

KRANZ, H.

«Der Honig in der Therapie» [La miel en la terapéutica], *Die Heilkunst* 7, 1971.

KRAUSS, H.

«Möglichkeiten und Grenzen des therapeutischen Fastens» [Posibilidades y limitaciones del ayuno terapéutico], *Diaita* 4, 1967.

KRAUT, H./REICHARDT, F.

Ernähren wir uns richtig? [¿Nos alimentamos correctamente?], Umschau Verlag, Fráncfort.

KRÖNER, W./VÖLKSEN, W.
Die Kartoffel [Las patatas], Verlag Joh. A. Barth, Leipzig, 1950.

KUO, P. T.

«Diätetische Massnahmen bei Hyperlipoproteinämie und Arteriosklerose» [Medidas dietéticas contra la hiperlipoproteinemia y la arteriosclerosis], *Diät-Therapie* 4, 1984.

1781

LANG, K.

— *Ernährungsprobleme in der modernen Industrie-gesselschaft* [Problemas alimentarios en la moderna sociedad industrial], supl. 4 de *Zeitschrift für Ernährungswissenschaft*, Dietrich Steinkopff-Verlag, Darmstadt, 1965.

— *Biochemie in der Ernährung* [La bioquímica en la alimentación], 4ª edición, Dietrich Steinkopff-Verlag, Darmstadt.

LENZNER, C.

Gift in der Nahrung [Los venenos en la alimentación], Hyperion Verlag, Friburgo.

LIECHTI-V. BRASCH, D./KUNZ-BIRCHER, A./BIRCHER, R.

«Adernverkalkung und Bluthochdruck» [Arteriosclerosis e hipertensión sanguínea], *Wendepunkt* 12, 1956.

LUBAN-PLOZZA, B./PÖLDINGER, W.

Der Psychosomatische Kranke in der Praxis [El enfermo psicosomático en la consulta], Springer-Verlag, Berlín/Heidelberg/Nueva York, 1980.

LYNEN, F./HARTMANN, G. R.

«Zur Struktur und Wirkungsweise von Enzymen» [Estructura y acción de las enzimas], *Mannheimer Forum* 76/77.

MALTEN, H.

Herzkrankheiten [Las enfermedades cardíacas] Walter Hädecke Verlag, Stuttgart-Weil der Stadt, 1951.

MARGARINE-INSTITUT FÜR GESUNDE ERNÄHRUNG

Fett in der Ernährung [La grasa en la alimentación], Hamburgo, 1983.

MATERN, S./GEROK, W.

«Litholyse - Indikation, Prophylaxe und Langzeitbetreuung» in *Der chronisch Kranke in der Gastroenterologie* [La litolisis. Indicaciones, profilaxis y tratamiento a largo plazo, en El enfermo crónico en gastroenterología], Springer-Verlag, Berlín/Heidelberg/Nueva York/Tokio, 1984.

MATHIES, H.

Rheuma-ein Lehrbuch für Patienten [El reumatismo. Manual para pacientes], Gustav Fischer Verlag, Stuttgart, 1979.

MATHIES, H./WAGENHÄUSER, F. J./SIEGMETH, W.

Richtlinien zur Therapie rheumatischer Erkrankungen [Directrices para el tratamiento de las enfermedades reumáticas], Enlar Publishers, Basilea, 1980.

McCOLLUM, E. V.

— «Who discovered vitamins?» [¿Quién descubrió las vitaminas?], *Science* 118, 1953.

— *A History of Nutrition* [Historia de la nutrición], Boston, 1957.

MENDELSOHN, O. A.

Lob der Zwiebel [Elogio de la cebolla], Mosaik-Verlag, Hamburgo, 1965.

MENDEN, E.

«Ideal, Normal oder Optimal - was ist tatsächlich das richtige Körpergewicht?» [Ideal, normal u óptimo: ¿Cuál es en realidad el peso correcto?], *Musik und Medizin* 14, 1982.

METZLER, A.

Weltproblem Gesundheit [La salud problema mundial], Imhausen International Company, Lahr, 1961.

MEYER, A. E.

«Die Betonung liegt auf "mager"» [El énfasis se pone en «adelgazar»], *Monatskurse für ärztliche Fortbildung* 35, 1985.

MEYER-WARSTADT, B.

«Ernährung, Magen-Darm-Funktion und deren Störungen im Alter» [La alimentación, la función gastrointestinal y sus trastornos en la vejez], *Medizin und Ernährung* 1/8, 1967.

MIDDELHOFF, G.

«Fettstoffwechselstörungen - eine Standortbestimmung» [Los trastornos del metabolismo de las grasas. Estado de la cuestión], *Therapiewoche* 6/33, 1983.

MIEHLKE, K.

Die chronische Polyarthritis und ihr heutiges therapeutisches Konzept [La poliartritis crónica y su tratamiento actual], Sandoz AG, Nuremberg, 1974.

MITSCHERLICH, A.

Vom Ursprung der Sucht [Del origen de la manía], Ernst Klett Verlag, Stuttgart, 1947.

MOMMSEN, H.

— *Heikunde auf neuen Wegen* [La terapéutica por nuevos caminos], K. F. Haug, Heidelberg, 1981.

— Möglichkeiten und Grenzen des therapeutischen Fastens [Posibilidades y limitaciones del ayuno terapéutico], *Diaita* 4, 1967.

NOLFI, K.

Meine Erfahrungen mit Rohkost [Mis experiencias con la dieta cruda], Medizinalpolitischer Verlag, Hilchenbach (Westf.), 1952.

PFEIFFER, E.

«Diabetesheilung allein durch Fasten? [¿Se cura la diabetes únicamente mediante el ayuno?], *Periskop* 9/3, 1973.

PHILLIPS, R. Y OTROS

«Coronary heart disease mortality among Seventh-Day-Adventists with differing dietary habits: a preliminary report» [La mortalidad por enfermedades coronarias entre adventistas del séptimo día con distintos hábitos alimentarios. Informe preliminar], *Am. J. Clin. Nutr.* 31, 1978.

RAKOW, A. D.

«Nulldiät auch in der Praxis» [La dieta cero en la práctica médica], *Medical Tribune* 17, 1975.

RASENACK, U./CASPARY, W. F.

«Akute und chronische Diarrhoen» [Las diarreas agudas y crónicas], *Information des Arztes* 19/10, 1982.

RIECKER, G.

Klinische Kardiologie [Cardiología clínica], Springer-Verlag, Berlín/Heidelberg/Nueva York, 1975.

ROHRLICH, M./BRÜCKNER, G.
Das Getreide [Los cereales], A. W. Hayn's Erben, Berlín, 1966.

RÖMPP, H.

Spurenelemente [Oligoelementos], Franckh'sche Verlagshandlung, Stuttgart, 1954.

ROTTKA, H.

Vegetarische Ernährung - Pro und Contra [La alimentación vegetariana. Ventajas e inconvenientes], Ernährungsumschau, Sonderheft, 1983.

ROTTKA, H./THEFELD, W.

«Gesundheit und vegetarische Lebensweise» [La salud y el estilo de vida vegetariano], *Aktuelle Ernährungsmedizin* 6/9, 1984.

RUYS, J./HICKIE, J. B.

«Serum cholesterol and triglyceride levels in Australian adolescent vegetarians» [Colesterol sanguíneo y niveles de triglicéridos en adolescentes vegetarianos de Australia], *Br. Med. J.,* 10 de julio de 1976.

SACKS, F. M. Y OTROS

«Plasma lipids and lipoproteins in vegetarians and controls» [Lípidos del plasma y lipoproteínas en los vegetarianos y controles], *Medizin* 5/1, 1977; *N. England J. Med.* 292, 1975.

SCALA, F. J.

Handbuch der Diätetik [Manual de dietética], Sensen Verlag, Viena, 1968.

SCHENCK, E. G./MEYER, H. E.

Das Fasten [El ayuno], Hippokrates Verlag, Stuttgart, 1938.

SCHENCK, E. G./NAUNDORF, G.

Lexikon der tropischen, subtropischen und mediterranen Nahrungsund und Genussmittel [Enciclopedia de productos alimentarios tropicales, subtropicales y mediterráneos], Nicolaische Verlagsbuchhandlung, Herford, 1966.

SCHETTLER, G.

— *Fettstoffwechselstörungen* [Los trastornos del metabolismo de las grasas], Georg Thieme Verlag, Stuttgart, 1971.

— *Alterskrankheiten* [Las enfermedades de la vejez], Georg Thieme Verlag, Stuttgart, 1966.

— «Das Arterioskleroseproblem» [El problema de la arteriosclerosis], *Deutsches Arzteblatt* 11, 1977.

— *Der Mensch ist so gesund wie seine Gefässe* [El hombre es tan sano como sus arterias], Piper Verlag, Múnich, 1982.

SCHIERMANN, J.

Selbst Brotbacken [Hacerse el pan uno mismo], Falken-Verlag Erich Sicker KG, Wiesbaden, 1975.

SCHLAYER, C. R./PRÜFER, J.

Lehrbuch der Krankenernährung [Manual de alimentación para enfermos], Urban & Schwarzenberg, Múnich, 1951.

SCHLETTWEIN-GSEIL, D./MOMMNSEN-STRAUB, S.

«Spurenelemente in Lebensmitteln» [Oligoelementos en los alimentos], *Int. Z. Vitm. Ernährungsforschung*, 13, 1973.

SCHLIERF, G.

«Ernährung, Arteriosklerose und koronare Herzkrankheiten» [La alimentación, la arteriosclerosis y las enfermedades coronarias], *Deutsches Ärzteblatt* 41, 1984.

SCHMIDT, S.

Hilfe für Krebskranke durch biologische Kombinationsbehandlung [Ayuda para los cancerosos mediante tratamiento biológico combinado], Helfer Verlag E. Schwabe, Bad Homburg.

SCHNEIDER, J.

«Corned Beef statt Fasten» [Chuletas en vez de ayuno], *Medical Tribune* 9/16, 1981.

SCHNITZER, J. G.

— *Gesunde Zähne von der Kindheit bis in Alter* [Dientes sanos de la niñez a la vejez], Bircher-Benner-Verlag, Bad Homburg.

— *Biologische Heilbehandlung der Zuckerkrankheit* [Tratamiento biológico de la diabetes], Bircher-Benner-Verlag, Bad Homburg, 1980.

SCHORMÜLLER, T.

Lehrbuch der Lebensmittelchemie [Manual de química de los alimentos], 2.ª edición, Springer-Verlag, Berlín, 1974.

SCHUPPIEN, W.

Die Evers-Diät [La dieta de Evers], Hippokrates Verlag, Stuttgart, 1955.

SCHÜTTE, K. H.

Biologie der Spurenelemente [Biología de los oligoelementos], BLV Verlagsgesellschaft, Múnich/Basilea/Viena, 1965.

SCHUPHAN, W.

Zur Qualitä der Nahrungspflanzen [Sobre la calidad de las plantas alimentarias], BLV Verlagsgesellschart, Múnich/Basilea/Viena, 1961.

SIMMLING-ANNEFELD, M. Y OTROS

«Kapillarwandverengungen bei der rheumatischen Arthritis» [Las paredes de los capilares en la artritis reumatoide], *Zeitschrift für Rheumatologie* 38, 1979.

SINCLAIR, H. M.

«The human nutritional advantages of plant foods over animal foods» [Ventajas nutritivas de los alimentos vegetales sobre los animales], *Qual. Plant.* 29, 1979.

SOMOGYI, J. C.

Ernährung und Atherosklerose [La alimentación y la arteriosclerosis], S. Karger-Verlag, Basilea/Nueva York, 1969.

SOMOGYI, J. C./CREMER, H. D.

Beeinflussung des Stoffwechsels durch die Ernährung [Influencia de la alimentación sobre el metabolismo], S. Karger-Verlag, Basilea/Nueva York, 1969.

SOUCI, S. W./BOSCH, H.

Lebensmittel-Tabellen für die Nährwertberechnung [Tabla de alimentos para calcular su valor nutritivo], 3.ª edición, Wissenschaftliche Verlagsgesellschaft, Stuttgart, 1982.

SPERANSKY, A. D.

Grundlagen der Theorie der Medizin [Fundamentos de la teoría de la medicina], Saenger, Berlín, 1950.

STEPP, W.

— *ABC der Gesundheit* [El abc de la salud], Carl Gerber, Múnich.

— *Ernährungslehre. Grundlagen und Anwendung* [La bromatología. Fundamentos y aplicación], Julius Springer Verlag, Berlín, 1939.

STRICK, W.

Erkrankungen des Herzens und des Kreislaufs und ihre Behandlung [Las enfermedades cardiocirculatorias y su tratamiento], Herder, Friburgo, 1974.

STOYA, W.

Chemie in unserer Nahrung... ein Skandal? [La química de nuestra alimentación... ¿un escándalo?], Markus-Verlag, Múnich, 1975.

TAYLOR, C. B./ALLEN, F. S. Y OTROS

«Serum cholesterol levels for Seventh-Day-Adventists» [Niveles de colesterol entre los adventistas del séptimo día], *Wall* 30, 1976.

TTRUMPP, R.

Safttage ganz einfach [Días de zumos, sencillamente], Buch-und Kunstdruckerei Ph. Rauscher, Múnich.

VOLLEMANN-RICHTER

Lehrbuch der organischen Chemie [Manual de química orgánica], Walter de Gruyter, Berlín.

WABSER, E. Y OTROS

«Beeinflussung der basalen Magen-und Pankreassekretion des Menschen durch Zigarettenrauchen» [Influencia del tabaco sobre la secreción gástrica y pancreática basal del hombre], *Deutsche Medizinische Wochenschrift* 99, 1974.

WALB, L.

Die Haysche Trennkost [La dieta selectiva de Hay], Karl F. Haug, Heidelberg.

WATKINSON, G.

«Colitis ulcerosa» in *Klinische Gastroenterologie* [La colitis ulcerosa, en Gastroenterología clínica], Georg Thieme Verlag, Stuttgart, 1973.

WEISS, H.

«Den Zucker nicht verharmlosen» [No quitar importancia al azúcar], *Selecta* 51, 1983.

WELSCH, A.

Krankenernährung [La alimentación de los enfermos], Georg Thieme Verlag, Stuttgart, 1965.

WENDT, L.

Krankheiten verminderter Kapillarmembranpermeabilität. Die essentielle Hypertonie des Uberernährten [Las enfermedades por reducción de permeabilidad de la membrana capilar. La hipertensión esencial por sobrealimentación], E. E. Koch, Fráncfort, 1974-76.

WERNER, M.

«Allergosen des Magen-Darm-Kanals durch Nahrungsmittel» [Alergias digestivas por causas alimentarias], *Monatskurse für ärztliche Fortbildung* 9, 1951.

WEST, R./HAYES, O. B.

«Diet and serum cholesterol levels. Comparisons between vegetarians and non-vegetarians in a Seventh-Day-Adventists group» [La dieta y el nivel del colesterol. Cotejo entre vegetarianos y no vegetarianos de un grupo de adventistas del séptimo día], *Am. J. Clin. Nutr.* 21, 1968.

WHITE, E. G.

— *Counsels on Health* [Consejos sobre salud], Pacific Press Publishing Association, Mountain View, California.

— *Counsels on Diet and Foods* [Consejos sobre el régimen alimenticio], Review & Herald Publishing Association, Washington D. C. [existe traducción española]

YAMAGATA, S./MASUDA, H.

«Magenkarzinom» in *Klinische Gastroenterologie* [El carcinoma gástrico, en Gastroenterología clínica] Georg Thieme Verlag, Stuttgart, 1973.

ZABEL, W.

— *Sinn und Wesen einer Gesamtheitsmedizin* [El sentido y carácter de una medicina integral], Arzte-Verlag, Giessen, 1950.

— *Ganzheitsbehandlung der Geschwulsterkrankungen* [El tratamiento integral de las enfermedades tumorales], Hippokrates Verlag, Stuttgart, 1953.

— *Die interne Krebstherapie und die Ernährung des Krebskranken* [El tratamiento interno del cáncer y la alimentación del canceroso], 2.ª edición, Bircher-Benner-Verlag, Bad Homburg/Zürich.

★   ★   ★

BIBLIOGRAFIA ESPAÑOLA *

AGOSTINI, B. DE

La arteriosclerosis, Editorial De Vecchi, Barcelona, 1974.

ARRIOLA, M. C. Y OTROS

Caracterización, manejo y almacenamiento de algunas frutas tropicales, ICAITI (Instituto Centroamericano de Investigación y Tecnología Industrial), Guatemala, 1976.

AVILA, J.

Diccionario de los alimentos, Ediciones CEDEL, Barcelona, 1979.

AVILA, M.

Juventud y bienestar con la alimentación natural, Editores Mexicanos Unidos, México, 1983.

AVILA, O.

La miel, el polen y la jalea real, Ediciones CEDEL, Barcelona, 1980.

BAÜMLER, E.

Cáncer, Editorial Aguilar, Madrid, 1970.

* Esta bibliografía es únicamente orientativa. Incluye las obras que la redacción de Editorial Safeliz y sus asesores médicos consideran útiles y de interés, y también las consultadas para la preparación de esta versión en lengua castellana.

BIRCHER-BENNER, R.

Nuevo libro de cocina dietética, Ediciones RIALP, Madrid, 1980.

BIRCHER-BENNER, R./KUNZ-BIRCHER, R.

Guía de salud natural Bircher, Editorial Martínez Roca, Barcelona, 1980.

BLUM, P.

La piel, Editorial Oikos-Tau, Barcelona, 1973.

BOLDA, J.

Cultivo de coles, coliflores y bróculis, Editorial Sintes, Les Fonts de Terrassa (España), 1982.

BOLETÍN OFICIAL DEL ESTADO

Código Alimentario Español, Madrid, 1980.

BONADEO, P.

Cúrese con la jalea real, Editorial De Vecchi, Barcelona, 1984.

BOUÉ, W.

El médico del hogar-Plantas medicinales, Editorial Sintes, Barcelona, 1979.

BRAIER, L.

Diccionario Enciclopédico de Medicina JIMS, Editorial JIMS, Barcelona, 1980.

CAIRNS, J.

— «El problema del cáncer», *Investigación y Ciencia,* n.º 1 octubre 1976.

— «Terapéutica y lucha contra el cáncer», *Investigación y Ciencia,* n.º 112, enero 1986.

CALONGE, F.

Hongos de nuestros campos y bosques, ICONA (Instituto para la Conservación de la Naturaleza), Madrid, 1975.

CAMARASA, J. M.

La Ecología, Editorial Salvat, Barcelona, 1973.

CAÑADELL, J.

Libro de la diabetes, Editorial JIMS, Barcelona, 1980

CASADO DE FRÍAS, E.

Lactancia natural, Ministerio de Sanidad y Consumo, Madrid, 1983.

CASTRO, J.

La chufa como alimento, medicina y golosina, Ediciones Castro, Valencia, 1978.

CATALÁN, J./MARTÍNEZ, M./CABO, J.

Contaminación: Mito o realidad, Editora Nacional, Madrid, 1975.

CERNE, V./SINTES, J.

La soja: su cultivo, su valor nutritivo, sus virtudes dietéticas y curativas, Editorial Sintes, Les Fonts de Terrassa, (España), 1975.

CLEMENT, F.

Artritis, artrosis y reumatismo, Editorial De Vecchi, Barcelona, 1979.

COMITÉ EDITORIAL DE SCIENCE OF LIFE BOOKS

Enfermedades del corazón, EDAF, Madrid, 1980.

COROMINAS, A./DE GANDIRIAS, J. M.

Elementos de nutrición, Editorial Universitaria de Barcelona EUNIBAR, Barcelona, 1979.

CORONAS, R. Y OTROS

«Tema monográfico: Dietética y Nutrición», *JANO,* n.º 622, junio 1984.

CRUZ, M.

Tratado de pediatría, Editorial Espanx, Barcelona, 1983.

DEPARTAMENTO DE DIETÉTICA DE LA CLÍNICA MAYO

Manual de dietética de la Clínica Mayo, Ediciones Medici, Barcelona, 1984.

DÉROT, M./GOURY-LAFFONT, M.

Las enfermedades de la nutrición, Editorial Oikos-Tau, Barcelona, 1973.

DÍAZ, J.

Atlas de las frutas y hortalizas, Ministerio de Agricultura, Pesca y Alimentación, Madrid, 1981.

DICCIONARIO DE CIENCIAS MÉDICAS DORLAND

6.ª edición, Editorial «El Ateneo», Buenos Aires, 1979.

DICCIONARIO TERMINOLÓGICO DE CIENCIAS MÉDICAS

Editorial Salvat, Barcelona, 1974.

DOLGER, H./SEEMAN, B.

Cómo vivir con la diabetes, Editorial Diana, México, 1980.

DUFTY, W.

Sugar Blues - Azúcar: Peligro de muerte, Editorial A.T.E., Barcelona, 1977.

ESPEJO, J.

Manual de dietoterapia, Editorial «El Ateneo», Buenos Aires, 1984.

FARRERAS, P./ROZMAN, C.

Medicina interna, Editorial Marín, Barcelona, 1985.

FERNÁNDEZ, M./NIETO, A.

Plantas medicinales, Editorial EUNSA, Pamplona, 1982.

FONT QUER, P.

Plantas medicinales, El Dioscórides renovado, 3.ª edición, Editorial Labor, Barcelona, 1976.

FOX, W.

La artritis, ¿por qué soportarla?, Editorial Plaza y Janés, Barcelona, 1984.

FRENCH, T./ALEXANDER, F.

Psicología y asma bronquial, Editorial Paidós, Buenos Aires, 1966.

GANDHI

La base moral del vegetarianismo, Editorial Central, Buenos Aires, 1973.

GARAVAGLIA, G.

Las enfermedades de nuestro tiempo, Ediciones Iberoamericanas, Madrid, 1966.

GENERALITAT DE CATALUNYA

Informe: Els additius alimentaris [Informe: Los aditivos alimentarios], Direcció General de Promoció de la Salut, Barcelona, 1985.

GENTILS, R./JOLLIVET, P.

El libro de la alimentación, Ediciones Daimon, Barcelona, 1983.

GERBER, CH.

Cuisine et diététique [Cocina y dietética], Editions SDT, Dammarie-les-Lys (Francia), 1958.

GLASS, J.

Coma bien, Editorial Bruguera, Barcelona, 1967.

GOUDOT, A./BERTRAND, D.

Los oligoelementos, Editorial Oikos-Tau, Barcelona, 1973,

GRANDE COVIÁN, F.

Alimentación y nutrición, Editorial Salvat, Barcelona, 1981.

GUÉRIN, H./GUYOT, A./RASTOIN, S./THIEBAUT, P.

El balcón de las plantas medicinales, Editorial Daimon, Barcelona, 1981.

HALPERN, B.

La alergia, Editorial Oikos-Tau, Barcelona, 1970.

HAMMERLY, M. A.

Enciclopedia médica moderna, ACES, Buenos Aires, 1982.

HODGES, R.

Nutrición y medicina clínica, Editorial Interamericana, Madrid, 1981.

IBAR, L.

Cultivo del aguacate, chirimoyo, mango y papaya, Editorial Aedos, Barcelona, 1979.

INSTITUTO NACIONAL DEL CONSUMO

— ABC de los medicamentos, Madrid, 1985.

— Colección: Información básica al consumidor sobre el código alimentario español, Ministerio de Sanidad y Consumo, Madrid.

JEANS, H.

Frutas tropicales, Editorial Reus, Madrid, 1974.

KOVANEN, P.

«El control del colesterol», Mundo Científico, 6: 156, 1986.

KRETCHMER, N. Y OTROS

Los alimentos, H. Blume, Madrid, 1978.

KUSHI, M.

El libro de la macrobiótica, Ediciones Sol Universal, Málaga, 1979.

LABORDE, S.

El cáncer, Editorial «El Ateneo», Buenos Aires, 1978.

LAÍN ENTRALGO, P.

Historia universal de la medicina, Editorial Salvat, Barcelona, 1981.

LALANNE, R.

La alimentación humana, Editorial Oikos-Tau, Barcelona, 1971.

LANGE, J. E./LANGE, D. M./LLIMONA, X.

Guía de campo de los Hongos de Europa, Editorial Omega, Barcelona, 1976.

LANGLEY-DANYSZ, P.

«Cáncer: los riesgos de la alimentación», Mundo Científico, 4: 171-182, 1984.

LAPPE, F. M.

Dietas para la salud, Editorial Bruguera, Barcelona, 1979.

LOWENBERG, Y OTROS.

Los alimentos y el hombre, Editorial Limusa-Wiley, México, 1970.

MAINARDI, F.

Cómo cultivar hortalizas y plantas aromáticas en casa, Editorial De Vecchi, Barcelona, 1982.

MASCLANS, F.

Els noms de les plantes als Països Catalans [Los nombres de las plantas en los Países Catalanes], Editorial Montblanc-Martín, Barcelona, 1981.

MATHÉ, G.

Dossier Cáncer, Editorial Grijalbo, Barcelona, 1980.

MEDINA, J. Y OTROS

Frutas tropicais, Instituto de Tecnologia de Alimentos, Governo do Estado de São Paulo, Secretaria de Agricultura e Abastecimento, Brasil, 1980.

MESSEGUÉ, M.

Mi herbario de salud, Editorial Plaza y Janés, Barcelona, 1977.

MEYER, P.

La revolución de los medicamentos, Editorial Espasa Calpe, Madrid, 1986.

MINISTERIO DE AGRICULTURA, PESCA Y ALIMENTACIÓN

— Catálogo de quesos españoles, 2.ª edición, Madrid, 1973.

— Las raíces del aceite de oliva - Aceites de oliva vírgenes, Madrid, 1983.

— Una fuente de proteínas - Alubias, garbanzos y lentejas, Madrid, 1984.

MITCHELL, H./RYNBERGEN, H./ANDERSON, L./DIBBLE, M.

Nutrición y dietética, 16.ª edición, Editorial Interamericana, México, D.F., 1983.

MITCHELL, R.

Crecimiento y desarrollo del niño, Editorial Pediátrica, Barcelona, 1975.

MONCADA, E.

Conozca su diabetes, Editorial EUNSA, Pamplona, 1981.

MOREAU, F.

Alcaloides y plantas alcaloideas, Editorial Oikos-Tau, Barcelona, 1973.

MORTENSEN, E./BULLARD, E.

Horticultura tropical y subtropical, Editorial Pax-México, México D.F., sin fecha.

NATANGELO, R.

Enfermedades del corazón, Editorial De Vecchi, Barcelona, 1974.

NORRIS, P.

La levadura, EDAF, Madrid, 1981.

NUTTER, R.

Lo que usted debe saber sobre el cáncer, Publicaciones Interamericanas, EE.UU., 1983.

OPITZ, H./SCHMID, F.

Enciclopedia pediátrica, Ediciones Morata, Madrid, 1967.

PASCUAL, R.

Els fongs, els bolets i l'home (Los hongos, las setas y el hombre), Edicions Pol·len, Barcelona, 1982.

POLUNIN, O.

Arboles y arbustos de Europa, Editorial Omega, Barcelona, 1978.

PROETZSCH, R./REY, H. G.

Control del diabético. Ideas para educadores, Editorial Boehringer Mannheim, Barcelona, 1983.

PUIG, I.

Virtudes curativas del magnesio, Editorial Sintes, Les Fonts de Terrassa (España), 1980.

RAKOW, A. D.

«La dieta cero también en la práctica», *Tribuna Médica*, n.º 17, 1975.

REPOLLES AGUILAR, J. Y OTROS

El maravilloso mundo de las hierbas (10 tomos), Ediciones Editors S.A., Barcelona, 1982.

ROJAS-HIDALGO, E.

Algunos aspectos sobre nutrición y medicina preventiva, Laboratorios Roche, Madrid, 1977.

ROOT, W.

Hierbas y especias, Editorial Blume, Barcelona, 1983.

SALINERO, C. / MANSILLA, P. / ABELLEIRA, A.

El cultivo de la feijoa en Pontevedra, Diputación de Pontevedra, Pontevedra, 1985.

SAN PÉREZ, B. Y OTROS

La alimentación, (5 tomos), Ediciones UVE, Madrid, 1982.

SÁNCHEZ-MONGE, E.

Diccionario de plantas agrícolas, Ministerio de Agricultura, Pesca y Alimentación, Madrid, 1981.

SAPONARO, A.

La curación de la diabetes, Editorial De Vecchi, Barcelona, 1979.

SAURY, A.

Aceites vegetales comestibles, Ediciones CEDEL, Barcelona, 1981.

SCHNEIDER, E.

La alimentación y la salud, 11.ª edición, Editorial Safeliz, Madrid, 1985.

SCHNEIDER, J.

«Carne de lata en lugar de ayuno», *Tribuna Médica* 16, 1981.

SCHLEMMER, A.

El método natural en medicina, Editorial Alhambra, Madrid, 1985.

SCHULLER, E.

Los insomnios y el sueño, Centro de Información para Médicos, Madrid, 1977.

SHÖFFLING, K. / PETZOLDT, R. / FRÖHLICH-KRAUEL, A.

El mejor consejero del diabético, Editorial Paraninfo, Madrid, 1975.

SCHWARTZ, S.

Todo sobre los dientes, Editorial Plaza y Janés, Barcelona, 1986.

SENENT, J.

La contaminación, Editorial Salvat, Barcelona, 1973.

SHAW, F. / NAGY, S.

Tropical and Subtropical Fruits [Frutas tropicales y subtropicales], AVI Publishing Inc., Connecticut, 1980.

STARENKYJ, D.

Le mal du sucre, [Los peligros del azúcar], Publications Orion, Québec (Canada), 1981.

THIROLOIX, J.

El estreñimiento, Centro de Información para Médicos, Madrid, 1977.

THORN, Y OTROS.

Medicina Interna, La Prensa Médica Mexicana, México, 1979.

TOHARIA, M.

El libro de las setas, Alianza Editorial, Madrid, 1985.

TORRES SANTIVERI, E. / ARTIGAS, J.

Manual de alimentación natural y dietética, al alcance de todos, Casa Santiveri, Barcelona, 1984.

TOSCO, U.

Diccionario de botánica, Editorial Teide, Barcelona, 1979.

TRESILLIAN, M.

Prevención y tratamiento del cáncer por la dieta, EDAF, Madrid, 1981.

UNESCO

«Civilizaciones del arroz», número especial de *El Correo de la Unesco*, diciembre de 1984.

VALCHET, P.

Las enfermedades de la vida moderna, Editorial Labor, Barcelona, 1973.

VALTUEÑA, J. A.

Contra la medicina del médico, Barral Editores, Barcelona, 1976.

VARELA, G. Y OTROS.

Tablas de composición de alimentos, Instituto de Nutrición del CSIC, Madrid, 1983.

VIVANCO, F./PALACIOS, J. M.

Alimentación y Nutrición, Dirección General de Sanidad, Madrid, 1974.

VOGEL, A.

El pequeño doctor, Ediciones Vogel, Teufen, (RFA), 1970.

VON HALLER, A.

Los grandes descubrimientos en el campo de la alimentación, Espasa-Calpe, Madrid, 1965.

WATT, B. K. Y OTROS

Composition of Foods [Composición de alimentos], Departamento (Ministerio) de Agricultura de los EE.UU., Washington,D.C., 1975.

WIEL, R.

La úlcera de estómago, Centro de Información para Médicos, Madrid, 1977.

WORTMAN, S. Y OTROS

«Alimentación y agricultura», Investigación y Ciencia, número monográfico 2, 1976.

YUDKIN, J.

Este asunto de la nutrición, Antoni Bosch Editor, Barcelona, 1979.

ZUCCHERELLI, G.

La actinidia (kiwi), Ediciones Mundi-Prensa, Madrid, 1985.